Face à l'extrême

Tzvetan Todorov

Face à l'extrême

nouvelle édition

Éditions du Seuil

Une première édition de cet ouvrage a paru en 1991,
dans la collection « La couleur des idées »
sous la direction de Jean-Luc Giribone.
Pour cette édition en collection « Points »,
l'auteur a remanié une partie de son texte.

EN COUVERTURE : Rue Piwna,
Varsovie, octobre 1944.
Photo de Tadeusz Bukowski © KAW

ISBN 978-2-02-022222-8
(ISBN 2-02-012884-5, 1re publication)

A ma femme

Prologue

Voyage à Varsovie

Visites de dimanche

Cela a commencé très simplement, en novembre 1987. Un ami avait proposé de nous montrer quelques monuments non classés de Varsovie ; et nous avions accepté avec empressement, contents d'échapper ainsi au programme dans lequel nous enfermait le colloque officiel, raison ou prétexte de notre présence dans cette ville. Telles étaient les circonstances qui nous ont conduits, un dimanche, vers midi, dans l'église où avait officié le père Popieluszko – ce prêtre proche de Solidarité, assassiné par les services secrets – et où se trouvait maintenant sa tombe. Il y avait de quoi être impressionné, en effet. La cour de l'église, déjà, était comme l'enclave d'un pays dans un autre, débordant de banderoles et d'affiches qu'on ne voyait nulle part ailleurs. A l'intérieur, dans le demi-cercle du chœur, une exposition présentait la vie du supplicié ; chaque vitrine, chaque étape de sa carrière, était comme une station de son chemin de croix. On voyait des images de foule ou de rencontres individuelles, puis une carte d'état-major montrant son dernier parcours ; une photo du pont enfin d'où il avait été précipité dans le fleuve. Un peu plus loin, un crucifix avec Popieluszko à la place du Christ. Dehors, la pierre tombale et, autour d'elle, un tracé du territoire de la Grande Pologne (mordant sur la Lituanie et l'Ukraine), dessiné par de lourdes chaînes rivées à des pierres. En tout, une densité d'émotion qui vous prenait à la gorge. Et, autour, la foule, sans fin : le service est terminé, nous attendons longtemps que le fleuve humain se déverse au-dehors pour pouvoir entrer, mais quand on le fait, on constate, miracle, que l'église est toujours pleine.

Du coup, je ne pouvais m'empêcher de faire un rapprochement avec notre visite précédente, ce même matin, au cimetière juif de Varsovie. Nous étions seuls. A peine avait-on quitté l'allée centrale qu'on s'enfonçait dans un fouillis indescriptible : des arbres avaient poussé entre les tombes, des herbes folles les avaient envahies, effaçant les limites et les séparations ; les pierres tombales s'étaient à leur tour enfoncées dans la terre, à la suite des cercueils. On comprenait soudain, par contraste, que les autres cimetières étaient des lieux de vie, puisque le passé y restait présent, alors qu'ici les tombes, pétrification du souvenir, mouraient à leur tour. L'extermination des juifs pendant la guerre, rappelée par quelques monuments à l'entrée du cimetière, avait eu cet effet supplémentaire : tuer une deuxième fois les morts antérieurs, ceux du XIXe siècle ; depuis ce moment, il n'y avait plus eu de mémoire qu'ils puissent habiter. Il régnait un grand silence, et pourtant les voix ne portaient pas : à peine entrés dans le cimetière, nous nous sommes perdus les uns les autres ; les arbres qui avaient poussé entre les tombes nous empêchaient de nous apercevoir et nos appels restaient sans réponse. Puis on s'est retrouvé, tout aussi soudainement, et on s'est remis à errer en silence, en s'arrêtant devant les monuments funéraires qui jaillissaient de cette forêt.

Il y avait entre ces deux moitiés de la matinée une continuité, celle de l'émotion, et aussi un contraste que je ressentais confusément mais ne parvenais pas à formuler. De retour à Paris quelques jours plus tard, je continuais de me heurter à un malaise indéfinissable, né de cette incompréhension. J'ai voulu, pour le surmonter, lire quelques livres qui racontent des histoires polonaises. Pendant mon séjour, on m'avait parlé, en deux occasions différentes, de deux ouvrages qui devaient m'intéresser ; peut-être la clé de mon énigme, du léger malaise créé en moi par les deux visites, se trouvait-elle dans ces livres, mentionnés en de tout autres circonstances mais au cours du même voyage ? Je me les suis procurés, donc, et m'y suis plongé. Il s'est avéré qu'ils parlaient de deux événements de l'histoire récente, l'insurrection du ghetto juif de Varsovie, en 1943, et l'insurrection de Varsovie, en 1944. Du coup, il m'a semblé que le passé pouvait éclairer le présent ; j'ai voulu en savoir plus, et j'ai cherché d'autres textes encore, décrivant les mêmes faits. Voici ce que j'y ai trouvé.

Varsovie en 1944

Le premier des deux livres s'appelle *Varsovie 44. L'insurrection.* Il est composé d'interviews conduites par Jean-François Steiner auprès de participants de l'insurrection de l'été 1944, ou auprès de témoins, ou de connaisseurs de l'histoire polonaise ; le tout entremêlé de divers documents d'époque et d'extraits d'œuvres littéraires. Cela forme un long montage de textes qui tourne autour de la question suivante : comment est-on parvenu à prendre la décision de s'insurger ? A travers le récit minutieux de la montée des passions et de l'enchaînement des événements, j'en suis venu à lire une réflexion sur l'héroïsme. Les insurgés étaient sûrement des héros ; mais, de plus, une certaine emprise des valeurs héroïques sur leur esprit avait, semble-t-il, joué un rôle décisif dans l'éclatement même de la révolte et dans son déroulement ; cet esprit héroïque paraissait avoir agi comme une drogue, maintenant les combattants en état d'exaltation, et les aidant ainsi à supporter les plus pénibles épreuves.

Mais qu'est-ce que l'héroïsme ? me suis-je demandé en lisant. Par rapport à la grande antinomie qui sous-tend les conduites humaines, celle de la nécessité et de la liberté, ou encore de la loi impersonnelle et de la volonté individuelle, l'héroïsme est clairement du côté de la liberté et de la volonté. Là où, aux yeux des personnes ordinaires, il s'agit d'une situation ne comportant aucun choix, où l'on doit simplement se plier aux circonstances, le héros, lui, s'insurge contre ces apparences et, par un acte qui sort justement de l'ordinaire, parvient à forcer le destin. Le héros est le contraire du fataliste, il est du côté des révolutionnaires et à l'opposé des conservateurs, puisqu'il n'a aucun respect particulier pour les règles déjà existantes et pense que tout but peut être atteint, pour peu qu'on soit doté d'une volonté suffisamment forte.

Les dirigeants de l'insurrection de Varsovie, les responsables de son déclenchement, agissent bien en accord avec cet esprit héroïque. Selon les souvenirs des survivants, Okulicki, le chef des opérations (son destin sera particulièrement tragique : il mourra non sous les balles hitlériennes, comme il l'aurait voulu, mais dans les geôles staliniennes, qu'il redoutait par-dessus tout), se plaçait d'emblée dans l'optique du héros. « Il voulait que les choses soient comme elles doivent être et n'acceptait pas qu'il en fût autrement » (101) *. Son intérêt pour le devoir-être l'emporte de beaucoup sur son attention pour l'être. Il en va de même pour Pelczynski, le chef d'état-major de l'Armée de l'Intérieur (celle qui mène l'insurrection ; liée à Londres et non à Moscou, comme la petite Armée Populaire) : il fait partie des témoins interrogés, trente ans plus tard, par Steiner. « Nous savions que la Pologne était condamnée, mais nous ne pouvions accepter un tel verdict », se rappelle-t-il (241). Le général Bor-Komorowski, commandant de l'Armée de l'Intérieur, se souvient à son tour qu'à la veille des événements il avait complètement écarté de son esprit l'idée selon laquelle l'insurrection pouvait ne pas réussir : les choses seront comme elles doivent être (Ciechanowski, 247). Quand, après le début des combats, on annonce au colonel Monter (commandant militaire pour la région de Varsovie) qu'un quartier est tombé entre les mains des Allemands, il rétorque : « Je n'accepte pas cette affirmation » (Zawodny, 22). Voilà qui est caractéristique du héros : il peut savoir que son idéal est irréalisable (la Pologne ne peut échapper, de par sa position sur la carte comme en raison des forces militaires en présence, à l'occupation soviétique) ; mais, comme il le désire par-dessus tout, il mettra toutes ses forces à le poursuivre.

Ce principe héroïque, Pelczynski l'érige en une sorte de code d'honneur militaire : « Pour un soldat, chaque ordre est exécutable, s'il en a la volonté » (Steiner, 112). Il n'y a pas à distinguer entre ordres raisonnables et ordres absurdes, ceux qui tiennent ou ne tiennent pas compte de la situation, mais

* Les références complètes figurent en fin de volume.

seulement entre la présence ou l'absence d'une dose suffisante de volonté. Telle était, semble-t-il, la tradition militaire polonaise. Un général d'avant-guerre avait expliqué à ses subordonnés que le manque de moyens matériels pouvait toujours être compensé par un effort de la volonté, par la capacité des combattants à se sacrifier. « Faites une péréquation entre les munitions et le sang polonais, et chaque fois que vous manquerez de celles-là, remplacez-les par celui-ci » (122). Et c'est bien de cette manière que réagira Okulicki : un bâton, une bouteille suffiront contre les tanks allemands, dit-il, pourvu qu'ils soient entre les mains de Polonais décidés. Pelczynski dira aussi, plus tard : « On a vu qu'ils nous étaient supérieurs sur le plan matériel. Toutefois [...] les Polonais avaient l'avantage d'un meilleur moral. » Les Polonais ne seraient du reste pas les seuls à avoir choisi cette voie : « Quand le peuple de Paris a marché sur la Bastille, il ne s'est pas arrêté pour compter ses gourdins » (Ciechanowski, 261).

Les héros préfèrent donc, c'est le moins qu'on puisse dire, l'idéal au réel. Pendant l'insurrection de Varsovie, cet idéal porte plusieurs noms. On pourrait affirmer qu'ils se battent pour que vive Varsovie (libre). Mais plus souvent ils montent d'un degré et appellent cet idéal « la patrie ». Il faut se battre, dit Okulicki, « sans égard pour rien, ni pour personne, avec au fond de notre cœur une seule pensée : la Pologne » (Steiner, 108). Il ne suffit pas de dire que l'idéal, c'est la nation, car la nation peut aussi être identifiée à un ensemble d'êtres humains, mes proches, mes compatriotes, comme à un certain nombre de sites, de chemins, de maisons ; mais cette interprétation est explicitement écartée par Okulicki : il ne faut pas, déclare-t-il, hésiter à déclencher l'insurrection « sous prétexte de sauver quelques vies humaines ou quelques maisons » (108). Il s'agit de sauver, non les Varsoviens, mais l'idée de Varsovie ; ni les Polonais individuels, ni les terres polonaises, mais une abstraction appelée Pologne. « La Pologne pour nous, dit un autre chef militaire de l'insurrection, était l'objet d'un véritable culte. Nous l'aimions plus qu'un simple pays ; comme une mère, une reine, une vierge » (31). Le pays est déifié (et féminisé) ; il a fallu pour cela en écarter bien des traits réels.

Ce n'est donc pas le peuple qu'il faut sauver, mais certaines de ses qualités : sa volonté de liberté, son désir d'indépendance, l'orgueil national. « Si nous ne nous battons pas, affirme Pelczynski, la nation polonaise risque un terrible effondrement moral » (121). Puisqu'il devenait impossible de défendre les valeurs matérielles, déclare-t-il à une autre occasion, nous devions nous en tenir aux valeurs morales (Ciechanowski, 277). Sosnkowski, le commandant en chef de Londres, affirme aussi (dans une lettre au Premier ministre Mikolajczyk) : « Dans la vie des nations, les gestes de désespoir sont parfois impossibles à éviter, étant donné les sentiments que partage la population, le symbolisme politique de ces gestes et la signification morale qu'ils revêtent pour la postérité » (158). Les individus doivent mourir pour que survivent les valeurs morales et politiques. Cela veut dire aussi que quelqu'un doit définir ce qui est moral et ce qui ne l'est pas, et juger, au regard de l'Histoire et de l'avenir, de la marche à suivre dans le présent.

Mais l'abstraction représentée par « la Pologne » ne suffit pas toujours ; la Pologne elle-même doit être immolée aux pieds d'un idéal plus éloigné encore : l'Occident ; lequel à son tour incarne la civilisation, voire « l'Homme ». Les Russes, c'est la barbarie, et la Pologne est le dernier rempart qui puisse les arrêter. Il devient ainsi possible de sacrifier un nombre indéterminé de vies d'hommes au nom de la défense de l'Homme. Sosnkowski exprime (dans une lettre à Bor-Komorowski) le désir de transformer la question polonaise en « problème pour la conscience mondiale, un banc d'essai pour l'avenir des nations européennes » (185). Bor lui-même se souvient : « Nous pensions que la lutte pour sauver Varsovie devait susciter une réponse du monde » (269). Okulicki justifie l'insurrection de la même manière : « Il fallait un effort qui réveillerait la conscience mondiale » (211). L'insurrection est un sacrifice dont le destinataire peut être décrit comme devenant de plus en plus lointain – Varsovie, la Pologne, l'Occident, le monde – mais demeurant toujours aussi impersonnel : on se sacrifie pour des idées, non pour des êtres. En fin de compte, seul l'absolu est susceptible de satisfaire ces esprits héroïques.

Dans la vie du héros, certaines qualités humaines sont

plus prisées que d'autres. La première, peut-être, est la fidélité à un idéal – fidélité que l'on apprécie en elle-même, indépendamment de la nature de cet idéal (c'est pourquoi on peut admirer un ennemi-héros). Le héros est, en ce sens, le contraire du traître : il ne trahit jamais, quelles que soient les circonstances (cela est sans doute un reste du code d'honneur chevaleresque). Ainsi Okulicki, arrêté et interrogé par la police secrète soviétique, reste tout simplement muet; cela implique évidemment aussi de grandes capacités de résistance physique. Le héros est solitaire, et ce à double titre : d'un côté, il combat pour des abstractions plutôt que pour des individus; de l'autre, l'existence d'êtres proches le rendrait vulnérable. L'éducation d'un héros est un apprentissage de la solitude; et aussi, bien sûr, le raffermissement du courage. L'acte courageux est même la manifestation la plus directe de l'héroïsme. Okulicki peut encore servir d'exemple ici : au cours d'une bataille, il se porte volontaire pour attaquer le nid d'une mitrailleuse ennemie; couvert de grenades, il se lance dans le champ découvert. Le courage n'est donc rien d'autre que la capacité de risquer sa vie pour atteindre un objectif. La vie n'est pas la valeur suprême; elle peut même être sacrifiée à tout moment. Lorsque l'objectif est absent ou insignifiant, la bravoure se transforme en bravade : on risque la mort sans escompter de cet acte un quelconque résultat. Ainsi Okulicki déteste-t-il se cacher. « Les bombes et les obus tombaient de toutes parts, les rares personnes que nous croisions avançaient par bonds, d'abri en abri; lui marchait au milieu du trottoir, comme s'il ne se rendait pas compte du danger » (Steiner, 98). Réciproquement, le manque de courage est ce que, chez les autres, les héros méprisent le plus.

Le héros est donc prêt à sacrifier sa vie comme celle des autres, pourvu que ce sacrifice serve l'objectif choisi. Même cette restriction tombe dès l'instant où l'on décide de s'adresser à un destinataire aussi éloigné que l'Histoire ou l'humanité : celles-ci ne risquent jamais de venir démentir les espoirs héroïques. C'est pourquoi les chefs militaires de l'insurrection décident de la commencer « quel qu'en dût être le prix » (215). En l'absence d'un destinataire concret, le combat devient un but en lui-même, car il est la preuve irréfutable de l'esprit héroïque de ceux qui le mènent. Il faut se battre, « même si le combat qui nous attend est désespéré » : tel était déjà le précepte du premier commandant de l'Armée de l'Intérieur, Grot-Rowecki (Ciechanowski, 137). « Nous serons tous massacrés, pronostique l'un des participants au moment des événements, mais au moins nous aurons combattu » (Steiner, 190) ; et Pelczynski de commenter, rétrospectivement : « Il était de notre devoir de nous battre. Cela seul comptait à mes yeux » (241).

Okulicki se livre à des calculs plus élaborés : si l'insurrection est déclenchée et que les Russes aident les insurgés, le pari est gagné ; mais, s'ils n'interviennent pas et laissent les Allemands les massacrer, il n'est pas perdu non plus : Varsovie sera rasée, beaucoup de Polonais mourront, mais, du coup, la perfidie soviétique s'étalera au grand jour ; les puissances occidentales engageront la Troisième Guerre mondiale contre les Russes, et des décombres renaîtra une Pologne nouvelle... Ses prédictions ne se révèlent qu'à moitié justes : l'armée soviétique ne soutiendra pas cette insurrection qui est dirigée contre elle plus encore que contre les Allemands ; ceux-ci étoufferont le soulèvement en tuant deux cent mille personnes, en en déportant sept cent mille et en rasant Varsovie ; mais la Troisième Guerre mondiale n'aura pas lieu, et la Pologne sera tout aussi sujette de l'Union soviétique qu'elle l'eût été si l'insurrection n'avait pas eu lieu. L'objectif n'est donc pas atteint ; mais s'il l'avait été, aurait-il justifié le prix payé ? Quels sont ces actes qu'il faut accomplir « quel qu'en soit le prix » ?

Les dirigeants de l'insurrection agissent comme s'ils obéissaient au précepte : mieux vaut être mort que rouge. Ils ont l'impression d'être placés devant cette alternative : se révolter et mourir – ou rester vivants et se soumettre ; et ils préfèrent la première solution. Okulicki déclare : « Pour un Polonais, il vaut mieux mourir que d'être lâche » (107) ; et quelqu'un dit de Pelczynski : « Puisqu'il lui apparaissait brusquement qu'il n'avait pas d'autre alternative que de se rendre ou de mourir, il choisit de mourir » (238). Bor-Komorowski préfère aussi l'action, serait-elle condamnée à l'échec, à l'attente passive. Monter traduit cet état d'esprit dans un ordre adressé aux défenseurs de Mokotow (un quartier de Varsovie), au cinquante-sixième jour du combat : « Il vous est interdit de vous retirer » (Zawodny, 22). Une telle attitude héroïque force le respect. Mais on peut se demander en même temps si l'alternative ainsi formulée correspond bien aux possibilités réelles. « Rouge » ne s'oppose pas à « mort », mais seulement à « blanc », « brun » ou « noir » ; et seuls les vivants ont une couleur. L'un des combattants qui n'était pas d'accord avec le déclenchement de l'insurrection remarque : « Si nous ne cessons pas un jour de tous vouloir mourir pour la Pologne, il n'y aura bientôt plus un Polonais pour l'habiter » (Steiner, 108). Et les héros de l'insurrection morts, Varsovie devint quand même « rouge ».

En fait, dans l'héroïsme, la mort a une valeur supérieure à la vie. La mort seule – la sienne propre comme celle des autres – permet d'atteindre l'absolu : en sacrifiant sa vie, on prouve qu'on chérit son idéal plus qu'elle. « Au niveau d'exigence absolue où le désespoir les avait conduits, il n'y avait d'autre solution pour eux que de mourir » (230). La vie, elle, apparaît forcément – confrontée aux exigences de l'absolu – comme une sorte de mélange peu satisfaisant. « Les héros ne sont pas faits pour vivre », constate un témoin (11). On pourrait se demander cependant si vie et mort ne s'opposent pas aussi d'une autre manière. Dans certaines circonstances exceptionnelles, et l'insurrection de Varsovie en est une, la mort peut être facile, en particulier si l'on croit à la résurrection des âmes, mais même sans cela : la mort reste une inconnue, et par là elle fascine ; perdre la vie, c'est mettre tout son courage en un seul geste. La vie, elle, peut exiger un courage de tous les jours, de tous les instants ; elle peut être, elle aussi, un sacrifice, mais qui n'a rien de flamboyant : si je dois sacrifier mon temps et mes forces, je suis bien obligé de rester en vie. En ce sens, vivre devient plus difficile que mourir.

Ceux qui, à l'époque de l'insurrection, s'opposent à son projet ne le font pas au nom d'un slogan qui serait l'inversion pure et simple du principe héroïque ; ils ne disent pas : plutôt rouge que mort, mieux vaut céder que se sacrifier. C'est pourtant ce que voudraient faire croire leurs adversaires. Ayant entendu les objections, « Okulicki a commencé par nous traiter de lâches, disant que nous faisions traîner la décision parce que nous n'avions pas le courage de nous battre » (248). Du coup, personne ne peut protester. « Nous n'osions pratiquement plus critiquer la moindre proposition, de peur de passer pour un lâche ou un traître » (171). Cette dernière formule est révélatrice : on peut agir en héros de peur de passer pour un lâche. Le héros n'est pas forcément libéré de la peur ; mais celle-ci est d'une espèce particulière : il a peur d'avoir peur ; et ce sentiment domine et efface tous les autres.

Ceux qui ne sont pas d'accord avec Okulicki n'optent donc pas pour l'autre terme de la même alternative, mais pour une autre alternative. L'un d'entre eux dit devant Steiner que le choix réel était entre « un acte politique et militaire sérieux » et « un suicide perpétré par des chefs irresponsables qui s'enfuient dans la mort glorieuse, faute d'avoir le courage d'affronter les difficultés de la vie » (221). Pour lui, le courage de vivre est plus rare – et plus précieux – que le courage de mourir. Un autre introduit le terme de « responsabilité » (249). La politique et la guerre ne doivent pas être menées au nom de ce qu'on a appelé l'éthique de conviction, ce ne sont pas des questions de principe : il ne suffit pas de croire en une chose pour que son application soit bénéfique à la communauté tout entière. Il faut au contraire en prévoir les conséquences : tenir compte du déroulement réel, et non seulement désiré, des événements. Le mot de « responsabilité » retrouve ici son sens premier : un chef répond *de* la vie ou *du* bien-être de ceux qu'il commande ; et, en même temps, il répond *aux* appels provenant de sources multiples.

Le monde des héros, et c'est peut-être en cela que réside sa faiblesse, est un monde unidimensionnel, qui ne comporte que deux termes opposés : nous et eux, ami et ennemi, courage et lâcheté, héros et traître, noir et blanc. Ce système de références convient bien à une situation orientée vers la mort mais non à celles de la vie. A Varsovie, en 1944, il n'y a pas seulement les forces du bien et du mal qui s'affrontent. Il y a les Russes et les Allemands, l'Armée de l'Intérieur et l'Armée Populaire, le gouvernement en exil et la population civile. Dans une situation aussi complexe, la meilleure solution – mais qui en l'occurrence n'est, hélas, que la moins mauvaise – passe par l'écoute attentive de tous, plutôt que par la fidélité inébranlable à son propre idéal. Les valeurs de la vie, en ce sens, ne sont pas absolues : la vie est diverse, toute situation est hétérogène ; ainsi, les choix qu'on fait sont le résultat non de concessions ou de lâches compromis, mais d'une prise en considération de cette multiplicité.

Cette attitude non héroïque a cependant un inconvénient : c'est qu'elle se prête mal aux récits ou en tous les cas aux récits de facture classique ; or la fonction narrative est indispensable dans toute société. En fait, les héros s'inspirent invariablement d'un exemple livresque ou légendaire, appris au cours des années de jeunesse. Et, dans le feu même de leur action, ils prévoient déjà l'effet qu'elle aura une fois convertie en mots : le récit à venir forme le présent. Okulicki reproche aux autres plans d'insurrection « de ne pas être assez spectaculaires » (106), alors que le sien est tel que « le monde entier en parlerait » (107). Le bulletin des insurgés déclare, à la date du 3 octobre 1944 : « Personne en Pologne, ni à Varsovie, ni dans le monde ne peut [...] dire que nous nous sommes rendus trop tôt » (Zawodny, 194) : le souci des récits à venir est présent au moment de l'action même. Les combattants ont la conscience d'écrire, selon la formule consacrée, l'une des pages les plus glorieuses de l'histoire de la Pologne. Lorsque Pelczynski s'aperçoit que son interlocuteur Steiner ne cherche pas nécessairement à glorifier les héros, il s'exclame, indigné : « Si c'est dans cet esprit que vous comptez écrire ce livre, il vaut mieux cesser nos entretiens » (Steiner, 260). Les beaux récits doivent avoir des héros purs. En revanche, les esprits pragmatiques, ceux qui cherchent à s'accommoder des contraintes du réel, se prêtent mal à l'art narratif. Mikolajczyk semble avoir été un tel personnage. « Il ne se prenait ni pour le Christ, ni pour saint Georges, ni pour la Vierge » (58) : comment faire d'un tel être le héros d'une histoire ?

Le ghetto en 1943

La relation entre récit et héroïsme forme aussi un des principaux thèmes du deuxième livre que l'on m'avait recommandé en Pologne. Il s'agit encore d'un entretien, mais cette fois-ci avec une seule personne ; et, plutôt que de produire un montage d'où il serait absent, l'auteur a choisi de se représenter à l'intérieur du texte. C'est Hanna Krall qui, au milieu des années soixante-dix, interroge Marek Edelman sur l'autre insurrection qui s'est déroulée à Varsovie : celle du ghetto, au printemps 1943. Le livre qui en a résulté s'intitule *Prendre le bon Dieu de vitesse* ; dans sa traduction française, il est précédé par un autre texte, un récit de cette insurrection rédigé par Edelman lui-même (il en était un des dirigeants), et qui date de 1945.

Bien entendu, l'insurrection du ghetto a, elle aussi, constitué l'une des plus belles pages de l'histoire, cette fois-ci, de l'héroïsme juif ; on l'a dit mille fois. Mais il se trouve que, à l'époque même des événements, Edelman ne parvenait pas à composer un récit vraiment héroïque. Hanna Krall raconte sa toute première tentative : trois jours après sa sortie du ghetto, il fait un rapport sur ce qui vient de se passer devant les représentants des partis politiques. C'est un récit plat, neutre, sans éclat. Nous manquions d'armes et d'expérience, dit-il. Les Allemands se battaient bien. Les auditeurs sont très déçus et attribuent la médiocre qualité du récit à l'état de choc dans lequel doit se trouver son auteur. « Il n'avait pas parlé comme il aurait fallu. "Comment faut-il parler ?" m'a-t-il demandé. Il faut parler avec haine, pathétiquement, en hurlant, car rien d'autre qu'un cri ne peut dire ça. Ainsi, dès le premier instant, il n'a pas su parler car il ne savait pas crier. Il n'a pas été à la hauteur d'un héros, car il n'avait rien de pathétique » (77).

La haine de l'ennemi, l'exaltation de soi (le pathétique), le ton superlatif (le cri) : voilà les ingrédients qui manquent au récit d'Edelman. A vrai dire, ils ne sont pas totalement absents de son texte de 1945 : récit sobre, mais visant quand même à faire ressortir l'héroïsme des insurgés. Lorsque, trente ans plus tard, Edelman repense aux mêmes événements, il se voit bien comme un jeune garçon qui voulait ressembler aux héros conventionnels. Son rêve à l'époque, dit-il, était de courir « avec deux revolvers en bandoulière. Ça nous paraissait le bout du monde, deux revolvers » (67). Il se rend compte maintenant qu'il entrait une grande part de ce désir de se voir en héros dans l'attrait pour les armes à feu, dans le fait même de tirer. « Les hommes croient toujours qu'il n'y a rien de plus héroïque que de tirer. Alors on a tiré » (68).

Mais sa vision actuelle est bien différente. Ce qui s'est passé ne lui semble pas illustrer la version officielle de l'héroïsme. « Peut-on même parler d'insurrection ? [...] Au fond, il s'agissait seulement de choisir sa façon de mourir » (74). Le commandant de l'insurrection, Mordehaï Anielewicz, dont il avait lui-même vanté, trente ans auparavant, l'« attitude héroïque » (48), est montré maintenant sous une lumière différente : non moins sympathique, certes, mais plus tout à fait objet d'idolâtrie. S'il avait été élu commandant, c'était « parce qu'il en avait très envie » ; et, ajoute Edelman, « il y avait quelque chose de puéril dans cette ambition » (69). Il raconte aussi que, plus jeune, Anielewicz teignait en rouge les ouïes des poissons que vendait sa mère, pour qu'ils aient l'air plus frais. Mais ce récit, publié en plusieurs langues, « a scandalisé bien des gens. [...] Il avait dépouillé l'événement de sa grandeur » (74). Comme Pelczynski devant Steiner, le public veut que les héros demeurent des héros.

Edelman, lui, tient beaucoup à raconter les choses exactement telles qu'il se les rappelle, et non selon les règles du récit héroïque. Cela l'amène à faire des remarques du genre : « Dans le ghetto, il devrait y avoir des martyrs et Jeanne d'Arc, n'est-ce pas ? Mais, puisque tu veux savoir, il y a eu des prostituées dans l'abri d'Anielewicz, rue Mila, et même un maquereau, un grand tatoué avec de gros biceps » (95). Ou encore : si lui, Edelman, a survécu, ce n'est pas grâce à un acte héroïque, mais parce que le SS qui lui tirait dessus devait être astigmate : toutes les balles frappaient un peu trop à droite...

Cela ne veut pas dire que l'insurrection du ghetto n'ait pas donné lieu à des actes héroïques comme ceux qu'accomplissait Okulicki. Michal Klepfisz, par exemple, se jette sur une mitraillette allemande, pour permettre à ses camarades de quitter l'abri. Mais ce n'est pas ce type d'acte qui retient le plus l'attention d'Edelman, même si, évidemment, il le respecte. Il s'attache, lui, à un autre genre d'actions, qu'on peut aussi considérer comme vertueuses, mais qui se distinguent si fortement des précédentes qu'il faudrait les qualifier d'un deuxième terme : parler, donc, de *vertus héroïques* en se référant à Okulicki et de *vertus quotidiennes* pour les cas rapportés par Edelman.

Comme les vertus héroïques, leurs parentes quotidiennes sont avant tout des actes de la volonté, des efforts individuels par lesquels on refuse ce qui paraissait une nécessité implacable. Mais cette exigence de volonté ne conduit plus à la conclusion selon laquelle « tout ordre peut être exécuté ». A vrai dire, elle ne conduit à rien, car elle trouve en elle-même sa propre justification. Edelman raconte comment il a décidé un jour de devenir résistant. Dans une rue du ghetto, il voit un vieillard que deux officiers allemands ont hissé sur un tonneau : ils lui coupent la barbe avec de grands ciseaux, et cela les fait se tordre de rire. « C'est là que j'ai compris que le plus important était de ne pas se laisser poser sur le tonneau, jamais et par personne » (94). Ce qu'Edelman a compris, c'est, d'abord, qu'il n'y a pas de différence qualitative entre petites et grandes humiliations ; et, ensuite, qu'on peut toujours exprimer sa volonté, choisir sa conduite – et refuser un ordre. L'insurrection n'a été qu'une façon de choisir notre mort, dit-il – mais la différence entre choisir la mort et la subir est immense : c'est celle qui sépare l'être humain des animaux. En choisissant sa propre mort, on accomplit un acte de volonté et on affirme par là son appartenance au genre humain – au sens fort du terme. Les juifs d'autres villes polonaises se sont laissé abattre sans résistance ; les juifs du ghetto de Varsovie n'en sont pas fiers et décident, eux, de réagir. Et par là même, le but est déjà atteint : ils ont réaffirmé leur appartenance à l'humanité.

« Choisir entre la vie et la mort était la dernière chance de conserver sa dignité », remarque Hanna Krall (117). La *dignité :* voilà donc la première vertu quotidienne. Elle ne signifie rien d'autre que la capacité de l'individu de demeurer un sujet pourvu de volonté ; ce simple fait le maintient à l'intérieur de l'espèce humaine. On voit que choisir la mort a ici une tout autre signification que dans les vertus héroïques. Là-bas, la mort finit par devenir une valeur et un but, car elle incarne l'absolu mieux que la vie. Ici, elle est moyen et non fin ; elle est l'ultime recours de l'individu désirant affirmer sa dignité.

Ce n'est donc pas le suicide en tant que tel qui est valorisé ;

mais le suicide comme expression de la volonté. Pourtant, cela ne suffit pas pour en faire un acte véritablement admirable, dans l'optique de la vertu quotidienne. La dignité est une condition nécessaire de ces actes, mais elle n'est pas encore suffisante. On le voit bien dans les commentaires dont Edelman entoure deux suicides célèbres. Le premier est celui de l'ingénieur Adam Czerniakow, le président du Conseil juif mis en place par les Allemands, qui se tue dans dans son bureau en apprenant la décision de déporter les habitants du ghetto à Treblinka. « On lui en a voulu d'avoir fait de sa mort une affaire personnelle. Nous pensions qu'il fallait mourir publiquement, sous les yeux du monde » (73). Emmanuel Ringelblum, le grand historien du ghetto, le confirme dans ses notes : « Le suicide de Czerniakow venu trop tard, signe de faiblesse – aurait dû exhorter à la résistance – homme faible » (327). En choisissant de se donner la mort sans révéler à sa communauté le sort qui l'attendait, sans avoir essayé de l'inciter à la résistance, Czerniakow s'est comporté dignement, mais pas encore en être soucieux des autres. A vrai dire, il n'ignore pas sa communauté, le fait de tenir un journal où il consigne ses impressions le prouve ; et dans sa lettre de suicide il dit : « Mon cœur tremble de douleur et de pitié. Je ne peux plus endurer tout cela. Mon acte montrera à chacun ce qu'il convient de faire » (Tushnet, 183). Son intention est donc bien de s'adresser à ses contemporains aussi ; mais le moyen choisi est tel qu'ils ne l'entendent pas. Et le suicide était-il la seule voie qui s'ouvrait devant lui ?

Le second suicide (qui n'est à vrai dire pas tout à fait certain) est celui de Mordehaï Anielewicz, le commandant. « Il ne fallait pas le faire, dit Edelman. Bien que ce soit un très beau symbole. On ne sacrifie pas sa vie pour des symboles » (70). Nous sommes donc ici à l'opposé des recommandations de Sosnkowski, qui demandait qu'on meure pour des symboles. Différents à plusieurs égards – l'un, action trop privée, l'autre trop symbolique –, ces deux suicides ont aussi quelque chose en commun : ils prennent en considération le sujet de l'action et un destinataire lointain, l'Histoire ; mais, entre les deux, ils négligent le destinataire proche : les autres habitants du ghetto. Ces deux suicides sont devenus des actes qui ne conduisent pas au-delà d'eux-mêmes, au lieu de servir comme moyens pour aider les autres.

Cette nouvelle qualité exigée des actions vertueuses, qui doivent non seulement prouver la dignité de leurs auteurs, mais aussi servir au bien des autres, on peut l'appeler le *souci*. Telle est la deuxième vertu quotidienne : il s'agit toujours d'un acte adressé à un être humain individuel tout proche, non à la patrie ou à l'humanité. Ce souci pour autrui porte en lui-même sa propre récompense : il se trouve qu'on est capable d'accomplir pour les autres des actions qu'on ne saurait entreprendre pour soi seul ; on est donc rendu à la vie. « Il fallait avoir quelqu'un sur qui centrer sa vie, quelqu'un pour qui se dépenser », raconte Edelman (97). « La seule possibilité de vivre dans le ghetto, c'était d'être avec un autre. Si par miracle on avait pu se sauver et survivre, il fallait s'accrocher à un autre vivant » (101).

A l'égard de la mort par souci pour quelqu'un, Edelman n'éprouve plus aucune réticence ; au contraire, ce sont les actes de vertu quotidienne qui l'ont impressionné le plus. C'est par exemple l'histoire d'une jeune fille, Pola Lifszyc, qui se déroule au moment où les convois partent pour Treblinka. « En passant chez elle, elle a vu que sa mère n'était plus là. Elle était déjà dans le troupeau poussé vers l'*Umschlagplatz*, et Pola a couru après de la rue Leszno à la rue Stawski ; elle a croisé son fiancé qui l'a prise sur son cyclopousse pour aller plus vite, et elle y est arrivée. Au dernier moment, elle s'est glissée dans la foule pour pouvoir monter avec sa mère dans le wagon » (99). C'était un de ces wagons dont les passagers ne revenaient jamais au point de départ. Pourquoi Pola s'est-elle tant dépêchée ? Son fiancé a-t-il su à quoi servait son vélo ?

C'est aussi l'histoire d'une infirmière, Mme Tennenbaum : elle a obtenu un « ticket » permettant d'échapper – pendant quelque temps – à la déportation ; sa fille n'en ayant pas un, elle lui demande de le garder un instant, puis monte à l'étage au-dessus et avale une forte dose de luminal ; ainsi est évitée toute discussion. Pendant les trois mois qu'elle vit après ce sursis, la fille de Mme Tennenbaum tombe amoureuse et connaît le bonheur. Ou encore l'histoire d'une nièce de Tosia Goliborska (une collègue d'Edelman), qui, à la sortie de son mariage, trouve le canon d'un fusil appuyé contre son ventre. Le nouveau marié met sa main contre le canon – une main aussitôt déchirée. « C'était ce qui comptait justement : avoir quelqu'un prêt à te protéger le ventre si le besoin s'en présentait » (101).

Le plus fréquemment, on le voit, le bénéficiaire du souci est un être proche, un parent : mère ou fille, frère ou sœur, mari ou femme. Mais les plus proches étant souvent disparus, on se trouve d'autres « parents », de substitution en quelque sorte. Même quand ce bénéficiaire est multiple, comme pour le Dr Janusz Korczak, qui part à Treblinka avec les enfants de son orphelinat, ou pour Abraham Gepner, riche industriel qui choisit de rester avec ceux dont il partage la foi, il ne s'agit jamais d'une abstraction, mais d'individus vivants que l'on connaît personnellement. Manquer à ce souci-là n'est pas une faute qui fait encourir le blâme ; mais c'est une rupture tacite de contrat. C'est ce qu'illustre une scène racontée par un des témoins qu'a interrogés Steiner. Ce témoin rencontre, dans les ruines du ghetto – après la première insurrection et avant la seconde – le mari chrétien d'une femme juive. La femme a décidé un jour, comme Pola, de prendre le train avec ses proches ; lui est resté. Elle ne le lui a pas reproché, mais quelque chose a été rompu entre eux. « Ce qu'elle aurait préféré, cela aussi je l'ai compris depuis : c'est que j'aille mourir avec elle. Puis je l'ai laissée partir et je l'ai laissée mourir. Depuis, j'expie » (Steiner, 202).

Parfois, ce n'est pas sa propre vie qu'on donne à cause du souci, mais, paradoxalement, celle des autres. Ainsi une doctoresse empoisonne les enfants de l'hôpital où elle travaille, avant que les SS n'aient eu le temps de les emmener. « Elle leur a épargné la chambre à gaz. » Mais, pour ce faire, elle a dû sacrifier son propre poison. « Elle avait fait cadeau de son cyanure aux enfants des autres ! » (Edelman, 73). Voilà en quel sens vivre peut être plus difficile que mourir. Il y a aussi cette infirmière qui, pendant que les Allemands évacuent le rez-de-chaussée de l'hôpital, assiste une naissance au premier étage ; le bébé né, « elle l'a posé sur l'oreiller, l'a recouvert d'un autre. Le bébé a poussé quelques cris et s'est tu » (100). Elle a fait ce qu'il fallait faire, et tout le monde l'a approuvée. Il n'est pas moins vrai que, quarante-cinq ans plus tard, cette « infirmière » (elle s'appelle Adina Blady Szwajger) n'oublie toujours pas qu'elle a commencé sa pratique médicale en donnant la mort.

Les vertus quotidiennes ont donc des caractéristiques bien à part. On le voit aussi après la guerre. Les circonstances sont moins dramatiques, et Edelman n'a plus à risquer sa vie; mais ses choix premiers le conduisent vers sa nouvelle profession : il devient médecin cardiologue. « En tant que médecin, je peux être responsable de vies humaines. – Mais pourquoi veux-tu en être responsable? – Sans doute parce que tout le reste me paraît moins important » (126). La responsabilité est une forme particulière de souci, celle qui incombe aux personnes occupant des positions privilégiées : les médecins ou encore les chefs. C'est pour ne pas avoir été jusqu'au bout responsables que – de manière très différente – Anielewicz et Czerniakow manquent aux exigences du souci.

Les deux espèces de vertu s'opposent par les destinataires des actes qu'elles inspirent : un individu ou une abstraction, Mlle Tennenbaum ou une certaine idée de la Pologne. De part et d'autre il faut du courage, de part et d'autre on donne ses forces ou sa vie. Il faut chaque fois se décider très vite : Okulicki partant à l'assaut de la mitrailleuse ennemie, Pola se précipitant sur le cyclopousse de son ami. Les vertus héroïques sont plutôt estimées par des hommes, alors que les vertus quotidiennes sont le fait autant, sinon plus, de femmes (mais il est vrai que les qualités physiques requises sont différentes ici et là). Cependant, la vraie question est de savoir si on meurt (et si on vit) pour des êtres ou pour des idées.

Cette opposition ne se confond pas avec celle du particulier et du général – en l'occurrence, de la fidélité au groupe dont on est membre et de l'amour pour l'humanité. Les étrangers et les inconnus sont des individus comme les autres, et l'exigence morale est universelle, mais non abstraite : l'humanité est un ensemble d'individus. La préférence pour les siens, la fidélité aveugle à leur égard ne valorisent pas les êtres au détriment des idées, mais tranchent au milieu des individus mêmes. Alors que, si l'humanité est pensée comme une abstraction, on peut aussi commettre des crimes en son nom – et cela d'autant plus facilement que les idées recouvrent, selon les moments et les individus, des réalités bien différentes, et que celles-là mêmes qui paraissent les plus pures, les plus généreuses, peuvent être mises au service de projets désastreux. Après tout, Hitler disait lui aussi qu'il menait la guerre contre les Russes pour arrêter la barbarie et sauver la civilisation ! Pas de danger de ce genre avec les êtres : ils ne représentent qu'eux-mêmes.

Attardons-nous un peu sur le personnage d'Anielewicz. Il ressemble par beaucoup de côtés aux héros traditionnels – à un Okulicki, par exemple. Il est doué de force physique et de courage personnel, qui le poussent à l'action ; il est prêt à se jeter dans le feu pour sauver un camarade s'il le faut : sa loyauté est à toute épreuve. Il est animé par un esprit d'idéalisme désintéressé. Sa vie n'a qu'un but : combattre l'ennemi, c'est-à-dire les nazis ; c'est pourquoi, lorsque l'insurrection commence, il peut écrire dans une lettre : « Le rêve de ma vie s'est réalisé » (Suhl, 109). En 1940, alors qu'elle est dans le ghetto, son amie Mira Fuchrer confie aussi dans une lettre : « Je n'ai jamais été aussi heureuse » (Kurzman, 34). Toute autre préoccupation est écartée. Dans l'organisation d'Anielewicz, il est interdit aux hommes de fumer, boire ou avoir des relations sexuelles ; on reconnaît là l'austérité caractéristique des militants politiques ou religieux. Son ami Ringelblum écrit après sa mort : « Dès que Mordehaï avait décidé de lutter, aucune autre question n'existait pour lui. Les cercles scientifiques et les séminaires ont pris fin ; les divers travaux culturels et éducatifs se sont interrompus. A partir de là, lui et ses camarades ont concentré toutes leurs actions sur le terrain de la lutte » (Suhl, 89). Comme les dirigeants de l'insurrection de 1944, Anielewicz veut que sa mort soit chargée d'un sens symbolique et qu'elle devienne un message pour des destinataires absents : « Nous donnerons à notre mort un sens historique et une pleine signification pour les générations futures », écrit-il dans une autre lettre (Kurzman, 98).

En vrai héros, Anielewicz a en effet accepté l'idée de sa propre mort. A en croire Ringelblum, la situation présente se ramenait pour lui à une seule question : « Quel genre de mort les juifs polonais se choisiront-ils ? Sera-ce la mort des moutons qui se laissent conduire à l'abattoir sans résistance, ou celle de gens d'honneur qui souhaitent voir l'ennemi payer leur mort avec son propre sang ? » (Suhl, 89). Le choix n'est pas entre vie et mort, mais entre deux formes de mort : celle des hommes d'honneur ou celle des moutons. Comme Okulicki, Anielewicz réduit l'avenir à une alternative telle que la réponse ne peut plus faire de doute. Mais cette formulation épuise-t-elle vraiment toutes les possibilités ? Dans cette alternative, en tout cas, la mort dans l'honneur est la solution souhaitée : n'admettant aucun compromis, Anielewicz veut vaincre ou mourir; donc, en l'occurrence, mourir. C'est ce qui explique son suicide (si c'en est un) : le bunker dans lequel il est enfermé a bien une sortie que les SS ne gardent pas ; mais la survie n'étant pas le but suprême d'Anielewicz, il ne s'en servira pas. Un de ses compagnons, Arié Wilner, affirme aussi : « Nous ne voulons pas sauver nos vies. [...] Nous désirons sauver notre dignité d'hommes » (Borwicz, 69). Il faut ajouter que si certains de ses camarades partagent son point de vue, d'autres, à l'époque même, s'en démarquent – ainsi Edelman, mais il n'est pas le seul.

Ce n'est pas seulement sa propre vie qu'Anielewicz considère comme une valeur de deuxième ordre, mais aussi celle des autres autour de lui (même s'il est prêt à se sacrifier pour eux). Dans les mois qui précèdent l'insurrection, l'Organisation Juive de Combat qu'il dirige se refuse à creuser des caches ou des tunnels vers le côté « aryen », ce que font au contraire les membres de la ZZW, l'autre organisation de résistance (de droite) : Anielewicz craint qu'une telle préparation n'affaiblisse l'esprit combatif des militants. A un moment, il devient possible, contre remboursement, de cacher des personnes de l'autre côté du mur qui entoure le ghetto ; Anielewicz s'y oppose pour la même raison : l'argent doit servir à la lutte, non à sauver des vies individuelles. « Pour lui il n'existait plus désormais qu'un seul but, et il était en train de tout sacrifier pour lui : la lutte contre l'ennemi », commente Ringelblum (Suhl, 90). Il est également hostile à une autre initiative : celle du Comité national dont il est membre, qui veut, en février-mars 1943, transférer « de l'autre côté » certaines activités culturelles ou communales pour être sûr qu'elles ne périssent pas ; ce serait, là encore, favoriser la survie au détriment du combat.

Ringelblum constate que ce conflit dans la communauté

juive sur la meilleure voie à prendre face aux persécutions des nazis se transformait en conflit entre les générations. Les personnes plus âgées aspiraient à la survie, la leur propre comme celle de leurs proches – car ils étaient « pieds et mains liés par des liens familiaux ». Les jeunes, eux, qui sont libres de telles attaches, préfèrent l'honneur à la vie. « Les jeunes gens – les meilleurs, les plus beaux, les plus fins fleurons du peuple juif – ne parlaient et ne pensaient plus qu'à une mort honorable. Ils ne se demandaient plus comment survivre à la guerre. Ils ne cherchaient pas à se procurer des papiers d'Aryens. Ils n'avaient aucun logement de l'autre côté. Leur unique préoccupation était de découvrir la mort la plus digne, la plus honorable, celle qui convenait le mieux à un peuple ancien avec une histoire plusieurs fois millénaire » (90). Les jeunes, Anielewicz en tête (mais aussi Ringelblum), chérissent les vertus héroïques ; les hommes et les femmes mariés, entravés par l'amour qu'ils se portent, qu'ils portent à leurs enfants et à leurs parents vieillissants, optent pour les vertus quotidiennes.

Mais revenons à notre histoire et au projet du travail entrepris par Edelman et Hanna Krall. Ils n'aspirent pas à refaire l'Histoire, celle-ci est déjà établie ; mais – comme les héros – elle n'a cure des individus. Or ils ont choisi, eux, de s'intéresser justement aux détails et aux individus. « On n'est pas en train d'écrire l'Histoire. Nous parlons de la mémoire » (Edelman, 116). Il faut se méfier même des individus dès qu'ils sont en très grand nombre : au-delà d'un certain seuil, la masse devient abstraction. Edelman raconte comment une personne a été brûlée vive, et demande à son interlocutrice : « Crois-tu que ça puisse encore impressionner quelqu'un, un brûlé après quatre cent mille brûlés ? » Tel est en effet le nombre des victimes du ghetto. Hanna Krall répond, bien dans le même esprit : « Je crois qu'un type brûlé vif, c'est plus impressionnant que quatre cent mille, et quatre cent mille plus que six millions » (69).

Une mort peut être plus ou moins belle. Edelman évoque celle d'une jeune fille qui court à travers un champ de tournesols et ne peut s'empêcher de remarquer : « Une mort vraiment esthétique » (78). La seconde insurrection, celle de Varsovie, à laquelle Edelman prend également part, a des qualités esthétiques supérieures à la première : les insurgés ont des armes, ils affrontent l'ennemi à visage découvert, dans de vrais combats de rue : « C'était un combat magnifique, confortable ! » (118). Cet argument de beauté n'a pas été étranger non plus à la décision de déclencher l'insurrection dans le ghetto. Trente ans plus tard, Edelman dit, résigné : « Puisque l'humanité avait convenu qu'il était bien plus beau de mourir les armes à la main que les mains nues, nous n'avions qu'à nous plier à cette convention » (74). On peut discuter pour savoir s'il est plus beau de courir sur les toits que de rester terré dans une cave, si l'on doit ou non accepter cette convention. Mais une chose au moins est sûre : il n'est pas moins *digne* d'étouffer dans un trou que de mourir en escaladant un mur. Or, aujourd'hui, entraînés par notre plaisir de spectateurs, nous préférons finalement la beauté à la dignité. « Il est plus facile de voir quelqu'un mourir au combat que de regarder la mère de Pola Lifszyc monter dans le wagon » (93).

C'est ce qu'Edelman ne voudrait pas accepter. « Il se met alors à crier, raconte Hanna Krall. Il m'accuse de mettre ceux qui se battent l'arme à la main au-dessus de ceux qui s'entassent dans les wagons. [...] Or c'est stupide, dit-il, la mort dans les chambres à gaz n'est pas moins valable que la mort au combat ; au contraire, crie-t-il, elle est plus terrible ; il est tellement plus facile de mourir le doigt sur la détente » (93). Mais crier ne sert pas à grand-chose. L'Histoire l'emporte sur la mémoire, or l'Histoire a besoin de héros. Sur la tombe de Michal Klepfisz et de quelques autres, il y a aujourd'hui une sculpture. « Un homme bombant le torse, fusil à la main, grenade dans l'autre, tendue, cartouchière au ceinturon, sacoche d'état-major en bandoulière. » Aucun des insurgés du ghetto n'a jamais été ainsi : ils manquaient d'armes, d'équipement, c'étaient d'affreux noirauds tout sales. « Mais le monument est sans doute comme il convient pour un monument, beau et en pierre blanche » (122). Les monuments obéissent aux règles de leur genre ; ils ne cherchent pas à dire vrai. Les herbes folles envahissent les tombes dans le cimetière juif de Varsovie, et les monuments blancs, les récits héroïques recouvrent de leur brouhaha les paroles et les gestes des habitants du ghetto.

Interrogations

Il m'est apparu au terme de ces lectures que la différence entre l'insurrection de 1944 et celle de 1943 n'était pas dans l'esprit qui animait leurs dirigeants. Les affiches dans le ghetto incitaient les habitants à mourir dans l'honneur ; la même pensée dominait les militants de l'Armée de l'Intérieur. La « dignité nationale », écrit Ringelblum, conduisait les juifs au combat (Suhl, 94) ; un an et demi plus tard, elle allait y conduire les Polonais. Okulicki voyait dans l'insurrection de 1944 un message adressé au monde ; mais c'est dans les mêmes termes que s'exprimaient les dirigeants de 1943 : ils se battaient pour « réveiller le monde » (lettre à Schwartzbart, Suhl, 117), pour « que le monde voie à quel point notre bataille est désespérée – et que cela lui serve de preuve et de reproche » (lettre à Karski, Kurzman, 52). Aux yeux de beaucoup de Polonais, l'insurrection de Varsovie est devenue le meilleur symbole de leur héroïsme désintéressé ; de manière semblable, le 19 avril, vingt-septième jour de Nissan selon le calendrier hébraïque, a été choisi en Israël comme la journée nationale destinée à commémorer l'esprit héroïque du peuple juif.

La différence entre les deux insurrections n'est pas non plus tellement dans les scénarios qui se mettent en place ici et là. Quand les juifs se révoltent, les membres de l'Armée de l'Intérieur tout proches s'abstiennent d'intervenir ; la raison immédiate n'en est pas seulement l'antisémitisme polonais ou l'isolement traditionnel des deux communautés, mais aussi le prosoviétisme des juifs (« L'orientation de Hashomer [l'organisation dont est issu Anielewicz lui-même] était prosoviétique : la foi en la victoire de l'Union soviétique et en son armée héroïque », écrit Ringelblum [Suhl, 87]), même si l'on peut penser que les juifs étaient acculés au prosoviétisme par l'antisémitisme ambiant. L'Armée de l'Intérieur, en effet, n'était pas moins hostile à Staline qu'à Hitler (on ne saurait le lui reprocher ; mais elle en a tiré des conséquences abusives). Pourquoi irait-elle aider ceux qui lui apparaissaient comme les partisans de son pire ennemi ? Quand, l'année suivante, les Polonais se révoltent, les Soviétiques tout proches s'abstiennent d'intervenir : ils savent que cette insurrection est dirigée autant contre eux que contre les Allemands ; pourquoi iraient-ils aider ceux qui les haïssent et les combattent ? L'Histoire se répète tragiquement, la logique du ressentiment est victorieuse à chaque fois. Pourtant les Polonais antisoviétiques n'étaient pas vraiment menacés, en 1943, par les juifs en révolte ; ni les Soviétiques, en 1944, par les Polonais insurgés. La conviction idéologique l'emporte cependant sur le souci de protéger des vies humaines.

Mais le contexte dans lequel se déroulent les deux insurrections est, lui, entièrement différent, et pour cette raison le sens historique en diffère aussi. Le soulèvement du ghetto est une réaction saine à une politique systématique d'extermination : les occupants nazis déportent tous les jours un train de victimes vers Treblinka où elles trouvent la mort immédiate ; s'il n'y avait pas eu de réaction, le ghetto aurait disparu sous peu, de toutes les façons. Cette réaction est motivée chez certains par l'héroïsme un peu vain que l'on a observé ; mais l'insurrection se déroule dans des conditions où il n'y a aucune issue possible, et son existence aurait pu aider d'autres personnes à vivre, en leur démontrant la possibilité d'une résistance active. Le soulèvement de Varsovie, en 1944, a aussi des motivations multiples dont le simple désespoir devant l'impasse politique n'est pas la moindre ; mais il n'est pas vraiment inévitable : il est le résultat d'un calcul qui s'est avéré erroné, dans une situation où il y avait d'autres issues. Il sacrifie les intérêts des individus à l'amour des abstractions, et son déclenchement n'aide personne : ni alors, ni plus tard ; ni sur place, ni ailleurs.

L'insurrection du ghetto mérite le respect, mais pas forcément pour les raisons que l'on dit habituellement. Il se trouve qu'elle n'a pas inspiré d'autres actions semblables pendant la guerre même ; longtemps après, en Israël, elle a servi de caution morale à des actions peut-être héroïques mais pas forcément justes. Elle illustre, certes, la dignité des habitants, mais elle n'est pas la seule à le faire. Le grand écrivain soviétique Vassili Grossman, après avoir déploré la passivité des victimes juives en général, affirme : « Les glorieux soulèvements du ghetto de Varsovie, de Treblinka, de Sobibor [...], tout cela a démontré que l'instinct de liberté chez l'homme est invincible » (*Vie*, 199-200). Et Jean Améry, survivant d'Auschwitz, qui condamne l'attitude juive de peur et de fuite : « La dignité fut entièrement restituée [...] par l'insurrection héroïque du ghetto de Varsovie » (*Mind*, 91). « Grâce aux juifs insurgés dans certains camps, et surtout dans le ghetto de Varsovie, le juif peut aujourd'hui contempler son propre visage humain, comme un être humain » (*Humanism*, 34). Mais l'homme n'a pas besoin de se révolter les armes à la main pour rester humain, pour affirmer sa dignité ou son désir de liberté ; et il n'était pas nécessaire d'attendre l'insurrection du ghetto pour s'assurer que ces qualités n'étaient pas mortes. Cette insurrection était la réaction courageuse à une situation désespérée ; mais le geste de Pola était, lui aussi, libre, digne et humain. Car la dignité est toujours et seulement celle d'un individu, non celle d'un groupe ou d'une nation. Et l'honneur ne se lave pas seulement dans le sang de l'ennemi.

J'ai refermé mes livres. Le malaise qui m'y avait conduit s'était certes dissipé ; mais il a été remplacé par une inquiétude plus tenace. J'ai cru sentir que ces histoires, appelées par les deux visites à des tombes, un dimanche matin à Varsovie, avaient réveillé en moi un trouble qui ne se ramenait pas à un pur problème intellectuel, celui de l'héroïsme. J'ai eu l'impression que ces insurrections, admirables ou tragiques, me révélaient à moi-même – moi dont la vie a été dépourvue de tout événement dramatique. J'ai compris que, pour aller plus loin, je ne pouvais me dispenser d'un examen de mon propre destin – que j'allais pratiquer néanmoins en cherchant à connaître l'Histoire, et d'innombrables petites histoires.

On assiste aujourd'hui en Europe à l'effondrement du second grand système totalitaire, celui du communisme, et donc aussi à la véritable fin de la Seconde Guerre mondiale. On pourrait vivre ce moment comme une incitation à tourner la page, à penser enfin à autre chose. Du reste, la guerre, moment du paroxysme totalitaire, est de plus en plus loin ; le nombre de personnes qui ne l'ont pas connue, même en

Europe, est supérieur maintenant à celui des témoins ; ces « jeunes » doivent-ils continuer de s'intéresser à un événement préhistorique, alors que 1968 paraît déjà à beaucoup comme une limite au-delà de laquelle on ne saurait remonter, quelque chose comme la naissance de Jésus-Christ ?

Or, plutôt que de participer à l'euphorie générale devant cette véritable fin de la guerre, j'éprouve le besoin de revenir en arrière, vers les années d'angoisse, vers la sombre époque où les régimes nazi et communiste atteignaient leur puissance maximale, et vers leur institution exemplaire, les camps. J'y pense même plus que jamais ; vais-je devenir bientôt aussi anachronique qu'un ancien combattant ?

C'est sans doute parce que les camps – ainsi que ce qui, dans le royaume nazi, leur sert d'antichambre, les ghettos – m'apparaissent comme l'emblème du totalitarisme que je me sens obligé de les scruter. Je n'ai jamais été au camp, ni de près, ni de loin, sauf dans les camps nazis transformés en musée ; mais j'ai vécu, jusqu'à l'âge de vingt-quatre ans, dans un pays alors totalitaire. C'est par là que passe mon identification, si partielle soit-elle, avec les détenus. C'est pourtant de là aussi que me viennent mes premières expériences intimes du mal politique infligé et non plus subi. Oh, rien de spectaculaire, plutôt le lot commun : la participation docile à diverses manifestations publiques, l'utilisation sans protestations du code de conduite sociale, l'acquiescement silencieux à l'ordre établi.

Les années qui fuient ne me font pas oublier cette expérience. Si je me sens tenu à y revenir ici, ce n'est pas seulement parce que le totalitarisme n'est pas encore mort partout ; la véritable raison en est ma conviction qu'à ignorer le passé on risque de le répéter. Ce n'est pas le passé comme tel qui me préoccupe ; c'est plutôt que je crois y lire un enseignement qui nous est adressé à nous, aujourd'hui. Mais lequel ? Les événements ne révèlent jamais tout seuls leur sens, les faits ne sont pas transparents ; pour nous apprendre quelque chose, ils ont besoin d'être interprétés. Et de cette interprétation je serai seul responsable ; c'est ma leçon des camps et du totalitarisme que je vais essayer de dire ici.

Une place pour la morale ?

La guerre de tous contre tous

Les récits sur les camps totalitaires peuvent être relus dans des perspectives diverses. On peut s'interroger sur l'enchaînement historique précis qui a conduit à la création des camps, puis à leur extinction ; on peut débattre de leur signification politique ; on peut en tirer des leçons de sociologie ou de psychologie. Pour ma part, c'est une question encore différente que je voudrais soulever ici, même si je ne peux ignorer tout à fait ces autres perspectives : je voudrais mieux comprendre l'opposition que j'ai rencontrée, celle entre vertus héroïques et vertus quotidiennes ; le terrain que je choisis est donc celui de la *morale* ; et, comme Edelman et Krall, je m'intéresserai aux destins individuels plutôt qu'aux nombres et aux dates. Mais j'entends déjà une protestation : la question n'est-elle pas réglée depuis longtemps ? Ne sait-on pas bien que, sur ce plan, les camps nous ont révélé une simple et triste vérité, à savoir que, dans ces conditions extrêmes, toute trace de vie morale s'évapore et les hommes se transforment en bêtes engagées dans une guerre de survie sans merci, la guerre de tous contre tous ?

Cette opinion n'est pas seulement un lieu commun des présentations populaires de ces événements ; on la trouve abondamment dans les récits des survivants eux-mêmes. Nous étions devenus indifférents au malheur d'autrui ; pour survivre, il fallait ne penser qu'à soi : telle est la leçon qu'a ramenée d'Auschwitz Tadeusz Borowski, qui allait se suicider en 1951. « Dans cette guerre, la moralité, la solidarité nationale, le patriotisme et les idéaux de liberté, de justice et de dignité humaine ont glissé de l'homme comme une guenille pourrie [...]. Quel est le crime que l'homme ne commettrait pas pour se sauver? » (*This Way*, 168). La morale n'est pas innée chez l'homme: telle est aussi la conclusion d'un autre pensionnaire d'Auschwitz, Jean Améry, qui devait se suicider en 1978. « Le droit naturel n'existe pas, et les catégories morales sont aussi changeantes que la mode » (*Intellectuels*, 22). Les privations étaient telles, confirme un troisième survivant d'Auschwitz, Primo Levi, qui allait se donner la mort en 1987, que les attitudes morales étaient rendues impossibles. « Ici, la lutte pour la vie est implacable car chacun est désespérément et férocement seul. » Or pour survivre il faut « abandonner toute dignité, étouffer toute lueur de conscience, se jeter dans la mêlée comme une brute contre d'autres brutes, s'abandonner aux forces souterraines insoupçonnées qui soutiennent les générations et les individus dans l'adversité » (*Si*, 115-20). « C'était une existence selon Hobbes, une guerre continuelle de tous contre tous » (*Naufragés*, 132).

L'expérience retirée des camps communistes n'est pas très différente. Varlam Chalamov, qui y est resté pendant vingt-cinq ans, dont dix-sept à Kolyma, est particulièrement pessimiste. « Tous les sentiments humains : l'amour, l'amitié, la jalousie, l'amour du prochain, la charité, la soif de gloire, la probité, tous ces sentiments nous avaient quittés en même temps que la chair que nous avions perdue pendant notre famine prolongée. [...] Le camp était une grande épreuve des forces morales de l'homme, de la morale ordinaire, et quatre-vingt-dix-neuf pour cent des hommes ne passaient pas le cap de cette épreuve. [...] Les conditions du camp ne permettent pas aux hommes de rester des hommes, les camps n'ont pas été créés pour » (31 et 11). La vie morale n'était plus possible, constate aussi Evguénia Guinzbourg, qui a vécu à Kolyma pendant vingt ans. « Un être humain poussé à bout par des formes de vie inhumaine [...] perd graduellement toutes les notions qu'il avait du bien et du mal. [...] Sans doute étions-nous moralement morts » (II, 21 et 179). Si l'on ne pense qu'à sa propre survie, on ne reconnaît plus que la loi de la jungle, c'est-à-dire l'absence de toute loi, et son remplacement par la force brute.

Le principal effet de ce règne sans partage de l'instinct de conservation sur la vie morale est l'absence de compassion pour la souffrance d'autrui et, à plus forte raison, l'absence d'aide qu'on lui aurait apportée ; bien au contraire, on contribue au dépérissement du prochain pour peu qu'on puisse en tirer un soulagement de sa propre vie. Même s'ils ne commettent pas d'actes agressifs, les détenus manquent aux devoirs élémentaires de la solidarité. Dans un chapitre de son témoignage, intitulé « Il est difficile de rester un homme », Anatoly Martchenko, qui a été déporté en Mordovie, raconte comment, pendant qu'un détenu se coupe les veines et s'effondre dans son sang, ses compagnons de cellule terminent tranquillement le petit déjeuner. « Un homme perd son sang sous mes yeux et je lèche le fond de mon écuelle en ne pensant qu'au moment où l'on va me rapporter encore à manger. Reste-t-il encore en moi, en nous qui sommes ici, quelque chose d'humain ? » (132). Les membres des équipes qui nettoient les wagons arrivés à Auschwitz n'éprouvent pas le moindre remords en s'emparant de la nourriture et des objets amenés par les nouveaux déportés. « Puisque nous ne pouvons arrêter ce déluge de cadavres, pourquoi ne pas profiter des jours qui s'offrent à nous ? » (Laks et Coudy, 129). Richard Glazar, qui fait le même travail à Treblinka et en profite de la même manière, se souvient de la période où les convois de déportés se faisaient rares, et de sa réaction à leur reprise : « Nous avons crié : "Hurrah ! Hurrah !" [...] Le fait que c'était la mort des autres, quels qu'ils soient, qui signifiait notre vie n'était plus en question » (Sereny, 227). Les liens familiaux même les plus proches ne résistent pas à ce combat pour la survie : Borowski raconte comment une mère, pour sauver sa vie, fait semblant de ne pas reconnaître son enfant ; Elie Wiesel, survivant d'Auschwitz, a décrit dans *Nuit* comment le fils arrache le pain des mains de son père ou comment lui-même se sent soulagé à la mort de son père, voyant augmenter ainsi ses chances de survie.

Si chaque geste de l'individu est déterminé par les ordres de ses supérieurs et par le besoin de survivre, sa liberté est réduite à néant et il ne peut vraiment exercer sa volonté en vue de choisir telle conduite plutôt que telle autre. Or là où il n'y a pas de choix, il n'y a pas non plus de place pour une vie morale quelconque.

Doutes

A relire cependant les récits des survivants, je retire l'impression que la situation n'est pas aussi noire qu'elle pouvait le paraître. A côté des exemples illustrant la disparition de tout sentiment moral on en trouve aussi d'autres, dont l'enseignement est différent.

Le même Levi qui ne voyait au camp que la lutte exténuante de tous contre tous, à peine a-t-il écrit : « Chacun est à chacun un ennemi ou un rival » qu'il s'arrête et reconnaît ce que cette généralisation a d'abusif : « Non, pourtant », celui-ci n'était ni l'un ni l'autre (*Si*, 52). Du reste, nombreuses sont les histoires, dans *Si c'est un homme*, qui contredisent la sombre loi générale formulée par Levi. Son bon ami Alberto, qui périra au cours des marches forcées d'évacuation des camps, lutte pour sa survie, mais il n'est pas devenu un cynique pour autant ; il sait être fort et doux à la fois. Un autre ami, Jean le Pikolo (qui, lui, survivra) cherche aussi à rester en vie, et pourtant « il ne manquait pas d'entretenir des rapports humains avec ses camarades moins privilégiés » (143). Mais s'il y a tant d'exceptions, la loi reste-t-elle encore en vigueur ?

Le même Borowski, dont les récits sur la vie à Auschwitz restent parmi les plus impitoyables, écrit : « Je pense que l'homme retrouve toujours l'homme à nouveau – à travers l'amour. Et que c'est la chose la plus importante et la plus durable » (*Le Monde*, 135). On sait du reste que Borowski s'est comporté lui-même à Auschwitz tout autrement que ses personnages : son dévouement pour les autres touchait à l'héroïsme. Mais il a compris de l'intérieur jusqu'où pouvait aller la dégradation humaine et n'a pas voulu s'excepter de la corruption ambiante : son personnage s'appelle comme lui Tadeusz, et il parle à la première personne ; c'est un kapo cynique – et impitoyable. Telle est la règle qu'il a donnée à toute écriture sur Auschwitz : n'écrire que si l'on est capable de prendre à son propre compte les pires humiliations que le camp a infligées aux détenus. Ce faisant, il a accompli un nouveau choix, et un nouvel acte moral.

Le même Chalamov, narrateur du désespoir de Kolyma et de la dégradation intérieure de tous, affirme : « Je ne vais certainement pas me mettre à dénoncer un homme qui est prisonnier comme moi, quoi qu'il fasse. Je ne vais pas non plus courir après la fonction de chef d'équipe qui assure la possibilité de rester en vie » (33). Comme l'a remarqué Soljenitsyne, une telle décision prouve bien que tout choix n'est pas interdit, et que Chalamov lui-même, tout au moins, fait exception à la règle qu'il énonce. Les mêmes Laks et Coudy, survivants d'Auschwitz, qui constatent la perte de leur identité humaine remarquent que sans aide la survie était impossible ; il y avait donc de l'aide ? Trente ans plus tard, Laks le confirme : ma survie, je la dois « à ma rencontre avec quelques compatriotes au visage humain et au cœur humain » (19). La même Guinzbourg rapporte d'innombrables gestes de solidarité, dont le principe par elle-même formulé ne saurait rendre compte. Et s'il y a eu des fils qui ont arraché le pain des mains de leurs pères, Robert Antelme, déporté du côté de Buchenwald, en a rencontré d'autres. « Le vieux affamé et qui volerait devant son fils pour que son fils mange. [...] Les deux ensemble affamés, s'offrant leur pain avec des yeux adorants » (274).

Ella Lingens-Reiner, détenue autrichienne, rapporte dans ses souvenirs d'Auschwitz qu'elle y avait rencontré une autre femme médecin, juive, Ena Weiss, qui exprimait ainsi sa philosophie de la vie : « Comment je reste en vie à Auschwitz ? Mon principe : c'est moi qui viens en premier, en second et en troisième. Ensuite rien. Puis moi encore, et puis tous les autres » (118). Cette formule, souvent citée, passe pour l'expression la plus juste de la loi morale – ou plutôt de son absence – à Auschwitz. Cependant, Lingens-Reiner ajoute aussitôt que cette femme contrevenait quotidiennement à son principe et aidait des dizaines, des centaines d'autres détenues. Après avoir rapporté son histoire, elle-même accomplit au demeurant un geste semblable. Elle décrit ainsi les métamorphoses subies par la morale : « Nous autres détenus du camp n'avions qu'un seul étalon : ce qui contribuait à notre survie était bon, ce qui la menaçait était mauvais et à éviter» (142). Elle vient pourtant de nous décrire longuement un cas de conscience qui l'avait tourmentée : devait-elle intervenir en faveur d'une malade juive et compromettre ainsi ses propres chances de s'en sortir, ou devait-elle s'en abstenir et ne penser qu'à elle-même ? Elle choisit finalement la première voie ; mais, aurait-elle opté pour la seconde, l'hésitation même qu'elle éprouvait aurait témoigné de ce que le sentiment moral ne s'était pas éteint en elle.

Les cas de conscience ne sont du reste pas rares dans les situations extrêmes et confirment par leur existence même la possibilité de choix, et donc de vie morale. On voudrait y échapper, car on se trouve amené à choisir librement un mal, qu'on croit cependant moindre que celui qui arriverait autrement ; mais on n'y parvient pas toujours. Lingens-Reiner est médecin : doit-elle choisir ou non de tuer les nouveau-nés pour que les mères aient une meilleure chance de survie ? Doit-elle utiliser son unique médicament pour soulager une personne grandement malade ou deux plus légèrement atteintes ? Les résistants de Vilno affrontent un dilemme terrible : doivent-ils livrer eux-mêmes à la Gestapo leur chef, Isaac Wittenberg, ou accepter que le ghetto soit anéanti par les tanks ? Toutes les négociations avec l'occupant entraînent des cas de conscience douloureux.

Il n'est pas vrai que la vie au camp obéisse à la seule loi de la jungle : les règles de la socialité ne sont pas les mêmes, mais elles n'en existent pas moins. Le vol concernant l'administration est non seulement licite, mais admiré ; en revanche le vol, surtout de pain, entre codétenus est méprisé et, la plupart du temps, sévèrement sanctionné. Cette loi est aussi rigoureuse dans les camps nazis que dans les camps communistes. Les mouchards sont également détestés et punis ici et là. Les dix commandements, écrit Anna Pawelczynska, survivante d'Auschwitz, n'avaient pas disparu, mais ils étaient réinterprétés. Tuer pouvait être un acte moral, si l'on empêchait par là un cruel assassin de continuer à sévir. Le faux témoignage pouvait devenir une action vertueuse s'il permettait de sauver des vies humaines. Aimer son prochain comme soi-même était une exigence excessive, mais éviter de lui nuire ne l'était pas. Germaine Tillion, survivante de Ravensbrück, conclut, avec raison me semble-t-il, par ce jugement nuancé sur la vie morale au camp : « Les fils ténus de l'amitié étaient comme submergés sous la brutalité nue de l'égoïsme bouillonnant, mais tout le camp en était invisiblement tissé » (II, 26).

Il y a tant de contre-exemples aux principes d'immoralité énoncés par les survivants que la présence même de ces principes dans leurs écrits demande à son tour une explication. Pourquoi les cas particuliers qu'eux-mêmes rapportent n'illustrent-ils pas les conclusions générales qu'ils croient pouvoir en tirer ? Terrence Des Pres, auteur d'une étude sur les survivants des camps, a proposé une réponse : les anciens détenus insistent sur le côté négatif de leur expérience car c'est ce qui, en elle, est unique, et ils ne veulent surtout pas le cacher ; leurs exemples, en revanche, reflètent la complexité de la situation. « En tant que témoin, le survivant vise avant tout à communiquer l'étrangeté absolue des camps, leur inhumanité spécifique » (99). On peut ajouter à cela que les survivants souffrent du remords de ne pas être venus en aide à leurs prochains, alors même que leur comportement reste parfaitement explicable et justifiable, simplement parce que les conséquences de cette non-intervention sont atroces : la mort. Germaine Tillion est à l'infirmerie, malade, pendant qu'une « sélection » emporte sa mère, enfermée comme elle à Ravensbrück. Elle ne nous en dit pas plus elle-même, mais nous savons, par le récit de son amie Buber-Neumann, qu'elle se reproche amèrement d'avoir laissé partir sa mère. « Germaine bondit du lit, poussant des cris de bête blessée, et se met à sangloter : "Comment est-ce que j'ai pu ne penser qu'à sauver ma propre peau et oublier ma mère ?" » (*Ravensbrück*, 201). Son tribunal intérieur la déclare peut-être coupable ; mais aucun autre tribunal humain ne pourrait en faire autant.

Il y a encore une autre raison à la présence de cette idée dans les écrits des survivants. Les camps, dit-on, ont prouvé que le comportement de l'individu dépend des conditions qui l'entourent et non de sa propre volonté, que la vie est une guerre de tous contre tous, que la morale n'est qu'une convention superficielle. Mais ces affirmations sont abondamment présentes aussi en dehors des écrits des survivants, dans la pensée européenne des deux derniers siècles, et, singulièrement, dans l'idéologie dominante des pays totalitaires ; on peut les trouver autant chez Marx que chez Nietzsche. Les camps ont été effectivement créés dans l'esprit de cette idéologie, mais cela ne signifie pas qu'ils l'illustrent à la perfection.

Lorsque Borowski déclare : « En réalité, le monde entier ressemble à un camp de concentration [...]. Le monde n'est gouverné ni par la justice ni par la moralité [...]. Le monde est gouverné par la force » (*This Way*, 168), il n'est pas seulement en train de tirer une conclusion à partir de son expérience même ; il reformule aussi à sa façon un lieu commun de la philosophie européenne, que le régime nazi a précisément repris à son compte. Czeslaw Milosz, qui l'avait connu avant Auschwitz et qui l'a dépeint sous les traits du personnage « Béta » dans son livre *La Pensée captive*, témoigne : en 1942 déjà Borowski voyait le monde comme un terrain d'affrontement de forces nues, et rien d'autre. Le héros de ses récits incarne cette croyance dans le succès comme preuve de la qualité : ce sont les plus aptes qui survivent. C'est ce darwinisme social que veut illustrer Borowski à travers les histoires qu'il raconte ; c'est pourquoi n'y trouvent aucune place, ou si peu, les actes de bonté. Son engagement après la guerre au service du pouvoir communiste en Pologne est révélateur : il a trouvé l'idéologie qui lui convenait – mais, à cet égard, elle n'est pas très différente de celle des nazis ; il faut alors que le monde soit aussi laid qu'il l'a dépeint pour que son attitude de haine et d'exclusion soit justifiée. Or ne sont-ce pas les nazis qui croient qu'il existe des êtres humains guère plus estimables que la brute, une fois écartées les enjolivures des bonnes manières ?

Borowski professe aussi un déterminisme que communistes et nazis partagent : ce sont les conditions sociales ou l'héritage racial, mais non la volonté individuelle, qui gouvernent les actes des hommes ; les camps, lieux de transformation de la matière humaine, sont l'aboutissement extrême de cette doctrine. En réunissant les conditions appropriées, c'est-à-dire une pression maximale, on ne peut que parvenir au résultat voulu. La faim, le froid, les coups, le travail forcé transformeront les êtres en ce que souhaitent les détenteurs du pouvoir. Telle est la philosophie sous-jacente à l'établissement des camps – mais non celle qu'on peut déduire en observant la conduite des détenus.

Il faut cependant introduire ici une distinction, ou plutôt la notion d'un seuil de souffrance, au-delà duquel les actes de l'individu ne nous apprennent plus rien sur lui, mais seulement sur les réactions mécaniques à cette souffrance. Ce seuil sera atteint à la suite d'une faim prolongée ou de la menace imminente de la mort, ou encore, dans les camps nazis, de l'ambiance particulière des tout premiers jours après l'arrivée au camp. « La faim est une épreuve insurmontable. L'homme arrivé à cet ultime degré de déchéance est en général prêt à tout », constate Anatoly Martchenko (108-9). Vingt ans plus tôt, un autre habitant du goulag, Gustaw Herling, concluait : « Il n'y a rien qu'on ne puisse faire faire à un homme en l'affamant et en le faisant souffrir » (164). En employant des moyens extrêmes, il est effectivement possible de détruire le contrat social jusqu'à la base, et d'obtenir de la part des hommes des réactions purement animales.

Mais quelle est la signification de cette observation ? Est-ce à dire que c'est en cela que réside la vérité de la nature humaine, et que la morale n'est qu'une convention superficielle, abandonnée à la première occasion ? Nullement ; ce qu'elle prouve, au contraire, c'est que les réactions morales sont spontanées et omniprésentes, et qu'il est nécessaire d'employer les moyens les plus violents pour les éradiquer. On peut forcer les plantes à pousser à l'horizontale, disait Rousseau ; cela n'empêche pas que, hors contrainte, elles croissent vers le haut. Ce n'est pas sous la torture que l'être humain révèle sa véritable identité. A force de supprimer les ingrédients habituels de la vie humaine en société, on crée une situation entièrement artificielle, qui ne nous renseigne plus que sur elle-même. Herling a raison : « J'en suis arrivé à la conviction qu'un homme ne peut être humain que lorsqu'il vit dans des conditions humaines, et qu'il n'y a pas de plus grande absurdité que de le juger sur des actions qu'il commet dans des conditions inhumaines » (164). C'est pourquoi aussi je ne m'attarderai pas longtemps sur ces situations d'au-delà du seuil.

On peut déjà conclure en ce point, avant même d'entrer

dans le détail de la vie morale aux camps, que l'hypothèse selon laquelle l'homme est, au fond, un loup pour l'homme n'est pas soutenue par ce qu'on peut y observer. Des Pres l'avait constaté aussi, à la lecture de ces récits : « Il se trouve que l'"état de nature" n'est pas naturel. La guerre de tous contre tous doit être imposée par la force » (142). La version populaire de la doctrine de Hobbes est erronée : à moins d'une contrainte extrême, les êtres humains sont portés, entre autres, à communiquer entre eux, à s'entraider, à distinguer le bien du mal.

Un même monde

Cette conclusion ne doit pas être comprise comme l'expression d'un optimisme béat. En affirmant la continuité entre l'expérience quotidienne et celle des camps, sauf au-delà d'un seuil du supportable, et donc la pertinence des questions morales ici comme là, je n'affirme nullement que le bien règne partout sans partage. Loin de là : je dirais plutôt que de la continuité entre le commun et l'extrême on serait tenté de tirer des conclusions peu encourageantes.

Dans la vie courante comme aux camps, on peut observer l'opposition de deux types de comportement et de deux types de valeurs, disons : les valeurs vitales et les valeurs morales. Dans le premier cas, ce qui compte le plus c'est, d'abord, la préservation de ma vie, ensuite, l'amélioration de mon bien-être. Dans le second, je considère qu'il y a quelque chose de plus précieux que la vie elle-même : rester humain est plus important que rester en vie. Ce choix des valeurs morales n'implique pas nécessairement la dépréciation de la vie, survivre restant un but tout à fait respectable (on a vu qu'il y a lieu d'opposer à cet égard vertus héroïques et vertus quotidiennes, qui sont pourtant toutes du côté des valeurs morales) – mais pas à n'importe quel prix.

Les termes employés pour décrire ce choix ne doivent pas induire en erreur : je ne veux pas dire que la morale est, d'une quelconque façon, extérieure à la vie, une substance étrangère par laquelle on réprime celle-ci ; je pense qu'elle en est même une dimension constitutive. Il reste une différence : dans le premier cas, c'est ma vie qui est sacrée, dans le second, c'est celle de l'autre ; mais les deux principes sont également communs. Telle est la leçon des situations extrêmes. Jorge Semprun, survivant de Buchenwald, écrit : « Dans les camps, l'homme devient cet animal capable de voler le pain d'un camarade, de le pousser vers la mort. Mais dans les camps l'homme devient aussi cet être invincible capable de partager jusqu'à son dernier mégot, jusqu'à son dernier morceau de pain, jusqu'à son dernier souffle, pour soutenir les camarades » (72). Et Anatoly Martchenko : « Derrière les barbelés, les hommes sont aussi différents les uns des autres qu'en liberté : très bons gars et crapules, lâches et courageux, des modèles d'honnêteté et de rigueur, des salopards finis, prêts à n'importe quelle trahison » (242). Oui, cela est bien vrai : dans la vie commune que nous menons, la situation n'est pas différente de celle que décrivent Martchenko et Semprun.

Cette diversité s'observe dans les camps non seulement entre les êtres mais aussi à l'intérieur de chaque parcours individuel. Les personnes même les plus dignes passent habituellement par plusieurs phases. Au cours de la première, antérieure au camp, il y a eu réveil de la conscience morale. Pendant la deuxième, qui correspond souvent aux premiers mois de camp, survient l'effondrement des valeurs morales antérieures devant la brutalité des nouvelles circonstances. On fait la découverte d'un monde sans pitié et l'on s'aperçoit qu'on est capable soi-même de l'habiter. Cependant, si l'on survit à cette deuxième période, on peut accéder à une troisième, au cours de laquelle on retrouve un ensemble de valeurs morales, même si ce n'est pas exactement le même qu'auparavant ; les braises n'avaient pas été éteintes, et il aura suffi d'un soulagement infime pour que les flammes reprennent. « Même dans la forêt de Birkenau l'homme n'était pas nécessairement un loup pour l'homme », constate Olga Lengyel, médecin à Auschwitz (290).

Je ne voudrais pas non plus qu'on interprète ce constat de la présence de qualités morales au camp comme un éloge de la souffrance, génératrice de vertus. On trouve cette dernière idée chez certains anciens déportés, probablement sous l'influence de la tradition chrétienne. Soljenitsyne a insisté sur les effets bénéfiques de la prison, qui conduit à un approfondissement de l'être, et il a maintenu, contre d'autres survivants, qu'il en allait de même des camps. Irina Ratouchinskaïa, déportée dans les camps de la Mordovie, entend cette chanson derrière les barbelés :

> « Merci, barreaux rouillés,
> Merci, la baïonnette !
> Sans vous, seul un très long passé
> M'aurait donné cette sagesse » (159).

Et elle-même s'exclame : « Merci, Seigneur, de m'avoir fait subir des transferts, de m'avoir obligée [...] à croupir dans des cachots et à connaître la faim » (175).

Il est certain que le courage moral d'individus comme Soljenitsyne ou Ratouchinskaïa force le respect ; mais leur thèse me paraît une généralisation abusive à partir de leur propre cas. Pour ce que j'ai vu et lu, il me semble que la souffrance, à cet égard, est ambivalente : elle améliore certains et dégrade d'autres ; et toutes les souffrances ne se ressemblent pas entre elles. Ce qui est probablement vrai, c'est qu'une expérience comme celle des camps fait mûrir les individus plus rapidement et leur enseigne des leçons qu'ils n'auraient pas acquises au-dehors ; les survivants ont souvent l'impression d'avoir été, pendant cette période, plus près de la vérité que pendant le reste de leur vie. Mais cet enrichissement ou mûrissement de l'esprit, à supposer qu'il se produise, n'est pas une vertu morale. Enfin, même si l'on pouvait observer une relation entre souffrance et morale, je ne vois pas quelle espèce de précepte on devrait en tirer : personne ne peut s'arroger le droit de recommander aux autres d'aspirer au malheur pour devenir plus vertueux. Après vingt ans passés au camp, Evguénia Guinzbourg est certainement devenue un être plus sage et plus riche que si elle était restée la communiste dogmatique et péremptoire des années trente ; mais quel dieu impitoyable oserait prétendre qu'il faut opter volontairement pour la souffrance ?

La différence entre vie au camp et vie commune n'est pas

dans la présence ou l'absence de morale ; elle est ailleurs. C'est que, dans une existence ordinaire, les contrastes dont je parle n'apparaissent pas au grand jour. Les gestes égoïstes y sont camouflés en actes de routine, et puis l'enjeu de chacun d'entre eux est bien limité : des vies humaines n'en dépendent pas. Au camp, où il faut choisir parfois entre sauver son pain et sauver sa dignité, entre l'inanition physique et l'inanition morale, tout est mis en évidence. « Les camps, écrit Semprun, sont des situations limites, dans lesquelles se fait plus brutalement le clivage entre les hommes et les autres » (72). La dépravation des uns s'accélère et s'étale au vu de tous ; mais l'élévation des autres s'intensifie aussi. « Le camp purifie la conscience, ou bien la détruit complètement. Ici, on devient meilleur ou pire, selon ce qui domine au départ », dit Ratouchinskaïa (231). Or dépravation et élévation existent aussi bien en dehors des camps, mais elles y sont plus difficiles à reconnaître. La vie des camps projette en grand et rend éloquent ce qui, dans le ronron quotidien, pouvait facilement échapper à la perception.

Ce que l'extrême et l'ordinaire ont également en commun, c'est que, ici comme là, la majorité des individus opte pour les valeurs vitales, et quelques-uns seulement choisissent l'autre voie. Ou peut-être : la plupart du temps, chaque individu opte pour les valeurs vitales ; mais n'ignore pas pour autant les réactions morales. Une fois de plus, la chose est beaucoup plus visible dans les camps, et c'est pourquoi on croit pouvoir en tirer une leçon générale d'immoralité ; mais au vrai l'égoïsme prédomine aussi dans les situations de la vie commune. Simplement, le mal n'est pas inévitable : telle est la conclusion la plus optimiste que l'on puisse tirer de l'expérience des camps (comme de celle de la vie au-dehors). Le nombre toutefois est, d'un certain point de vue, sans importance : ce qui compte, c'est que la possibilité d'opter pour les valeurs morales soit toujours présente. « Même s'il y en eut aussi peu, et même s'il n'y avait eu qu'un seul, il suffirait pour témoigner que l'homme peut être intérieurement plus fort que son destin », conclut Viktor Frankl, survivant d'Auschwitz (117).

Il est donc possible, et le présent livre repose sur ce pari, de réfléchir à la morale à partir de l'expérience extrême des camps, non parce qu'elle y est supérieure, mais parce qu'elle y est plus visible et plus parlante. J'examinerai successivement ses deux versants : celui des vertus, quotidiennes ou héroïques ; et celui des vices, quotidiens ou monstrueux. Enfin, je tenterai d'analyser nos réactions devant le mal.

Ni héros ni saints

Héroïsme et sainteté

Le modèle et ses transformations

Les récits des insurrections de Varsovie nous ont fait découvrir deux espèces de vertus, les unes héroïques, les autres quotidiennes. Je voudrais maintenant, en faisant appel à la matière plus vaste provenant des camps totalitaires, chercher à mieux comprendre les unes et les autres. Avant cela, cependant, je me propose d'interroger la tradition d'héroïsme et de sainteté, telle qu'elle s'est perpétuée en Europe depuis près de trois millénaires. Il ne peut évidemment pas être question de reconstituer cette tradition dans son ensemble ; mais seulement de relever quelques traits qui nous permettront de situer ce qu'on vient d'observer : les insurgés de Varsovie étaient-ils des héros typiques ou aberrants ?

Le point de départ du héros, tel que nous l'a légué la poésie épique des Grecs, est la décision d'atteindre coûte que coûte à l'*excellence*, un idéal dont, cela est essentiel, il porte en lui-même la mesure. Achille, le héros originel, ne sert en effet aucune cause (ou si mal) et ne se bat pas pour un idéal qui serait en dehors de lui ; il est héros parce qu'il poursuit son propre modèle de perfection héroïque. Cela veut dire, en l'occurrence, qu'il devient une incarnation de la puissance : la force physique, bien sûr, mais aussi la force morale, l'énergie, le courage. Ce critère interne d'excellence s'exprime dans le monde extérieur sous forme de gloire, donc de récits établissant cette gloire. Sans récit qui le glorifie le héros n'est plus un héros.

Coûte que coûte : en d'autres termes, le héros chérit toujours quelque chose au-dessus de sa vie (son excellence, justement : il n'est pas du côté des valeurs vitales) ; par conséquent, il est aussi d'emblée lié à la mort. Le choix est entre la vie sans gloire et la mort dans la gloire. Le héros choisit la mort non parce qu'il l'apprécie en elle-même (il n'est pas morbide), mais parce qu'elle est un absolu – ce que la vie n'est pas (la symétrie des termes est trompeuse). La mort est inscrite dans le destin du héros. En tout cela le héros est différent des autres hommes. Doué d'une puissance exceptionnelle, il se trouve déjà à l'écart des personnes ordinaires ; ayant choisi la mort de préférence à la vie, il s'en sépare plus encore.

Achille est le héros pur, l'incarnation de ce qu'on pourrait appeler l'héroïsme ancien ; d'autres héros, ses contemporains pourtant, ne gardent que certaines facettes de ce modèle ou l'infléchissent à leur manière. Hector, par exemple, s'y conforme en général ; en même temps, il aspire non seulement à atteindre l'excellence héroïque, mais aussi à protéger sa patrie (sa cité). Il inaugure ainsi la longue tradition des héros qui ne servent plus le seul idéal héroïque mais aussi une instance extérieure : le roi, la patrie, le peuple ou quelque noble cause ; cette tradition se poursuivra jusqu'aux « morts pour la patrie » du XXe siècle, mais elle n'est pas réservée aux seuls soldats : souvenons-nous du petit Hans Brinker, le garçon de Haarlem qui bouche avec son doigt le trou dans la digue et sauve ainsi son village de l'inondation.

Une autre variante du héros retient l'élévation de l'âme, sans faire appel à la force physique : c'est le sage héroïque dont Socrate, par sa mort, fournit le meilleur exemple. Il préfère la mort pour la justice à une survie grâce à l'injustice ; il a donc raison d'invoquer, pour expliquer son comportement, l'exemple d'Achille. Par là, il s'apparente aussi aux saints, ou héros religieux, bien que ceux-ci appartiennent à la tradition biblique plutôt qu'à celle d'Homère (mais les commentaires moralisateurs de ce dernier préparent déjà l'assimilation des deux). Entre saints et héros il y a évidemment des différences, mais un sage héroïque comme Socrate renvoie bien à l'une et l'autre figures.

Voici par exemple le vieux Éléazar, martyre et saint de l'Ancien Testament. Il est soumis à une épreuve allant à l'encontre de sa religion : on l'oblige à manger du porc !

Mais, fidèle à l'idéal d'Achille, il accepte « une mort glorieuse plutôt qu'une vie souillée », et, imitant Socrate, il renonce à fuir la sentence de mort par des moyens qu'il juge malhonnêtes. Il choisit de servir la gloire de Dieu : « Je laisserai aux jeunes gens un exemple héroïque en mourant d'une belle mort, spontanément et héroïquement, pour la défense des lois sacrées et saintes. » Chose dite, chose faite ; et le chroniqueur ajoute : « Cet homme quitta donc la vie de cette manière, laissant dans sa mort, non seulement pour les jeunes gens, mais aussi pour la masse de la nation, un exemple d'héroïsme et un mémorial de vertu » (Maccabées, II, VI, 18-31). Nous sommes bien dans la tradition socratique, même si l'idée de justice ne se confond pas avec l'obéissance aux règles alimentaires.

Comme le héros, le saint est un être exceptionnel, ne se soumettant pas aux lois de la société dans laquelle il vit ; il ne réagit pas comme les autres, et ses qualités extraordinaires (la puissance de son âme) en font un solitaire, qui se soucie peu de l'effet qu'ont ses actes sur ses proches. Le saint, à la limite, ne connaît pas la lutte intérieure, ni finalement la souffrance. Comme le héros, il n'admet pas le compromis ; par conséquent, il est toujours prêt à mourir pour sa foi, ce qui n'est pas le cas des autres habitants de la cité, si pieux soient-ils.

L'amour de Dieu remplit le cœur du saint et n'y laisse pas de place pour un amour comparable dirigé vers les hommes : aimer les hommes d'un tel amour relèverait de l'idolâtrie, car les humains appartiennent au monde d'ici-bas, non au royaume de Dieu. Pour obliger une femme à renier la religion chrétienne, les juges amènent devant l'accusée, la future sainte Perpétue, ses vieux parents, son mari et son tout jeune enfant : en s'obstinant dans sa foi, lui disent-ils, elle condamne l'un à devenir orphelin, l'autre veuf, les troisièmes à finir leur vieillesse dans la solitude et le besoin. Le père lui-même intervient : « Aie pitié de nous, ma fille, et vis avec nous. » Mais Perpétue, rejetant son fils et les repoussant : « Éloignez-vous de moi, dit-elle, ennemis de Dieu, car je ne vous connais pas » (Voragine, II, 400). Sainte Perpétue aime Dieu plus que ses proches et choisit la mort : c'est en cela qu'elle est sainte. Ici, Dieu seul est une fin, et il est choisi au détriment des êtres humains particuliers.

Ce modèle d'héroïsme et de sainteté, pourtant déjà multiple, ne s'est pas maintenu intact, même si l'on en reste au plan des images idéalisées (sans parler donc des comportements réels). Le héros de *L'Odyssée* incarne déjà un autre idéal : non plus la puissance mais la ruse et la raison. *L'Odyssée* consacre le triomphe d'Ulysse : plutôt que de devoir choisir, comme Achille, entre vie longue mais sans gloire et mort glorieuse, il illustre la possibilité de garder les avantages des deux termes : il acquiert la gloire (l'existence même de l'épopée le prouve), mais garde la vie et vieillit paisiblement parmi les siens.

Aux catégories traditionnelles des saints, le martyr et l'ascète, s'ajoute le saint de charité, celui qui consacre sa vie aux pauvres et aux souffrants. Même s'il se dévoue avec abnégation, ce saint-là ne vit pas à l'ombre de la mort : un saint Vincent de Paul, au XVIIe siècle, ressemble à un inspecteur de l'Assistance publique plutôt qu'à un être destiné à la mort glorieuse ; on pourrait dire la même chose de sœur Teresa aujourd'hui, qui soigne les pauvres à Calcutta ou ailleurs. Les saints charitables se dévouent aux hommes, mais ils ne cessent pas, à travers eux, d'aspirer à Dieu ; les êtres humains restent un moyen pour faire régner la loi de Dieu sur terre.

A travers ces transformations (et bien d'autres), qui assurent la place de nouvelles valeurs dans l'imaginaire des populations européennes, un avatar de l'idéal héroïque se maintient à travers le Moyen Age, où il donne lieu au code chevaleresque (bien différent déjà de celui d'Achille) ; et même au-delà, jusqu'au XVIIe siècle au moins, où il se retrouve dans les vertus aristocratiques et l'idée d'honneur. Mais, avec l'avènement triomphant de l'individualisme comme idéologie, vers la fin du XVIIIe siècle, le modèle héroïque dépérit à vue d'œil dans les pays européens : on ne rêve plus d'exploits et de gloire, chacun aspire au bonheur personnel, voire à une vie dans le plaisir. Les observateurs perspicaces du milieu du XIXe siècle, un Tocqueville, un Heine, un Renan, même quand ils ne remettent pas en cause la direction générale de l'évolution de la société, ne peuvent s'empêcher de déplorer la disparition de tout esprit héroïque et son remplacement par un goût pour le confort personnel et

« bourgeois ». Les romanciers prennent comme héros de leurs romans des personnages éminemment non héroïques : Julien Sorel et Emma Bovary ne ressemblent vraiment pas à Achille et Antigone. Achille était, il est vrai, individualiste à sa façon, puisqu'il ne se battait pas pour le bien de la communauté ou pour la défense d'un idéal social, mais pour se conformer à sa propre exigence d'excellence ; cependant, la ressemblance n'est que de surface, et la société des héros grecs était à l'opposé des démocraties modernes. La dégradation se poursuivra au XXe siècle, en aboutissant aux vagabonds de Chaplin ou aux clochards de Beckett ; les vaincus suscitent aujourd'hui plus de sympathie que les vainqueurs. La page de l'héroïsme semble, cette fois-ci, définitivement tournée.

La guerre, lieu de prédilection des anciens héros, est, dans cette partie du monde, condamnée aujourd'hui par presque tous, tout au plus admise comme un mal inévitable, comme une calamité fatale. Les vertus militaires ne sont guère appréciées. Mourir pour la patrie (variante la plus commune du modèle héroïque classique) ne semble plus tenter grand monde. Il faut dire que la guerre moderne n'a rien à voir avec les affrontements singuliers dans lesquels pouvait s'engager Achille. La perfection des armes, non le courage ou la puissance des combattants, décide de l'issue de la bataille ; le mérite de la victoire revient à un ingénieur tranquillement assis dans son bureau, plutôt qu'au soldat de première ligne. Du reste, il n'y a plus de lignes, ni de contact entre adversaires, puisque le pilote qui lâche ses bombes ne voit jamais ses victimes. L'idée même de combattant professionnel est remise en question, dans le cas où l'on décide de mener une guerre « totale », puisque la destruction du potentiel industriel ou l'extermination de la population civile est un acte de guerre aussi efficace qu'un autre, voire plus efficace (capitulation du Japon après Hiroshima). Non, les héros ne semblent décidément plus à leur place dans ce monde.

J'en suis venu pourtant à douter d'une disparition aussi complète du modèle héroïque. Je pense plutôt que ce modèle s'est encore transformé, sans que nous nous en rendions bien compte, et qu'il domine certaines parties de notre vie, mais pas toutes : nos sociétés admettent l'hétérogénéité idéologique, et donc la cohabitation de plusieurs modèles dont l'antagonisme n'affleure que sporadiquement. Ce disant, je ne me réfère pas à des personnages admirés mais relativement marginaux comme les champions sportifs, ces Hercules modernes, ou comme les animateurs d'associations charitables, nos saints, qui risquent leur vie au milieu des lépreux ou des plus démunis ; il s'agit dans mon esprit de phénomènes beaucoup plus répandus. Je ne peux m'empêcher de penser ici à l'image qu'on trouve au début de *La Reine des neiges* d'Andersen : le diable a fabriqué un immense miroir, le miroir du mal, et il l'envoie à Dieu. Celui-ci le fait glisser des mains de ses porteurs, et le miroir se casse ; mais il ne disparaît pas pour autant. « Il vint s'écraser à terre, où il se brisa en centaines de millions ou en milliards de morceaux et davantage, et ainsi fit beaucoup plus mal que précédemment ; car plusieurs de ces morceaux n'étaient guère plus gros que des grains de sable, et volèrent partout dans le monde » (392). L'héroïsme n'est pas le mal, certes ; mais, comme ce fameux miroir, disparu en tant qu'entité, il se retrouve, en quantités plus réduites, dans d'innombrables activités humaines.

Le monde des relations humaines est influencé aujourd'hui par au moins deux modèles idéologiques, dont l'un est un avatar moderne de l'héroïsme classique. Ce premier modèle domine les relations qui se jouent dans la sphère *publique* : le monde politique, celui des affaires, en partie aussi celui de la recherche, scientifique ou artistique. L'autre, ou les autres modèles règnent sur la sphère du *privé* : relations affectives, vie quotidienne, aspirations morales.

En quoi consiste, alors, la transformation du modèle héroïque ? D'abord, la menace de mort ne plane plus sur les actions du héros moderne ; il n'est pas prêt à risquer sa vie pour se faire reconnaître comme tel. Du coup, ce héros n'est plus un être exceptionnel, marqué par une naissance miraculeuse, par une accointance avec les dieux ou les bêtes ; c'est une personne comme les autres, et qui n'est pas isolée du tissu social. Mais la continuité est maintenue également. Relevons d'abord le culte de la puissance – qui, plutôt que physique, sera politique, ou économique, ou intellectuelle. Dans tous ces domaines, on apprécie les mêmes qualités, qui rappellent fortement les vertus militaires : la dureté et l'esprit combatif (dans les négociations avec les partenaires ou dans les conflits avec les adversaires), l'habileté tactique et stratégique (dissimulation des objectifs, changements d'alliances, capacité de prévoir les mouvements des autres), l'efficacité (rapidité des décisions, choix approprié des moyens) ; et, pardessus tout : la capacité de gagner, d'être le meilleur, de conduire ce qu'on entreprend jusqu'au succès. L'Allemagne, écrit Jean Améry, « ne se réfère plus à son héroïsme sur le champ de bataille mais à sa productivité, sans égale dans le monde entier » (*Mind*, 81). Le bon politicien est le politicien qui gagne ; le même esprit de compétition est à l'œuvre dans les sciences et les arts. A la différence des héros qui se sacrifient pour la patrie ou pour un idéal, leur héritier moderne ne soumet pas son activité à une fin qui lui serait extérieure (mais en cela il reste comme le héros originel, le fier Achille). L'appétit pour le pouvoir n'est pas une qualité transitive, il ne conduit à rien au-delà de lui-même, on n'y aspire pas pour obtenir je ne sais quel bienfait ou pour servir un quelconque idéal : on cherche le pouvoir pour le pouvoir ; c'est un but, non un moyen.

La représentation des relations humaines dans les pratiques symboliques propres à nos sociétés suit une division comparable. D'abord, les héros modernes de la vie politique, économique ou intellectuelle ont besoin de certaines de ces pratiques, incarnées par les grands médias : comme les anciens héros ne pouvaient se passer de la gloire et des récits qui enregistraient leurs exploits, leurs avatars contemporains ne seraient pas ce qu'ils sont sans la presse, la radio et surtout la télévision. D'un autre côté, les récits fictifs qui naissent dans nos sociétés se réfèrent tantôt à l'un, tantôt à l'autre modèle ; la distinction coïncide souvent avec celle que l'on fait couramment entre le « populaire » et l'« artistique ». Dans le premier groupe se retrouvent les innombrables feuilletons télévisés qui rejouent sans se lasser la chasse-poursuite des gendarmes et des voleurs, les films d'aventures, les romans d'espionnage ; dans le second, les romans et films qui tournent le dos à cette thématique. Quand un film de guerre glorifie les combattants victorieux (« les nôtres »), il se réfère à l'un des modèles en cours ; quand il se penche sur l'expérience d'un déserteur ou sur les souffrances de la population civile, il se réclame de l'autre.

Cet héroïsme-là n'est pas particulièrement admirable. Si je pense cependant à une situation de guerre réelle, l'appréciation que je porte là-dessus se trouve modifiée. Je me sépare ici du pacifiste radical : si toute guerre était foncièrement mauvaise, les vertus guerrières ne sauraient, elles non plus, jamais être bonnes. Or je crois qu'elles le sont parfois, car certaines guerres sont justes. Je me représente une situation comme celle de la Seconde Guerre mondiale (personne ne sait encore à quoi ressemblera la Troisième) : faire la guerre à Hitler était l'attitude juste, dès l'instant où l'on ne pouvait le contenir par aucun autre moyen. Dans de telles circonstances, les vertus guerrières et l'héroïsme classique me semblent bien à leur place : je demande à mon chef militaire d'être résolu plutôt qu'indécis ou défaitiste (je préfère Churchill à Chamberlain, ou de Gaulle à Daladier) ; je demande au soldat à côté de moi dans la tranchée de me « couvrir » jusqu'au bout, plutôt que de quitter sa place par peur ou indifférence. La loyauté, le courage, la tenacité, l'endurance sont ce qu'on apprécie ici : des qualités indispensables.

Mais la guerre n'est pas une continuation de la paix par d'autres moyens (qu'on le croie aujourd'hui, à cause du terrorisme, est l'une des grandes preuves de ce que l'histoire du monde n'obéit pas au progrès, comme c'en est une d'être passé de la guerre professionnelle à la guerre totale, ou du droit de guerre à la « victoire à tout prix »). Et à situation nouvelle qualités nouvelles : ce n'est peut-être pas faire preuve d'ingratitude mais de lucidité que de renvoyer, une fois la guerre finie, les héros à la retraite : Churchill et de Gaulle ne sont alors plus nécessaires, et ils peuvent même devenir dangereux. Dans son fonctionnement normal (suspendu en temps de guerre), la démocratie se passe bien de ces « grands hommes »-là. Malheur au pays qui a besoin de héros, dit ainsi, dans un esprit bien démocratique, Galilée dans la pièce de Brecht.

En situation extrême

On peut maintenant, après cette brève incursion dans l'« héroïsme » en général, revenir aux situations extrêmes qui nous occupent. Dans les camps, il y a eu des actes d'héroïsme ou de sainteté ; mais, tous les survivants en sont d'accord, ils ont été extrêmement rares. Il faut des qualités exceptionnelles pour se comporter ainsi dans ces circonstances, et très peu d'hommes, par définition, en sont doués ; les gardiens, de l'autre côté, font tout pour que les actes d'héroïsme ou de martyre ne soient pas possibles (ou, ce qui revient ici au même, connus). Mais de tels actes existent néanmoins, et on peut citer quelques personnages exemplaires.

L'un des héros les plus incontestables de cette épopée est sûrement Sacha Petcherski, le dirigeant de la révolte dans le camp d'extermination de Sobibor. Rien pourtant ne semble le destiner à jouer ce rôle : avant la guerre, il fait des études de musique et anime des groupes d'artistes amateurs. Mobilisé dès le premier jour des hostilités, il est fait prisonnier en octobre 1941. C'est en captivité qu'il commence à donner des signes de ses capacités d'héroïsme : il survit en des circonstances difficiles, essaie de s'enfuir, est rattrapé, survit encore. On l'envoie à Sobibor en septembre 1943. Dix jours plus tard, sa décision est prise : il faut se révolter et partir. Il trouve d'autres personnes qui pensent comme lui et à qui il peut se confier : le choix des collaborateurs est évidemment décisif. Il s'entoure de détenus qui ont déjà fait la guerre et dont l'état physique et moral n'est pas trop dégradé ; devant les autres, il prétend ne rien savoir de ce qui se trame. Son calme, sa bonne humeur, sa dignité, l'attention qu'il porte aux autres le font aimer de tous. Il met au point son plan ; le 14 octobre, à quatre heures de l'après-midi, la révolte commence. Des prisonniers de guerre soviétiques tuent, l'un après l'autre, plusieurs gardiens isolés et s'emparent de leurs armes. Petcherski mène une attaque contre l'arsenal du camp, qui échoue. Pendant ce temps, d'autres détenus ouvrent un passage dans les barbelés pour permettre une évasion de masse. Une dizaine de SS sont tués ; environ quatre cents détenus s'échappent, dont une centaine survit. Parmi eux, Petcherski, qui rejoint un groupe de partisans, et voit la fin de la guerre. A la suite de la révolte, le camp de Sobibor sera fermé.

Sacha Petcherski est un héros comme on voudrait qu'ils soient tous, en ces circonstances extrêmes : décidé et efficace, et en même temps affectueux et modéré dans son comportement ; il n'agit pas au nom d'une idéologie. Sans lui (ou quelqu'un comme lui), la révolte n'aurait pas pu avoir lieu. Il prend des risques pour assurer la survie d'une partie de sa communauté ; mais il sait aussi réduire ces risques au minimum. Il a le courage, le jugement et la force. Plus qu'à un autre héros antique, il ressemble à Ulysse conduisant ses compagnons en dehors de la grotte du cyclope-cannibale. Et, comme Ulysse, il rentrera chez lui et vivra vieux (j'ignore s'il est mort aujourd'hui) – seul inconvénient pour en faire un héros de grande diffusion.

Maxymilien Kolbe, lui, a atteint une plus grande notoriété et l'Église catholique l'a sanctifié. Son geste est célèbre : ce prêtre est enfermé à Auschwitz ; un jour, à la suite d'une évasion, quinze détenus sont désignés pour mourir de faim dans le bunker. Kolbe sait que l'un d'entre eux a femme et enfants ; il sort du rang et propose de mourir à sa place. Sa proposition surprend, mais elle est acceptée. Kolbe meurt, le détenu sauvé survit à la guerre. Ce sacrifice, dont on ne connaîtra jamais les ultimes motivations, me paraît néanmoins inséparable de la foi de Kolbe en Dieu ; il meurt, me semble-t-il, moins pour Franciszek Gajowniczek que pour accomplir jusqu'au bout son devoir chrétien. Kolbe a quelque chose de la dureté des saints de l'Antiquité. Avant la guerre, c'est un antisémite tout aussi fervent : il s'occupe de publications qui combattent la mainmise des juifs sur l'économie mondiale.

Rudi Massarek participe à l'insurrection de Treblinka, mais n'a pas la chance (ou l'envie de vivre) de Petcherski. Ce demi-juif de Prague aurait pu échapper aux déportations, d'autant plus qu'il est grand et blond, un vrai Viking ; mais il épouse une juive et la suit, d'abord dans le ghetto de Teresin, ensuite à Treblinka. Là sa femme est aussitôt tuée. Après une période de stupeur, Rudi se joint au groupe qui prépare la révolte ; lorsque celle-ci éclate, il choisit de rester pour couvrir la fuite des autres. « Il est mort, délibérément, pour nous », dit l'un des survivants (Sereny, 263), et aussi : « Personne ne serait sorti de Treblinka, s'il n'y avait pas eu de vrais héros : ceux qui, ayant perdu femme et enfants, avaient choisi de combattre jusqu'au bout pour donner leur chance aux autres » (262-3). Son comportement rappelle celui de Michal Klepfisz, dans le ghetto de Varsovie. Les motivations de Rudi sont, je pense, différentes de celles du père Kolbe : il devient héros à cause de la femme qu'il aimait, non de Dieu ; et son geste a un sens autre que celui de Petcherski : l'un choisit de mourir, l'autre de vivre.

La plupart de ceux qui sont morts en héros dans les camps sont des croyants : des chrétiens ou des communistes ; on comprend que leur foi les aide quand ils doivent mourir. Ceux qui risquent le plus facilement leur vie ne ressemblent pas à Petcherski : ils agissent, un peu comme les terroristes d'aujourd'hui, au nom d'une idéologie, non par amour pour la vie. Cela leur permet de rencontrer la mort avec une souffrance moins lourde. Comme les héros anciens, qui aspirent à la bataille pour s'accomplir, ils se réjouissent parfois d'être plongés dans des situations aussi difficiles, car c'est là qu'ils peuvent faire preuve de leur héroïsme. Soljenitsyne raconte l'histoire d'une condamnée à mort : la semaine qui lui reste à vivre lui apparaîtra comme la plus lumineuse de sa vie. « C'est cette extase qui, en récompense, envahit l'âme quand on a renoncé à tout espoir d'un impossible salut et qu'on s'est abandonné entièrement à l'héroïsme » (II, 488). Charlotte Delbo, survivante d'Auschwitz, transmet le souvenir d'une de ses camarades qui écrit sur un billet le jour de son départ pour Auschwitz : « "Je suis déportée. C'est le plus beau jour de ma vie." J'étais folle, folle. L'héroïne avec son auréole, la martyre qui marche à la mort en chantant. Sans doute nous fallait-il cette exaltation pour tenir dans la clandestinité en faisant semblant d'être comme tout le monde et en frôlant la mort » (*Auschwitz*, III, 52).

Un témoignage dramatique du conflit entre exaltation héroïque et amour de la vie se trouve dans les lettres d'adieu de

Marcel Rajman, fusillé au mont Valérien en février 1944. Rajman, militant juif des Jeunesses communistes, est, sous l'occupation allemande, un terroriste audacieux : il tue des officiers ou des soldats allemands dans les rues de Paris, en tirant à bout portant ou en lançant des grenades. Il est arrêté en novembre 1943 et torturé pendant plusieurs mois. La veille de son exécution, il écrit à sa famille. A sa tante : « Je suis tout à fait tranquille et calme. [...] Je suis sûr que cela vous fera plus de peine qu'à nous » (Diamant, 163-4). Puis il inclut d'autres lettres, pour sa mère et son frère, alors déportés (ils ne reviendront pas). A sa mère : « Excuse-moi de ne pas t'écrire plus longuement, mais nous sommes tous tellement joyeux que cela m'est impossible quand je pense à la peine que tu auras. » A son frère Simon : « Je t'embrasse, je t'adore, je suis content. [...] Ne fais pas attention si ma lettre est folle mais je ne peux pas rester sérieux. » Et pourtant l'écriture de cette lettre exaltée, Marcel Rajman ne parvient pas à l'arrêter, comme si elle l'assurait de rester encore en vie et en contact avec ses proches. Les trois lettres finies, il multiplie les post-scriptum. « J'aime tout le monde et vive la vie. Que tout le monde vive heureux. Marcel. » Et puis soudain, comme un enfant : « Maman et Simon, je vous aime et voudrais vous revoir. Marcel » (164).

Marcel Rajman est un héros qui aime les hommes. Mais chez les vrais croyants, on l'a vu, l'amour de Dieu (ou de l'idéal communiste : « Staline, je t'aime ! » s'exclame une militante quand elle commence à délirer) peut atteindre un tel degré qu'ils en oublient d'aimer les êtres individuels. Margarete Buber-Neumann, qui a été déportée d'abord au Kazakhstan, ensuite à Ravensbrück, a longuement décrit le comportement, dans ce dernier camp, des Témoins de Jéhovah dont elle a été la *Blockälteste* pendant deux ans. Les femmes de cette secte religieuse sont enfermées au camp parce qu'elles pensent que Hitler est l'incarnation du diable et qu'elles refusent d'accomplir un travail pouvant servir l'effort de guerre ; pour quitter le camp, il leur aurait suffi de renoncer à leur foi, mais elles ne le font jamais. Elles constituent le groupe le plus cohérent du camp (et le plus apprécié par les SS) ; elles n'admettent aucun compromis, tant est grand leur amour de Jéhovah.

Mais cet amour ne profite jamais aux êtres humains qui les entourent. Buber-Neumann rencontre une femme, Ella Hempel, qui semble aussi décidée que sainte Perpétue : elle a abandonné son mari avec leurs quatre jeunes enfants, pour ne pas renier sa foi. Les lettres qu'elle reçoit de la maison ne peuvent la faire fléchir : elle préfère vivre sa foi à Ravensbrück. Pas plus que les membres de leurs familles, les autres détenues ne suscitent la pitié des Témoins de Jéhovah. « Si elles prenaient des risques, cela ne pouvait être que dans l'intérêt de Jéhovah – pas d'une quelconque de leurs codétenues » (*Ravensbrück*, 147). Buber-Neumann en fait elle-même l'expérience lorsqu'elle est enfermée au cachot. De plus, les membres de cette secte, comme d'autres croyants fervents, n'ont aucun amour pour eux-mêmes et sont prêts à souffrir, voire à mourir plutôt que d'enfreindre un interdit alimentaire (souvenons-nous d'Éléazar) – sans se soucier du fait que, de cette manière, ils participent à leur propre annihilation, et donc prêtent main forte aux projets criminels des nazis. « Refuser un morceau de saucisse sous prétexte qu'il n'est pas cacher, alors qu'on crève de faim, est héroïque. [...] Dans les kommandos, pratiquer la religion juive devient rapidement une forme de suicide » (Fénelon, 255). Mais les héros n'aiment pas nécessairement les hommes, même pas ces hommes qu'ils sont eux-mêmes.

Il est donc possible d'introduire une distinction au milieu des héros et des saints : entre ceux qui désirent que les êtres humains soient les bénéficiaires de leur action – et ceux qui les oublient, n'aspirant qu'à avoir un comportement conforme à l'idéal d'héroïsme ou de sainteté. Kolbe se sacrifie à cause de sa religion, mais il le fait pour un être humain ; Ella Hempel agit pour les mêmes motifs, mais aucun être particulier n'en tire profit. L'héroïsme est perverti ici en action dépourvue de finalité humaine. Au cours des insurrections de Varsovie, on l'a vu aussi, ces deux formes d'héroïsme se rencontrent côte à côte, et parfois chez la même personne ; or nous ne pouvons les juger pareillement. Même dans les circonstances exceptionnelles de la guerre et de la révolte, tous les héros ne sont pas dignes d'éloge.

Dignité

Définition

Tournons-nous maintenant vers les actes de vertu quotidienne, infiniment plus nombreux, je crois, que les actes héroïques. La dignité nous était apparue comme la première de ces vertus. Mais qu'est-ce exactement que la dignité ? La réponse à cette question ne va pas de soi.

Jean Améry, de son vrai nom Hans Maier, intellectuel juif autrichien qui, après sa libération du camp, vivra en Belgique, est un de ces survivants qui ont beaucoup réfléchi à leur expérience et qui nous en ont laissé la trace dans leurs livres. Son appréciation de la dignité a changé à plusieurs reprises. Dans un premier temps, en se souvenant de ce qu'il a vu et entendu, il aboutit à un constat sceptique : chacun se fait de la dignité une idée différente, ce qui rend le mot, à la limite, inutilisable. Pour l'un, c'est le bain quotidien, pour l'autre, la possibilité de communiquer dans sa langue maternelle, pour le troisième, le droit à la libre expression, pour le quatrième, celui d'avoir les partenaires sexuels qui lui conviennent ! On pourrait ajouter que le désaccord augmente si l'on décide de consulter les philosophes : Pascal ne disait-il pas que « toute la dignité de l'homme consiste en la pensée » (Br. 365) ? et Kant, qu'elle revient à ne pas traiter la personne humaine seulement comme moyen, mais toujours aussi comme fin ? Camus n'affirmait-il pas que la seule dignité de l'homme réside dans « la révolte tenace contre sa condition » (156) ? Que faire de ce chaos d'opinions divergentes ?

Analysant sa propre attitude, et non plus celle des autres, Améry propose, dans un deuxième temps, une interprétation personnelle. La dignité lui paraît maintenant être une forme de reconnaissance sociale : c'est la société qui déclare qu'un individu est digne ou ne l'est pas. L'individu se leurre s'il s'imagine qu'il peut passer outre à ces estimations par son seul jugement. Il est vain de vouloir se décerner à soi-même un brevet de dignité, si la société vous le refuse. Que faut-il faire dans le cas – qui était celui des juifs dans l'Allemagne nazie – où la société non seulement ne vous reconnaît aucune dignité, mais vous déclare même indigne de vivre ? Une seule voie semble alors ouverte à l'individu non consentant, celle de la révolte violente : il faut rendre le coup pour le coup. Si la société vous condamne, la dignité consiste à combattre cette société. Si elle vous frappe, il faut frapper en retour. Améry raconte cet épisode : à Auschwitz, il a reçu un coup de la part d'un détenu polonais de droit commun, Juszek, un colosse. Pour garder sa dignité, Améry lui envoie son poing à la figure – à la suite de quoi il est battu encore plus cruellement par le même Juszek ; mais il ne le regrette pas. « Mon corps, lorsqu'il se crispait pour frapper, représentait ma dignité physique et métaphysique [...]. Je conférais à ma dignité une forme sociale concrète en tapant sur le visage d'un être humain » (*Mind*, 91). On voit qu'Améry est proche, à l'époque de ces réflexions, de la pensée de Frantz Fanon sur la contre-violence nécessaire.

Cependant, cette interprétation ne le satisfait pas pendant longtemps. Méditant sur le destin des juifs dans les ghettos ou dans les camps, il le trouve plus désespéré encore que celui des paysans algériens ; les possibilités de réaction étaient plus limitées aussi, et les remèdes préconisés par Fanon, inapplicables. Faut-il dire pour autant que ces personnes étaient, toujours, privées de toute dignité ? La réaction intuitive d'Améry contredit une telle conclusion ; c'est pourquoi il parle maintenant de la croyance erronée – et abandonnée par lui – selon laquelle c'est en rendant les coups qu'on retrouve sa dignité. Il faudrait ajouter qu'il y aurait là, de plus, une logique de la vengeance dont on voit mal pourquoi elle s'arrêterait un jour – ou ce qu'elle a de particulièrement vertueux (c'est un sujet sur lequel on reviendra). Il n'est pas sûr, enfin, qu'en voulant donner une sanction sociale à la dignité, Améry ne l'ait pas confondue avec ce qu'on appellerait plutôt l'honneur : celui-ci consiste bien en une forme de reconnaissance accordée par la société en fonction de ses codes ; celle-là, en revanche, l'individu isolé peut aussi l'éprouver.

Bruno Bettelheim est un autre rescapé des camps (il a été détenu à Buchenwald et à Dachau) qui a longtemps scruté les problèmes moraux qui s'y posent. Le thème de la dignité est évoqué par lui dans le cadre de l'autonomie. Ce qu'il entend par là n'est pas l'isolement de l'individu au sein de la société, mais « l'aptitude intérieure de l'homme à se gouverner lui-même » (*Cœur*, 111), la volonté jouant le rôle de lien entre la conscience et l'acte. Les camps visent précisément à la destruction de cette autonomie : « Le prisonnier ne devait pas avoir de volonté propre » (209) ; empêcher cette destruction équivaut à maintenir sa dignité, si limitée que soit l'autonomie reconquise. L'important, c'est d'accomplir des actes par la force de sa propre volonté, à son initiative, exercer une influence, serait-elle minime, sur son milieu. « Les prisonniers [...] se rendaient compte [...] qu'ils conservaient la dernière, sinon la plus grande des libertés : choisir leur attitude dans n'importe quelle circonstance. Les prisonniers qui l'avaient pleinement compris s'apercevaient que c'était cela, et uniquement cela, qui constituait la différence cruciale entre préserver son humanité (et souvent la vie elle-même) et accepter de mourir moralement (ce qui entraînait souvent la mort physique) : conserver la liberté de choisir son attitude dans une situation extrême même si, apparemment, on n'avait aucune possibilité d'agir sur elle » (214-5). Les termes de liberté, volonté, autonomie, dignité seraient donc à peu près synonymes ici.

Aucune force ne peut supprimer cet ultime choix, ne peut priver l'être humain de cette forme-là de la liberté, qui lui donne, de fait, sa qualité d'« être humain », qui lui permet, en toutes circonstances, de rester humain. La contrainte (et donc la détermination par le milieu) ne peut jamais être totale : « L'on peut tout enlever à l'homme, au camp de concentration, excepté une chose : l'ultime liberté de choisir telle ou telle attitude devant les conditions qui lui sont imposées » (Frankl, 114). Mais il faut ajouter qu'Améry, qui s'est finalement rangé au même avis, a eu également raison en refusant la définition purement subjective, intérieure, de la dignité : il ne suffit pas de prendre en soi-même une décision pour acquérir la dignité ; il faut que cette décision soit suivie d'un acte qui en découle, et qui soit perceptible par les autres (même s'ils ne sont pas là pour le percevoir). Telle serait donc notre première définition de la dignité.

L'exercice de la volonté

Pour garder sa dignité, on doit transformer une situation de contrainte en situation de liberté ; au cas où la contrainte est extrême, cela revient à accomplir comme un acte de sa propre volonté le geste qu'on est obligé de faire. Améry était parvenu à la même conclusion : la dignité minimale, celle des situations où l'on n'a plus aucun choix, consiste à aller de son propre chef vers la mort – à laquelle on vous a destiné ; c'est le suicide du condamné à mort : différence infime et pourtant suffisante. Borowski raconte, dans *Aux douches, messieurs-dames,* la scène suivante : une jeune femme, ayant compris quel est le destin qui l'attend, saute d'elle-même dans le camion qui conduit les nouveaux arrivés aux chambres à gaz. C'est ce qui provoque l'admiration de Zalmon Gradowski, un membre du *Sonderkommando* d'Auschwitz qui n'a pas survécu mais a enterré son manuscrit auprès des fours crématoires de Birkenau, où il a été trouvé après la guerre. « Les victimes marchaient avec fierté, hardiment, fermement, comme si elles marchaient vers la vie » (Roskies, 557). C'est aussi la réaction des condamnés du « camp des familles » à qui on annonce ouvertement leur mort imminente, comme le raconte Filip Müller, autre membre du même *Sonderkommando* : plutôt que de protester, ils entonnent un chant, l'hymne national tchèque et le chant juif *Hatikvah*. D'autres condamnés chantent aussi dans le camion qui les conduit aux chambres à gaz.

Voici un autre cas d'adaptation de la volonté à la réalité, qui produit néanmoins un sentiment de dignité : c'est celui de l'« assassin de Staline » (l'histoire est racontée par Gustaw

Herling). Cet homme, haut fonctionnaire soviétique, aime se vanter d'être un bon tireur : il pourrait toucher l'œil de Staline, sur la photographie accrochée au mur, dit-il une fois par défi, d'un seul coup de revolver. Il gagne le pari, mais se retrouve quelques mois plus tard en prison, puis au camp. C'est une absurdité : il n'en voulait nullement à Staline. Cependant, une fois condamné, il commence à réinterpréter son geste, jusqu'à l'assumer comme un acte de volonté (d'agression à l'égard de Staline), ce qu'il n'avait pas été originellement. Il déclare maintenant à qui veut l'entendre : « "J'ai tué Staline ! [...] Je l'ai tué comme un chien [...]." Avant de trépasser, comme dernier sacrement, il voulait prendre sur lui le crime qu'il n'avait pas commis » (73-4). Assumant le « crime », il accepte aussi sa punition : seul moyen pour lui de retrouver la dignité.

Le suicide, y compris dans une atmosphère d'homicides fréquents, implique déjà une plus grande liberté : on modifie le cours des événements, même si c'est pour la dernière fois de sa vie, au lieu de se contenter de réagir à ces mêmes événements de la manière qu'on a choisie. Ces suicides sont commis par défi, non par désespoir, ils constituent une ultime liberté, comme le comprend Olga Lengyel, qui décrit son soulagement de savoir qu'elle a toujours du poison sur elle : « La certitude qu'en dernier ressort on est maître de sa vie représente la dernière liberté » (40). Evguénia Guinzbourg, contemplant à Kolyma le corps d'une amie suicidée, trouve aussi un réconfort à penser que cette liberté-là est toujours accessible : « Si je veux, je mettrai moi-même un terme à ma vie » (II, 123).

Les gardiens des camps le savent bien : choisir le moment et le moyen de sa propre mort, c'est affirmer sa liberté ; or c'est précisément la négation de cette liberté, et donc de cette dignité, qui est le but du camp. C'est pourquoi, alors même qu'ils donnent la mort avec autant de facilité, ces gardiens empêchent par tous les moyens les suicides. Filip Müller s'est introduit volontairement dans la chambre à gaz pour y trouver la mort ; mais les gardiens le découvrent et l'en retirent brutalement : « Espèce de cul, satané scélérat, apprends que c'est nous, et non toi, qui décidons si tu dois vivre ou mourir ! » (155). Plus importante que la mort est l'aliénation de la volonté : c'est elle qui permet de jouir pleinement du pouvoir sur autrui. Bettelheim explique ainsi l'irritation des surveillants devant les suicides, qui, pourtant, leur épargnent une « sale besogne » : tout acte d'autodétermination doit être sévèrement puni.

La réussite d'un suicide de défi met les gardiens en rage. Telle sera l'histoire de Mala Zimetbaum. Elle s'est évadée d'Auschwitz, elle a été reprise ; on l'a torturée pour qu'elle livre le nom de ses complices, elle s'est tue ; on l'amène alors devant le gibet, sur la place du camp, au milieu des détenus. C'est à ce moment (et après s'être adressée à ses camarades) qu'elle parvient à se couper les poignets, avec une lame de rasoir dissimulée sur elle. Le SS de service, qui devait pourtant l'exécuter quelques minutes plus tard, est en rage : « T'as envie d'être une héroïne ! T'as envie de te tuer ! C'est nous qui sommes là pour ça. C'est *notre* boulot ! » (Suhl, 188).

A un degré moins fort, c'est la même réaction de colère que provoquent les grèves de la faim chez les détenus – alors même qu'elles les rapprochent d'une mort qui, autrement, laisserait les gardiens indifférents ; mais, comme ceux qui se sont suicidés, ces détenus ont choisi la faim au lieu de la subir. Ratouchinskaïa raconte comment les grévistes de la faim, dans les camps soviétiques des années quatre-vingt, étaient nourris de force (ils ont pourtant des rations de misère les autres jours, et la faim est leur problème constant) ; un processus qui lui rappelle fortement une scène de viol : elle a les mains attachées derrière le dos et, à travers un tuyau, on lui verse un liquide dans le corps.

Une forme relativement commune de l'exercice de la volonté est le refus d'obéir à un ordre : résistance, en un sens, purement passive (on ne *fait* rien), mais qui peut facilement vous coûter la vie. Certains médecins, à Auschwitz, refusent de pratiquer la discrimination entre juifs et « Aryens » ; d'autres, de participer aux expériences « médicales » ; ils subissent, il est vrai, des brimades, non la mort. Lorsque en revanche les membres du *Sonderkommando* refusent d'agir, ils sont tués à la place de leurs victimes. Langbein raconte aussi le cas de Hiasl Neumeier à Dachau : ce communiste allemand « y était devenu célèbre par son refus d'appliquer les peines de bastonnade à ses camarades. Il préférait les subir lui-même » (157). Version moderne du précepte socratique : il vaut mieux subir l'injustice que l'infliger. Le destin d'Else Krug, à Ravensbrück, est plus tragique : ancienne prostituée spécialisée dans la clientèle masochiste, grande experte donc des pratiques sadiques, elle refuse de bastonner une autre détenue. Ce refus entraîne sa propre condamnation à mort (Buber-Neumann, *Ravensbrück*, 34).

L'insoumission aux ordres : tel est aussi le principe du comportement digne d'une autre pensionnaire extraordinaire des camps, Milena Jesenska, journaliste tchèque et ancienne amie de Kafka. Après l'occupation de son pays par les Allemands, elle se retrouve à Ravensbrück, où elle rencontre, en la personne de Margarete Buber-Neumann, une amie (et, plus tard, une biographe) hors pair. Milena peut affirmer sa dignité à travers les gestes les plus anodins, dont le dénominateur commun est le mépris pour l'ordre arbitraire qui règne dans le camp. « Jamais elle ne s'intégrait correctement aux rangs par cinq, jamais elle ne se tenait comme le prescrivait le règlement lors des appels, elle ne se hâtait pas lorsqu'il fallait exécuter un ordre, elle ne flattait pas ses supérieurs. Pas un mot qui sortait de sa bouche n'était "conforme à l'ordre du camp" » (*Milena*, 21).

Agiter un mouchoir, siffloter une chansonnette deviennent des actes d'autonomie et de défi (qui provoquent du reste la colère non seulement des gardiens, mais aussi d'autres détenues qui ont intériorisé l'ordre régnant). Une fois, elle fait marcher la sirène du camp, sans aucune raison apparente. « Ne fût-ce qu'une fois, elle voulait [...] être [...] celui qui a tous les pouvoirs » (218). L'acte apparemment fortuit lui permet d'affirmer sa dignité – ce que n'aurait pu produire aucun acte à but utilitaire, même s'il avait été le résultat d'une volonté. Chercher de l'eau pour étancher sa soif exige bien l'intervention de la volonté, mais l'efficacité du geste empêche d'en recueillir les fruits moraux ; déclencher la sirène est une action désintéressée et, de ce fait même, constitue une affirmation de la dignité du sujet. Remarquons toutefois qu'il ne s'agit pas pour autant d'un acte nuisible pour autrui : Milena n'a rien d'un Raskolnikov ou d'un Lafcadio.

Le respect de soi

L'exercice de la volonté est une façon d'affirmer sa dignité ; mais elle n'est pas la seule. Pour pouvoir tenir compte des autres formes de dignité, on doit préciser encore les contours de la notion. En agissant de son propre chef (en se donnant la mort, par exemple), on ne démontre pas seulement l'existence du libre arbitre, mais aussi la possibilité d'établir une adéquation entre intérieur et extérieur : une décision purement intérieure, on l'a vu, ne conduit pas à la dignité. J'ai pris une décision et j'ai agi en accord avec elle : voilà en quoi consiste ma dignité. L'exercice de la volonté était un des ingrédients de cette vertu ; l'autre est la concordance entre intérieur et extérieur. Mais s'il en est ainsi, on peut définir la dignité comme la capacité de satisfaire par ses actes aux critères qu'on a intériorisés. La dignité deviendrait alors un synonyme du respect de soi : je veux que mon action trouve grâce aux yeux de mon jugement.

Un premier exemple de dignité ainsi entendue pourrait être le simple fait de rester propre, alors même que tout pousse à l'attitude contraire : l'eau est rare ou froide ou sale, les latrines sont loin, le climat sévère. Mais les témoignages sont nombreux qui le confirment : une personne qui parvient à se tenir propre, à apporter un minimum de soins à son habillement, inspire le respect aux autres détenus (et accroît ses propres chances de survie : la morale est, ici, payante). Primo Levi affirme qu'il doit son salut à une leçon qui lui est administrée par le sergent Steinlauf, au début de sa détention : rester propre pour ne pas s'avilir à ses propres yeux. « Aussi est-ce pour nous un devoir envers nous-mêmes que de nous laver le visage sans savon, dans de l'eau sale, et de nous essuyer avec notre veste. Un devoir, de cirer nos souliers, non certes parce que c'est écrit dans le règlement, mais par dignité et par propreté » (*Si*, 50).

Un autre exemple de cette même dignité d'adéquation est donné par le refus de soumettre son comportement à la pure logique de l'intérêt personnel et du profit immédiat – à supposer, bien sûr, qu'on n'ait pas intériorisé comme critères de jugement précisément le profit et l'intérêt. S'intéresser aux autres et non seulement à soi, aux absents et non toujours aux présents, c'est déjà accomplir un pas vers la dignité. Ne pas s'humilier devant ses supérieurs est un comportement digne. Refuser un privilège qu'on juge immérité, une nourriture proposée pour souligner votre infériorité, le payement d'un acte qu'on a accompli par devoir intérieur et non par intérêt, c'est faire preuve de dignité. Herling raconte aussi l'histoire d'une infirmière, Evguénia Féodorovna, dans le camp de Vologda : maîtresse du médecin chef, elle jouit de nombreux avantages ; mais elle tombe un jour amoureuse d'un simple détenu. Se comporter en accord avec ses sentiments, plutôt qu'avec son intérêt matériel, est à ce moment un acte de dignité. Qui lui coûtera cher : en punition, son amoureux est transféré dans un autre camp ; elle demande alors à être mutée à son tour, pour ne pas rester auprès du médecin chef, et renonce du coup à ses privilèges. « En janvier 1942, Evguénia Féodorovna mourut en donnant naissance à l'enfant de son amant, payant ainsi de sa vie sa courte résurrection » (140). La dignité n'assure pas toujours la survie.

Encore une autre forme de dignité serait la satisfaction qu'on tire du travail bien fait. On possède une technique, un savoir-faire : les mettre en œuvre le mieux qu'on le peut permet de garder le respect de soi. Soljenitsyne a décrit le plaisir et l'orgueil qu'on peut tirer du fait qu'on a élevé un mur comme il fallait : « Tu n'as que faire de ce mur, tu ne crois pas qu'il puisse contribuer au bonheur futur de l'humanité, mais, misérable esclave déguenillé, en regardant ce que tes mains ont façonné, en toi-même tu souriras » (II, 455-6). Primo Levi a rapproché quelques remarques de ce genre de sa propre expérience : le maçon Lorenzo qui lui sauve la vie à Auschwitz a préservé sa propre dignité en faisant bien le travail auquel il est contraint. « Lorsqu'on lui fit élever des murs de protection contre les bombes, il les fit bien droits, solides, avec des briques bien décalées et tout le mortier qu'il fallait, non par obéissance aux ordres, mais par amour-propre professionnel » (*Naufragés*, 121). C'est pour cette raison qu'est particulièrement avilissant un travail absurde : transporter du sable d'abord à droite, puis à gauche, creuser un trou, ensuite le combler ; il est impossible de faire un tel travail bien, et donc de garder le respect de soi. Dans leur camp, Ratouchinskaïa et ses amies essayent de travailler aussi bien que possible lorsqu'il s'agit de produire des objets utiles : « Nous fabriquons des moufles de bonne qualité, nous considérons qu'il est indigne de saboter le travail, nous ne détraquons pas nos machines à dessein, et nous ne voyons rien de mal à ce travail » (85).

Ambiguïtés morales

Pourtant, la vertu qu'illustre le travail bien fait reste discutable. Orwell l'avait remarqué pendant la guerre : « La première chose que nous exigeons d'un mur, c'est qu'il tienne debout. S'il reste debout, c'est un bon mur et la question de la fonction qu'il remplit ne compte absolument pas. Et pourtant, même le meilleur mur du monde doit être détruit s'il entoure un camp de concentration » (134). Les murs bâtis par Lorenzo ou par le personnage de Soljenitsyne étaient-ils de ce genre ? On doit juger un acte ou une œuvre non seulement par ce qu'ils sont mais aussi par ce qu'ils font ; on doit tenir compte de la fonction, en plus de la qualité. C'est justement parce que la dignité n'exige pas de sanction sociale mais seulement la cohérence entre conscience et actes que sa vertu peut être contestée. Ou encore : toute dignité n'est pas morale ; cette dernière qualification ne peut venir, en fin de compte, que de l'extérieur : n'est respectable que la dignité qui sert le bien. Bettelheim se souvient de ces conflits entre détenus : « Lorsqu'il s'agissait de construire des bâtiments pour la Gestapo, ils discutaient pour décider s'ils devaient le faire bien. Les nouveaux venus étaient partisans du sabotage, la majorité des anciens, pour l'ouvrage bien fait » (*Cœur*, 270). Si le mur entoure un camp, il n'est pas bon. Un mur mal construit, dans un esprit de résistance, eût été préférable.

Les récits et témoignages des gardiens abondent, eux aussi, en exemples d'amour pour le travail bien fait. Rudolf Hoess, le commandant d'Auschwitz, se décrit lui-même comme étant « obsédé par son travail » (139) – oubliant de préciser dans la même phrase que ce travail consiste à tuer à l'échelle industrielle. « J'avais engagé toute ma personne dans l'accomplissement de ma tâche » poursuit-il (140). « Je ne pensais plus qu'à mon travail, et je reléguais à l'arrière-plan tout sentiment humain » (142) : on voit bien que les deux peuvent finir par s'opposer. Au point que sa femme le sermonne : « Ne pense donc pas toujours au service, pense aussi à nous ! » (216). Un peu moins de dignité de ce genre aurait sans doute été préférable, du point de vue du « bonheur futur de l'humanité » ! Il en va de même pour Stangl, le commandant de Sobibor et Treblinka : trente ans plus tard, les anciens détenus se souviennent encore du « plaisir évident qu'il trouvait dans son travail » (Sereny, 139). Lui-même, en réponse à une question, assume cette attitude de dignité : « Tout ce que je faisais de ma libre volonté, m'a-t-il répondu âprement, il me fallait le faire le mieux possible. Je suis comme ça » (244). Le fils d'un autre gardien de camp constate : « Mon père [...] a dû aborder Treblinka aussi consciencieusement qu'il entame son ouvrage de charpentier à la maison ; c'était sa principale qualité comme artisan » (240). Mais la qualité de l'artisan n'est pas forcément celle de l'homme.

La même chose est plus vraie encore des emplois moins directement impliqués dans la destruction des êtres humains. Avant ou pendant la guerre, le professeur Porsche fait son travail aussi bien que possible, c'est-à-dire dessine des tanks de plus en plus puissants et meurtriers. Albert Speer met son génie de l'organisation au service de l'industrie d'armement : par amour pour son travail, il produit des armes de plus en plus nombreuses et efficaces. A l'autre bout de l'échelle hiérarchique, Alma Rose, violoniste célèbre et chef de l'orchestre féminin à Auschwitz, est prête à sacrifier le bien-être des membres de l'orchestre pour parvenir à produire une musique plus parfaite : « Nous devons faire correctement notre travail », dit-elle (Fénelon, 178). « Ici ou ailleurs, ce que l'on fait doit l'être bien, ne serait-ce que par respect de soi » (184). Elle ne recule donc devant aucune brutalité : comme Hoess, elle refoule les sentiments humains au nom de la perfection dans le travail. Ce genre de comportement nous est bien familier dans la vie de tous les jours, loin des camps totalitaires. Bettelheim en conclut : « Bien que les camps de la mort et les fours crématoires aient disparu, ce type d'orgueil professionnel, qui rendait ces hommes si dangereux, est toujours d'actualité ; il est caractéristique d'une société moderne où la fascination de la compétence technique a étouffé le sens humain » (*Survivre*, 320).

Toutes les formes de dignité sont frappées de cette même ambiguïté – car elles dépendent toutes d'un critère qui, au lieu de transcender le point de vue de l'individu, lui reste immanent. Le fait de se tenir propre et de cirer ses chaussures aidait Levi à garder le respect de soi ; mais il en va de même de ses gardiens : « Je ne sais si ce souci d'apparence fait partie de l'idéologie nazie, mais cela tient une grande place dans leur vie. D'ailleurs, ils ont toujours des chaussures et des bottes brillantes et puantes... » (Fénelon, 153). Pour distinguer les deux situations, nous devons introduire des éléments du contexte plus large : la vie de Levi et de ses camarades était menacée, ce qui n'était pas le cas de celle des gardiens.

La pure cohérence entre critères internes et comportements extérieurs, qui conduit au respect de soi, n'est pas moins présente chez les gardiens que chez les détenus, et elle donne aux uns et aux autres le même sentiment de dignité. Hoess est un nazi convaincu, et il se comporte en accord avec ses convictions. Il en va de même de Mengele, qui ne semble pas avoir souffert du dédoublement de personnalité caractéristique de tant d'autres gardiens. Himmler a la réputation, auprès des nazis mêmes, de se conduire avec une rigueur glaçante. Goering est, parmi tous les accusés de Nuremberg, celui qui reste le plus cohérent avec lui-même. Faut-il que nous les admirions pour autant ? Si nous ne le faisons pas, c'est que nous avons distingué entre une dignité morale et une autre qui ne l'est pas, entre un respect de soi admirable et un autre qui nous laisse froid. Le nazi qui agit toujours en accord avec ses convictions mérite peut-être une espèce de respect, mais son comportement ne devient pas moral pour autant. Pour qu'il le soit, il ne suffit pas qu'il y ait harmonie entre les actes et les idéaux ; encore faut-il que ceux-ci n'aillent pas à l'encontre du bien de l'humanité.

Souci

Pratiques

J'ai appelé « souci » la seconde vertu quotidienne. De quoi s'agit-il ? Je voudrais d'abord en donner une idée intuitive, en évoquant quelques exemples qui me paraissent incontestables.

Ici encore, il faut commencer par distinguer entre deux types de situations, en deçà et au-delà du seuil de l'extrême. Au-delà de ce seuil, cela veut dire, essentiellement : face à la mort imminente. Que peut-on faire alors, en quoi peut s'exprimer le souci pour autrui ? On peut périr avec lui, avec elle, comme l'a fait Pola Lifszyc, à Varsovie. Borowski raconte l'histoire d'une autre jeune femme venue mourir à Auschwitz avec sa mère ; J. Kosciuszkowa, survivante du même camp, celle d'une mère qui a accouché et a réussi à cacher son enfant pendant cinq mois ; lorsqu'il est découvert, et qu'elle doit le livrer, elle choisit de le suivre. « Tenant son fils pressé contre son cœur, elle alla avec lui au crématoire » (Langbein, 231). Lorsqu'un jeune homme est trop faible pour reprendre le travail, son père s'allonge à côté de lui pour qu'ils attendent la mort ensemble (107). Une femme hollandaise se joint à son mari « sélectionné » pour la mort à Sobibor (Suhl, 31) ; une autre Hollandaise choisit d'y mourir avec son amant polonais, l'un des dix otages qui seront fusillés en représailles d'une fuite (Trunk, 280).

Les êtres qui accomplissent ces actes se savent de toutes les façons condamnés, mais ils préfèrent diriger leur destin plutôt que de le subir passivement. En ce sens, ils ressemblent à ceux qui se suicident pour retrouver leur dignité, à cette différence près que leur geste est dirigé non vers leur propre conscience, mais vers un autre être humain, à qui on exprime de cette façon son attachement. Personne ne nous apprendra si les destinataires de ces gestes, la mère de Pola, l'amant polonais, étaient heureux de recevoir ce témoignage d'amour ou s'ils se sentaient coupables d'avoir entraîné dans la mort un être qu'également ils aimaient.

Dans le ghetto de Varsovie, il fallait parfois, par souci pour autrui, lui donner la mort. A Auschwitz, un homme tue son frère « pour lui épargner le trajet en camion jusqu'aux chambres à gaz » (Langbein, 108). Les enfants qui y naissent sont régulièrement tués par les infirmières (plongés dans une cuve d'eau, ou empoisonnés, ou étranglés, plutôt qu'étouffés avec un oreiller; 231-2). Olga Lengyel raconte : « Quant au sort du bébé, il était toujours le même. Après nous être entourées de toutes les précautions possibles, nous pincions le nez du nouveau-né et quand il ouvrait la bouche pour respirer, nous lui injections une dose suffisante d'un produit qui ne pouvait manquer son effet » (171-2). Cela permet de sauver la vie de la mère, alors que l'enfant est de toutes les façons condamné; ce n'est pas moins, on l'a vu, un cas de conscience cruel pour celui ou celle qui accomplit ce geste.

Mais de telles situations sont, malgré tout, exceptionnelles, et on risquerait de ne pas voir en quoi un tel souci est « quotidien » si l'on s'y tenait exclusivement. Revenons donc en deçà du seuil, pour observer d'autres exemples de souci. Le plus simple, le plus important peut-être aussi dans les camps, c'est : partager sa nourriture avec quelqu'un. Ici encore, il y a un seuil, au-delà duquel le partage est impossible, car la faim ou la soif sont trop grandes. Mais, cette limite dépassée, certains partagent et d'autres non. Evguénia Guinzbourg se souvient du jour où elle découvre des myrtilles dans la taïga. « Je mangeai les fruits de deux branches, à moi toute seule. Et ce n'est que lorsque j'en découvris une troisième, que je redevins un être humain, capable de solidarité » (I, 389). Mais elle se souvient aussi d'avoir été la destinataire de tels actes : un vieux bagnard lui apporte de la gelée d'avoine, amoureusement préparée, qu'il refuse de goûter lui-même; il lui suffit de pouvoir regarder Guinzbourg en train de manger : « Il fixait sur moi des yeux étincelants de bonté et de bonheur » (II, 62).

Irina Ratouchinskaïa et ses compagnes reçoivent en cadeau non de la nourriture, mais des habits cousus à l'aide de diverses loques par les occupantes précédentes des lieux, des vieilles grand-mères. « Combien de chaleur humaine a été préservée par ces haillons, témoignage de l'ingénuité des mémés ! » (68). Ces vieux habits, reprisés sans fin, sont devenus comme le dépôt d'un souci antérieur. Chaque détenu, homme ou femme, se souvient d'avoir été, au moins une fois, soigné, conseillé, protégé par un autre – voisin de lit, camarade de corvée. Parfois un regard suffit. David est conduit vers un camp de travail, en Pologne ; le convoi traverse un village. Un jeune homme sort de sa maison ; son regard est imprégné de chagrin et de pitié. Quarante ans plus tard, David se souvient : « Je pourrais reconnaître exactement la maison près de laquelle il se tenait. Je vois encore la souffrance sur le visage de ce jeune homme, la couleur exacte de sa chemise [...]. Ça m'a impressionné que quelqu'un se soit soucié de moi, préoccupé de mes souffrances » (Tec, 72).

(Sakharov vient de mourir. Une émission lui est consacrée à la télévision. La scène qui m'émeut le plus est extraite d'un film vidéo qu'il avait envoyé à sa famille aux États-Unis, à l'époque de son exil à Gorky. Il regarde le spectateur, sourit et dit : « C'est pour vous que je souris, mes enfants. » Hors caméra, il ne devait pas rire souvent, pendant ces années-là. En ce temps désespéré, c'est tout ce qu'il pouvait envoyer : un regard, un sourire. Mais il savait que ce n'était pas rien.)

D'autres personnes accomplissent des actes plus risqués. Celle-ci propose d'envoyer l'une de vos lettres, sans qu'elle ait à passer la censure ; celle-là vous cache : Germaine Tillion, toute menue, se glisse sous Margarete Buber-Neumann, étendue à l'infirmerie, pour échapper à une « sélection » ; si la dissimulation avait été découverte, elles partaient toutes les deux. Sacha Petcherski et Rudolf Vrba, évadés de Sobibor et d'Auschwitz, seront cachés par des paysans polonais. Une troisième personne refuse de vous dénoncer et subit solidairement la punition infligée pour le vol que vous avez commis. Une quatrième vous sauve du viol, même si, du coup, cet homme perd « son travail à l'abri d'un toit » (Guinzbourg, I, 372) ; ce qui, au camp, signifie souvent : la vie.

Les survivants ont ramené avec eux les portraits de quelques individus, qui leur ont paru comme les incarnations de ce souci de l'autre. Pour Primo Levi, c'est, par exemple, Lorenzo le maçon, un non-juif italien, réquisitionné comme main-d'œuvre, qui lui apporte quotidiennement, ainsi qu'à un autre Italien, un baquet de soupe supplémentaire. Il n'accepte rien en échange et ne parle presque jamais, même pas à ses protégés (en fait plus nombreux qu'ils ne le soupçonnent). Pour Robert Antelme, c'est Jo, un autre grand silencieux. Dans le wagon qui les transfère on ne sait où, lors de l'évacuation finale des camps, Robert ne trouve pas de place. « Je me couche sur Jo qui réagit mais ne crie pas » (279). Plus tard, toujours sans parler, Jo lui tend la main avec quelques graines de soja dedans : on peut les mâcher, c'est nourrissant. Plus tard encore, il faut avancer : « Jo m'aide à marcher. Fraternité de Jo, silencieuse » (287).

Pour Guinzbourg, l'être lumineux, c'est un médecin d'origine allemande, Anton Walter, qui deviendra son second mari ; elle l'appelle « un saint gai » (une rencontre de qualités rare). « Je me rappelai Anton parcourant toute l'agglomération de Tascan à la recherche d'une gorgée de vin pour un vagabond qui avait envie de boire un dernier coup avant de mourir » (II, 170). Pour Ratouchinskaïa, c'est Tatiana Mikhaïlovna Vélikanova, détenue de longue date, militante des droits humains, qui endure patiemment les intolérances, les agressions de ses compagnes et qui donne droit de cité dans le camp « aux traditions généreuses de la dignité et du souci pour les autres » (91). Pour de nombreux survivants d'Auschwitz, c'est Mala Zimetbaum, celle-là même qui a réussi à se suicider avant d'être exécutée. Auparavant, Mala est interprète et coursière, et elle jouit d'une grande popularité au camp. « Elle utilisa ce privilège pour aider à établir le contact entre les membres de familles séparées, et risqua souvent sa vie en portant des messages et des médicaments [...]. Une des responsabilités de Mala fut d'affecter aux différents travaux les malades lorsqu'ils sortaient de l'hôpital. Elle essayait toujours d'envoyer les femmes encore affaiblies par la maladie aux travaux les plus légers. Et elle prévenait toujours les patients quand une sélection était imminente, les exhortant à quitter l'hôpital le plus vite possible » (Suhl, 184). « Quand elles ont des difficultés, qu'un problème se pose, les déportées vont la trouver » (Fénelon, 237).

Pour Margarete Buber-Neumann et pour beaucoup d'autres détenues de Ravensbrück, c'est Milena Jesenska qui incarne le mieux l'attitude du souci. Milena, on l'a vu, ne se soumet pas aux ordres ; mais elle se lie aux êtres qui lui sont chers, elle sait faire don de sa personnalité lumineuse. A l'infirmerie, elle tient les dossiers concernant les maladies vénériennes ; elle trafique les résultats des syphilitiques pour les sauver des « sélections » mortelles ; ce faisant, elle risque, chaque fois, sa propre vie. Ces malades l'intéressent personnellement, bien qu'elles appartiennent à un milieu très différent du sien (ce sont des « asociales », des prostituées) : elle sait découvrir en elles l'« étincelle d'humanité ». Avec Buber-Neumann, c'est la grande amitié où l'on trouve plus de plaisir à donner qu'à prendre. Peu importe ce qu'on donne : une fois Milena apporte à son amie un café au lait sucré – mais c'est une denrée exceptionnelle, obtenue après de longs pourparlers ; de plus, il est interdit de se déplacer à travers le camp, et, en le faisant, Milena risque une sévère punition. Une autre fois l'affaire est bien plus sérieuse : Buber-Neumann est au cachot, et Milena se présente devant le chef de la Gestapo du camp ; elle parvient à lui en imposer suffisamment pour qu'il l'écoute et même qu'il lui permette de rencontrer son amie en prison – faveur inouïe. Lorsque la mort approche, Milena se trouve entourée de nombreuses proches. Après, son amie conclut : « La vie a perdu tout sens pour moi » (*Milena*, 267). Buber-Neumann a aussi cette phrase incroyable : « Je remercie le destin de m'avoir envoyée à Ravensbrück et de m'avoir ainsi permis d'y rencontrer Milena » (*Ravensbrück*, 73).

(Margarete Buber-Neumann vient de mourir à son tour – le jour de la chute du mur de Berlin. Elle était née la même année que ma mère, au début du siècle ; et, comme elle, était devenue sénile quelque temps avant sa mort. Mon père, qui militait avec les communistes à Berlin, au milieu des années vingt, aurait pu la rencontrer, partir avec elle, mourir en exil... Quelle vie emblématique de ce siècle que la sienne :

remise par les officiers de la NKVD soviétique à ceux de la Gestapo allemande, en 1940, après avoir passé deux ans dans les camps russes et pour en passer cinq à Ravensbrück! Avant le premier camp, elle donnait toutes ses forces à la lutte pour le communisme; après le second, à celle contre le communisme. Et elle a écrit, entre autres choses, ce livre exceptionnel, Milena *: unique dans la littérature de mémoires sur les camps, car racontant la vie d'une autre.)*

Agents

Quels sont les agents de ces actes de souci ? N'importe qui, à vrai dire. Il n'existe pas de catégorie sociale ou professionnelle où l'on ne les rencontre pas, même s'ils y sont parfois rares. Il y a aussi des kapos ou des *Blockältesten* qui se soucient de leurs subordonnés. Ou des surveillants et des gardiens de prison, qui laissent la bonté l'emporter sur leur « devoir ». Un soldat censé surveiller un groupe de femmes travaillant à l'extérieur accepte d'aller en ville en les laissant seules, pour leur acheter des provisions. « Il mit plus d'une demi-heure pour revenir. Pendant cette demi-heure, sept prisonnières ont tremblé pour un soldat de la garde » (Buber-Neumann, *Sibérie*, 131). Même les criminels détenus de droit commun, la plaie des camps, sont capables de tels actes, ne serait-ce que sporadiquement; la chose est toutefois beaucoup plus fréquente chez les « politiques ».

Certaines relations humaines incitent au souci, c'est clair, davantage que d'autres. Ce sont d'abord celles de proche parenté : le souci est l'attitude maternelle par excellence. Dans les wagons à bestiaux qui les conduisent vers les camps, de Salonique à Auschwitz, de Moscou à Magadan, les mères continuent d'allaiter les nourrissons et essayent de sécher leurs couches. Dans les chambres à gaz, racontent Müller ou Gradowski, elles continuent de caresser les cheveux des enfants pour les calmer. D'autres liens de parenté favorisent aussi le souci. Une petite fille de douze ans envoie des colis à sa grand-mère au camp. « Chère babouchka, j'ai cassé le sucre en tout petits morceaux, comme tu l'aimes » (169). Une autre, du même âge, découvre que son cousin Rudi est arrêté et elle arrive dans sa prison toute haletante, portant un petit paquet : « Elle avait couru dans une boutique et, avec son argent de poche, elle n'avait pu m'acheter que des cerises » (Vrba, 54). A Auschwitz, Isabella a horreur de toucher les cadavres, et elle doit en soulever un ; sa sœur Chicha glisse ses mains entre les siennes et le corps mort (Leitner, 68). Les hommes cherchent à faire parvenir de la nourriture aux femmes qu'ils aiment, détenues ailleurs dans le même camp ; ils abandonnent leurs privilèges pour pouvoir rester ensemble. Des amis, aussi : les détenus du camp de Mordovie se souviennent avec émotion de ce que Youli Daniel se souciait plus du destin de son compagnon d'infortune, Andreï Siniavski, que de lui-même (Martchenko, 291). Médecins et infirmiers, hommes ou femmes, se soucient des autres, sans doute par habitude professionnelle, mais aussi peut-être par vocation.

Une question plus générale s'impose alors : en disant que le souci est l'attitude maternelle par excellence, suis-je en train d'affirmer qu'il est plutôt « féminin » que « masculin », et si c'est le cas, s'agit-il d'une prédétermination biologique ? d'une tradition sociale ? et faut-il se réjouir de cette répartition des vertus selon les sexes ou la déplorer ?

On peut partir de ce constat : proportionnellement, les femmes ont mieux survécu aux camps que les hommes ; en termes quantitatifs, mais aussi sur le plan psychologique. Cet avantage doit avoir une explication ; et on est tenté de la chercher dans d'autres caractéristiques contrastées. Les hommes sont probablement plus maltraités par les gardiens, qui sont en général des hommes aussi : il y a là les conditions d'un affrontement, donc le désir de montrer sa supériorité, de faire une démonstration de son pouvoir ; autant d'éléments qui engendrent plus de brutalité qu'il n'y aura dans les relations entre hommes et femmes, au départ asymétriques. Mais, d'un autre côté, il semble aussi qu'il y ait des différences dans le comportement des détenus eux-mêmes : les femmes se montrent plus pratiques et plus susceptibles de s'entraider. Germaine Tillion note que les hommes ont eu davantage tendance à se durcir, à s'abrutir, à se dresser les uns contre les autres : « Il me semble que, dans les camps de femmes, l'appui amical fut plus constant, plus solide, plus réparti » (III, 196 ; cf. 434) ; voilà qui permettrait d'expliquer aussi une meilleure réadaptation au monde extérieur après la libération.

Guinzbourg fait le même constat : « Nos malheureux compagnons ! Le sexe faible... Là où nous, les femmes, pliions mais restions en vie, eux tombaient morts. Ils nous dépassaient dans l'art de manier la hache, le pic ou la brouette, mais restaient loin derrière nous dans l'art de supporter la torture » (II, 202). Comment s'explique cette différence ? « Les hommes devraient être plus forts que nous ; et cependant nous éprouvons pour eux une espèce de compassion maternelle. Ils nous semblent plus que nous sans défense, mal faits pour supporter la douleur, incapables de laver ou de repriser leurs haillons en cachette » (I, 327). La force physique semble aller de pair avec une faiblesse psychologique, et inversement. On tire des impressions très différentes de la lecture des témoignages des hommes et de ceux des femmes. Le camp où est enfermé Martchenko frappe par son inhumanité ; celui de Ratouchinskaïa, qui n'en est pourtant pas très éloigné, par son atmosphère chaleureuse. Il ne s'agit pas d'une différence de conditions, mais de conduites : là où les hommes réagissent, par exemple, par l'automutilation, les femmes ont le souci les unes des autres. La plus grande surprise, dans le récit de Ratouchinskaïa, nous vient du bonheur que vivent ces femmes à être ensemble : elles sont parvenues à créer un espace de liberté, de dignité et d'entraide, qu'elles risquent fort de ne pas retrouver une fois « libérées ». « Quel plaisir de revenir à la Zone ! » s'exclame Ratouchinskaïa à un moment (229). En sortant du camp, Martchenko est triste lui aussi de quitter ses amis ; mais l'atmosphère générale des deux groupes est incomparable.

L'explication de ces comportements différents, à son tour, ne peut se trouver que dans les rôles traditionnellement attribués aux hommes et aux femmes dans nos sociétés. Je rappelle rapidement ces évidences : les femmes étant les seules à porter les enfants et à les allaiter, une répartition des rôles s'est établie à partir de cette base biologique, qui étend sur une vie entière les conséquences d'une année et demie ou de neuf mois (ou de rien, dans le cas des femmes sans enfants). Cette répartition inclut les soins de la vie pratique comme opposés aux préoccupations abstraites et impersonnelles (politique, science, arts) ; la présence du corps contre le culte de l'esprit ; et l'implication dans le réseau de relations intersubjectives par contraste avec la poursuite solitaire d'un objectif. Ayant enfanté (ou même ne l'ayant pas fait), les femmes se voient confier la garde de leurs enfants, de leurs parents, de leur mari. Même si, depuis des décennies, la situation légale des femmes évolue vers plus d'égalité et que certaines de leurs tâches traditionnelles sont prises en charge par la collectivité (crèches, cantines, maisons de retraite), la force de la tradition ne se fait pas moins sentir. C'est ce dont se rend compte une jeune fille, Fania Fénelon, en regardant les femmes endormies autour d'elle, dans une baraque d'Auschwitz. « Je les contemple, et il naît en moi, pour elles, une tendresse protectrice qui remonte du fond des âges ; d'où peut-elle bien me venir, moi qui suis parmi les plus jeunes d'entre elles ? » (87).

Je voudrais évoquer deux histoires illustrant ce souci qu'on ne peut s'empêcher d'associer aux femmes. La première provient de ce même récit de Fénelon. Fania a été transférée à Bergen-Belsen, et s'est liée d'amitié avec une femme médecin, Marie. Une Polonaise vient voir cette dernière, au camp ; elle n'est pas malade : elle va accoucher. Les deux amies paniquent un peu, puis l'installent sur une table. Le silence est impératif : donc, la Polonaise, « lèvres, dents serrées, ne pousse pas un cri, pas un gémissement. Elle n'ignore pas le sort réservé aux enfants par les SS ». Heureusement, l'enfant sort vite. Il n'y a pas de ciseaux : Marie coupe le cordon d'un coup de dents. Il n'y a pas d'eau : Fania arrache la doublure de son manteau et en fait un maillot dans lequel elles enveloppent le bébé encore sale. « La femme, toujours sans dire un mot, a remis sa culotte sans qu'on puisse lui laver les fesses, rabaissé sa jupe, pris son enfant dans ses bras, avec un geste admirable de possession et de protection » (381). L'enfant et la mère survivront au camp.

La seconde histoire se passe en Russie, vingt ans plus tard, et c'est un homme, Anatoly Martchenko, qui la raconte. Les détenus sont transférés par train dans un autre camp ; un wagon est réservé aux femmes. L'une d'entre elles a un nourrisson dans les bras ; ses couches sont déjà toutes sales. Elle demande à aller les laver, mais les gardiens refusent : c'est contre le règlement ! Il faut dire que les détenus ont droit aux toilettes à une certaine heure seulement, et pas pour longtemps. « Enfin vint l'heure de la promenade aux toilettes et le tour des femmes ; la mère du bébé y alla la première. Elle commença à laver une couche dans l'évier, et l'y laissa. La suivante continua. Et ainsi de suite. Lorsque toutes les femmes eurent passé, les couches étaient lavées et la dernière les remporta dans le compartiment où elles séchèrent » (38).

L'attitude du souci est bien cultivée dans la tradition féminine, et particulièrement maternelle, même si elle n'en est pas une simple émanation. Et la figure maternelle acquiert une importance particulière chez les détenus – surtout les femmes, qui peuvent s'y identifier. A la mort de sa mère, Guinzbourg évoque « ses prodiges d'héroïsme silencieux, dont elle ne prit jamais conscience » (II, 366), une mère comme tant d'autres (mais est-ce encore de l'héroïsme s'il est silencieux ?). A sa sortie de camp, Buber-Neumann se dirige vers la maison de sa mère et la retrouve sur le pas de la porte, répétant ces mots : « C'est vrai, elle est revenue ? C'est vrai, elle est revenue... ? ! » (*Ravensbrück*, 324).

(C'est à peu près la même chose que disait ma mère au cours de mes dernières visites, lorsque, dans des circonstances infiniment moins dramatiques, je revenais la voir, une fois par an, dans sa maison. Elle s'animait en me reconnaissant et m'appelait par mon nom ; elle me caressait le visage de ses mains fripées et m'embrassait avidement. Sa vie s'était passée en actes de souci, surtout depuis que, vers l'âge de quarante ans, une maladie l'avait obligée à quitter son travail : pendant que mon père se donnait corps et âme à des projets (organiser des institutions, ériger des bâtiments, éduquer des étudiants), elle se souciait – de ses proches : des enfants ; de mon père ; de sa sœur, célibataire et un peu bohème. Pendant ses dernières années, elle perdait la tête, oubliant par exemple la mort de sa sœur ; après dîner, elle s'inquiétait toujours : Est-ce qu'il reste à manger, Dora vien-

dra, elle aura faim... Ce n'était pas du dévouement intentionnel : elle semblait ne pas savoir faire autrement. Elle ne se plaignait pas de cette situation, ne donnait jamais l'impression de se sacrifier ; je pense qu'elle en était heureuse : son bonheur, elle ne pouvait le vivre qu'à travers les autres. Elle n'aimait pas s'occuper d'elle-même, seulement des autres, si elle restait seule, elle s'ennuyait ; elle supportait encore moins qu'on ait à s'occuper d'elle, ni même qu'on fasse attention à elle. Elle est morte tout doucement, pendant que ses proches s'étaient absentés de sa chambre : elle n'aimait pas déranger. Mon père a une autre interprétation : elle a prié Dieu pour qu'il la rappelle, pense-t-il, pour ne plus être à la charge de son mari.)

Certaines femmes, devenues écrivains, ayant donc renoncé au moins partiellement à l'attitude traditionnelle de souci, se sont demandé si les femmes ne devaient pas s'émanciper de ce rôle et tenter d'imiter mieux la moitié masculine de l'humanité : s'occuper de l'Homme, par exemple, plutôt que des êtres humains particuliers. Je pense moins à Simone de Beauvoir qu'à Etty Hillesum, juive hollandaise qui a péri à Auschwitz mais dont le témoignage a été préservé ; remarquable écrivain elle-même, elle s'interroge : « Est-ce une tradition séculaire dont elle devrait s'affranchir, ou bien au contraire un élément si essentiel à la nature féminine que la femme devrait se faire violence pour donner son amour à toute l'humanité, et non plus à un seul homme ? » Elle est tentée par la première réponse (mais elle va pratiquer dans sa vie la seconde) : « Peut-être la vraie, l'authentique émancipation féminine n'a-t-elle pas encore commencé. Nous ne sommes pas tout à fait encore des êtres humains, nous sommes des femelles. [...] Encore à naître à l'humanité véritable ; il y a là une tâche exaltante pour la femme » (I, 47-8). Renoncer au souci, destin traditionnel de la femme, une tâche exaltante ? Ainsi, la femme ressemblera peut-être plus à l'homme ; mais les deux seront d'autant moins humains. S'il y a une tâche exaltante, ne serait-elle pas plutôt de faire comprendre aux hommes – à tous, et non plus seulement à quelques-uns – que, sans le souci, ils risquent de n'être que des mâles, encore à naître à l'humanité véritable ? Rester humain, est-ce se sacrifier à des abstractions ou se soucier d'êtres particuliers ?

Tout cela n'implique pas qu'on doive faire l'éloge inconditionnel du féminin ou du maternel. Ce qui est admirable comme acte – le souci – peut cesser de l'être dès qu'il se fige en attitude automatique : il vaut mieux qu'il y ait du souci maternel un peu partout dans le monde, plutôt que ne se maintienne une catégorie de mères « professionnelles ». Les mères ont aussi besoin qu'on se soucie d'elles, les enfants ne veulent pas être maternés éternellement. Et le souci peut prendre des formes contraires à celles de la protection maternelle habituelle : pendant la guerre, la meilleure façon de s'occuper d'un enfant a été souvent – dans les familles juives par exemple – de s'en séparer, de l'abandonner ; une famille entière était plus facilement repérable, un enfant seul pouvait être sauvé par des familles chrétiennes.

Frontières

Je voudrais maintenant distinguer le « souci pour quelqu'un » de quelques autres attitudes ou activités qui lui ressemblent – au moins superficiellement.

D'abord le souci n'est pas la *solidarité* qu'éprouvent entre eux les membres d'un seul et même groupe. La solidarité est un sentiment qui peut se manifester en toutes sortes de situations. Berrichon monté à Paris, c'est par solidarité avec les autres Berrichons que je cherche à leur procurer divers bénéfices. Citoyen français, c'est par solidarité avec mes concitoyens que je refuse d'étendre les avantages de la Sécurité sociale ou des écoles maternelles aux résidents étrangers. Même si l'on opère au préalable une distinction entre la solidarité comme moyen d'acquérir des avantages et la solidarité comme soutien dans l'adversité, et qu'on ne retienne que cette dernière, une telle attitude ne se confond pas avec le souci. La solidarité à l'intérieur d'un groupe signifie que j'aide automatiquement tous ses membres et que je ne me sens pas concerné par les besoins de ceux qui n'y appartiennent pas. La solidarité comprise comme une mutuelle d'entraide ne fait qu'étendre quantitativement le principe de l'intérêt personnel : elle substitue à l'égoïsme ce que Primo Levi appelle le « nosisme », l'égoïsme de « nous ».

La solidarité pour les miens implique l'exclusion des autres. Ses victimes sont donc les étrangers – en tous les sens du mot. Le nouveau venu, même dans un camp, se heurte d'abord à l'hostilité du groupe déjà constitué : on hésite à le faire bénéficier des effets de la solidarité, on le maintient à l'extérieur, craignant sans doute qu'il ne menace les avantages acquis. Tous les groupes développent cet esprit corporatif pour se défendre des intrusions étrangères. Philip Hallie raconte que le maire du Chambon-sur-Lignon, ce village cévenol qui a servi de havre aux persécutés pendant la guerre, se déclarait prêt à cacher et protéger les juifs, mais seulement ceux qui étaient bien de chez nous ; les juifs étrangers, pour lui comme du reste pour certains juifs français, n'étaient qu'une source d'ennuis : c'est à cause d'eux qu'on risquait de persécuter aussi les « bons » juifs français. La secte des darbystes (protestants fondamentalistes), également présente dans la région, pratique une solidarité différente : ils préfèrent sauver des juifs, plutôt que d'autres Français par exemple, car ils admirent en leurs personnes « le peuple du Livre ». Pétain comme Hitler jouent constamment sur ce réflexe : ils ne déporteront « que » les juifs étrangers, ou récemment naturalisés, ou nouvellement incorporés ; « que » les juifs mais pas les autres Français ; et ainsi de suite.

Pour des raisons faciles à comprendre, la solidarité dans les camps est d'abord nationale – ou plus exactement linguistique. Dans une Babel comme Auschwitz, comment éprouver de la solidarité pour des êtres dont on ne comprend pas la langue, avec lesquels on ne peut s'expliquer ? Antelme rapporte les véritables cas de conscience qui surgissent au cours des déplacements meurtriers des détenus d'un camp à l'autre, à la fin de la guerre, lorsque les rations sont progressivement réduites à zéro. Les Polonais partagent leur nourriture entre eux, ils ne donnent rien aux Français. Quand ceux-ci reçoivent enfin des colis de la Croix-Rouge, ils les répartissent équitablement – entre Français ; lorsque les Russes s'approchent, pourtant frères de destin, on les chasse à coups de gourdin. « Les Russes restent immobiles sous le bâton des copains. Les Français mangent. [...] La torture des Russes autour de nous nous effleure à peine. Nous sommes enfoncés dans la nourriture. » Le groupe peut être encore plus étroit : « Nous sommes au point où il est inimaginable que l'on puisse partager la nourriture avec un autre qu'avec un copain de wagon » (289). Pourtant, comme Guinzbourg devant les branches de myrtilles, la première faim une fois surmontée, on devient capable de changer d'attitude : on aide ceux qui en ont le plus besoin, même s'ils n'appartiennent pas à la même nationalité.

Les autres groupes n'agissent pas différemment des ressortissants d'un même pays. Les communistes, par exemple, forment des collectivités à haute solidarité – dont se trouvent naturellement exclus tous ceux qui ne partagent pas leurs convictions. Les communistes, surtout allemands, occupent souvent des postes de responsabilité dans la hiérarchie interne des camps. Cela leur permet, par exemple, de retirer le nom d'un de leurs camarades d'une liste de « sélectionnés », destinés aux chambres à gaz. Mais le nombre de personnes devant figurer sur la liste est fixé d'avance. Alors, si on retire un nom, il faut lui en substituer un nouveau. La solidarité des uns peut signifier la mort des autres.

Agir par solidarité avec son groupe est un acte politique, non moral : il n'y a pas de libre choix, et on particularise son jugement au lieu de l'universaliser. Cela ne veut pas dire qu'on puisse ou qu'on doive se passer de la solidarité : on ne saurait imaginer un système de Sécurité sociale (qui n'a rien à voir avec la morale) étendu généreusement à tous. Dans le meilleur des cas, cependant, la solidarité à l'intérieur du groupe agit comme une préparation, une école, un palier pour la générosité étendue au-delà. Guinzbourg décrit la rencontre entre deux groupes de détenues ; la première réaction est de rejet, la seconde d'inclusion. Elle voit « l'expression d'horreur qui se peint sur leurs visages lorsqu'elles viennent à notre rencontre. Puis c'est une pitié fraternelle et le désir de tout partager avec nous » (I, 316). Où apprendrait-on le souci pour d'autres que soi si ce n'est avec les êtres qui vous entourent constamment ?

Le souci se distingue de la solidarité en ce que ses bénéficiaires ne peuvent pas y compter automatiquement et sont toujours des personnes individuelles, non les membres d'un groupe. Le souci ne peut concerner tous les autres ; ni dans l'univers, ni même à l'intérieur d'un camp. Mais le choix se fait en fonction de critères autres que l'appartenance nationale, politique ou professionnelle ; chaque personne bénéficiaire du souci ne vaut que par elle-même. La langue commune jouera pourtant ici aussi : comment percevoir un individu si on ne le comprend pas ?

Il convient de préciser aussi une seconde frontière, celle entre souci et *charité* (ou l'un de ses synonymes). A la différence de la solidarité, la charité s'exerce à l'égard de tous (n'exclut personne) et ne s'adresse qu'aux êtres souffrants ou menacés ; pas de danger, ici, de la voir détournée en moyen d'assurer de meilleurs avantages à un groupe. C'est aussi, incontestablement, un acte moral. Elle diffère du souci en ce qu'elle est orientée, justement, vers tous, et non vers des personnes particulières : le bénéficiaire typique de la charité, c'est le mendiant anonyme étendu dans la rue, non la personne couchée sur moi dans un wagon, ou sous moi à l'intérieur de l'infirmerie. Pascal recommandait même expressément d'éviter la connaissance de ceux qu'on allait secourir charitablement, car on risquait de s'y attacher et d'agir par amour pour la personne plutôt que pour Dieu : le geste eût été moins vertueux.

J. Glenn Grey, qui a vécu la Seconde Guerre mais non les camps, décrit un sentiment semblable qu'il appelle « l'amour protecteur », et dont il donne en exemple le geste de Karataïev, dans *Guerre et Paix*, qui sauve la vie de Pierre Bézoukhov : l'homme aurait aidé de la même manière un animal. Grey qualifie cet amour de maternel – mais la mère n'aimerait pas n'importe quel enfant à la place du sien ! Dans cette forme d'amour, « l'objet du souci est moins essentiel que le fait même de se soucier des autres et d'avoir besoin de les préserver » (85) ; c'est ce qui, pour moi, en fait autre chose qu'un souci : une variante de la charité. Le souci, lui, ne saurait être universel : il implique qu'on ressente de la sympathie personnelle pour l'être qui en bénéficie. Guinzbourg ne parvient jamais à l'éprouver pour les détenus de droit commun autour d'elle ; elle ne s'en soucie donc pas. Les aider dans ces circonstances eût relevé d'une attitude de charité.

La relation de charité est asymétrique : je ne vois pas quelle aide pourrait me donner le mendiant, c'est pourquoi je ne cherche pas à le connaître. C'est pourquoi aussi l'acte de charité ou de pitié peut être humiliant pour celui qui le subit : il n'a aucune chance de répondre par la réciproque. Le souci que j'ai pour un individu provoque normalement un souci en retour, même si entre les deux gestes peuvent s'écouler des années : ainsi des parents et des enfants.

Enfin, le souci ne se confond pas non plus avec le *sacrifice*. Non seulement parce que celui-ci, comme du reste la charité, apporte nécessairement une coloration religieuse aux actes qui le constituent, alors que le souci reste confiné exclusivement à la sphère humaine. Mais aussi parce que le sacrifice implique qu'on se sépare de quelque chose qui vous est précieux, qu'on accepte une privation douloureuse – mais rédimée par le sens du devoir. Se soucier de quelqu'un, ce n'est pas lui sacrifier son temps et ses efforts, mais les lui consacrer et s'en réjouir : on se retrouve à la fin de l'opération plus riche, non plus pauvre. Le sacrifice, comme la charité, est un acte sans réciprocité (je pense tout de suite non aux sacrifices rituels, mais aux mères qui sacrifient leur vie professionnelle pour s'occuper de leurs enfants, aux épouses qui sacrifient leur vie personnelle pour que le mari réussisse sa carrière, et ainsi de suite – encore que la chose semble de moins en moins pratiquée). Pour cette raison il engendre la frustration, le ressentiment, la revendication. Si on accomplit un sacrifice, on veut le faire sentir aux autres, on leur rappelle combien cela vous a coûté ; le souci, au contraire, contient en lui-même sa propre récompense, car il rend heureux celui qui le pratique.

Le sacrifice suprême, celui de sa vie, même s'il est fait en apparence pour un individu plutôt que pour une abstraction, relève en fait des vertus héroïques, non de la logique du souci : Kolbe se sacrifie pour sauver un homme, mais, j'ai l'impression, plus encore pour proclamer sa foi en Dieu ; peu lui importe qu'il s'agisse de cet individu-là ou d'un autre. Les mères et les filles, les pères et les fils que nous avons vus aller à la mort avec leurs proches agissent dans un tout autre esprit : leur attachement pour cet individu particulier est plus fort que leur désir de vivre. En un sens, ils sont plus égoïstes : ils ne désirent pas mourir pour que l'autre vive, ils auraient voulu vivre tous les deux pour pouvoir jouir l'un de l'autre ; comme c'est impossible, ils acceptent de mourir – avec lui, non à sa place. Tel est, dit Glenn Grey, l'esprit de l'amitié, tout différent de celui du sacrifice : « Pour les amis, il est affreusement difficile de mourir, même l'un pour l'autre ; les deux ont tant à perdre » (91). Le sacrifice glorifie la mort ; le souci n'a de sens que dans la vie.

Effets

Les actes de souci produisent la satisfaction immédiate de leur bénéficiaire ; or, cet avantage, le donateur peut espérer le recevoir en retour, à l'occasion d'une inversion des rôles. C'est là, bien entendu, un acquis qu'on ne saurait négliger. C'est par lui que Richard Glazar explique la chance des survivants : « Ils ont survécu parce qu'ils ont été soutenus par *quelqu'un*, quelqu'un qui prenait soin d'eux autant ou presque autant que de soi-même » (Sereny, 199). On ne pouvait survivre, confirme Germaine Tillion, « que grâce à quelques mains tendues » (II, 196). C'est aussi ce que pense Charlotte Delbo : « Chacune des revenantes sait que, sans les autres, elle ne serait pas revenue » (*Convoi*, 17). « Les autres, ce sont celles de votre groupe, celles qui vous soutiennent ou vous portent quand vous ne pouvez plus marcher, celles qui vous aident à tenir quand vous êtes à bout de forces ou de courage » (*Auschwitz*, II, 132). Et Pawelczynska : « Il n'existe pas un seul survivant qui n'ait pas été aidé et soutenu par les autres détenus. Personne n'eût pu survivre par la seule vertu de sa force physique et mentale » (121). Il faut ajouter que le destinataire de l'acte reçoit aussi un bénéfice supplémentaire : celui d'être reconnu comme un être humain qui peut devenir non seulement l'instrument d'une action, mais aussi son but. On doute de sa propre valeur, de sa raison d'être même, tant qu'elle n'est pas confirmée par les autres. « Dès qu'on est seule, on pense : A quoi bon ? Pour quoi faire ?

Pourquoi ne pas renoncer... » (Delbo, *Auschwitz*, I, 165). L'attention des autres nous donne une raison de résister.

Voici deux exemples parmi beaucoup d'autres de l'effet durable produit par le souci dont on a été bénéficiaire. Karlo Stajner, qui a vécu, comme le dit le titre de son livre, sept mille jours en Sibérie, reçoit un matin une lettre de sa femme – après cinq ans de solitude passés dans les camps du Grand Nord. « C'était ma première journée de bonheur dans un camp. Maintenant, j'avais enfin une réponse à la terrible question : à quoi bon vivre ? » (252). La femme de ce communiste yougoslave (et « international ») est une Russe, enceinte au neuvième mois au moment de son arrestation ; la petite fille meurt peu après la naissance. La première lettre est suivie d'autres ; Stajner sait qu'il survit parce qu'il peut penser à sa femme. Lorsque, après dix-huit ans de séparation, elle vient le rejoindre, il lui dit, après l'avoir embrassée : « Tu n'as pas changé ! » Et il ajoute : « Les jours suivants furent les plus beaux de ma vie » (404). (Mais Danilo Kis, qui les avait rencontrés tous les deux, avait remarqué le changement : le visage de cette femme était inquiétant car en son milieu brillaient deux yeux morts.)

Albert Speer fait un voyage dans la région de Dniepropetrovsk en février 1942, à la veille de sa nomination comme ministre de l'Armement du Troisième Reich. Il reste longtemps en plein air et voit soudain quelques paysans russes, qui travaillent à côté, montrer avec agitation son visage : il est gelé. L'un d'entre eux prend de la neige et commence à le frotter. Un autre sort de sa poche un mouchoir immaculé et l'essuie soigneusement. Lorsque, vingt-cinq ans plus tard, Speer se met à écrire ses Mémoires, cette scène lui revient à l'esprit, et c'est à partir d'elle qu'il essaie de repenser son passé (il n'y parvient pas toujours) ; elle devient la pierre angulaire de sa conception du bien et du mal.

D'un autre côté, le donateur est aussi un bénéficiaire. Il reçoit, indépendamment de toute récompense future, un gain par l'accomplissement même de son acte : tous les témoignages concordent là-dessus. Ratouchinskaïa remarque : « Se soucier plus de la souffrance d'autrui que de la sienne propre, c'est sans doute la seule manière de demeurer un être humain dans un camp. Pour aucune d'entre nous de telles choses n'étaient de l'héroïsme, il s'agissait plutôt d'actes d'autoconservation » (277). Mais pourquoi en est-il ainsi ? On peut chercher à ce fait plusieurs explications. L'une d'entre elles consiste à dire qu'à travers le souci pour autrui on a l'impression de retrouver la dignité, le respect de soi, puisqu'on accomplit des actes que la morale a toujours considérés comme louables ; or le sentiment de dignité renforce notre capacité de rester en vie. Olga Lengyel trouve une raison de vivre quand on lui propose d'organiser une infirmerie : selon un paradoxe bien connu, plus elle doit dépenser ses ressources et plus elle en a. « Le sentiment de faire quelque chose d'utile suffisait pour me redonner des forces » (235). Viktor Frankl, devenu psychiatre après sa sortie du camp, explique ce bénéfice indirect par le besoin humain de trouver un sens à sa vie, un but en dehors de son maintien même : face à l'absurdité quotidienne des camps, aider quelqu'un, ou simplement faire attention à lui, est un acte très sensé.

On peut aussi remarquer que l'individu trouve beaucoup plus de forces en soi quand il s'occupe d'un autre que quand il n'a en charge que lui-même. C'est ce que semble penser un détenu qui adresse ce discours à ses camarades : « Pour tenir, il faut que chacun de nous sorte de lui-même, il faut qu'il se sente responsable de tous » (Antelme, 203). Margarete Buber-Neumann ne connaît pas d'autre explication à sa propre survie. « J'ai toujours trouvé des personnes auxquelles j'étais nécessaire ; j'ai toujours eu la chance de partager le bonheur de l'amitié, de relations humaines » (*Ravensbrück*, 40). Comment survivre au désespoir dans le cachot ? En s'occupant des autres. Deux de ses amies y sont conduites : chercher à les aider dans leur souffrance l'incite à oublier la sienne propre. Ce qui aurait dû être peine devient bonheur. « Dans mon souvenir, ces journées passées dans la cellule en compagnie de Maria Graf et de Maria Presserova furent toutes de joie et de sérénité » (158). Si elle désespère, elle s'accroche à l'idée que Milena a besoin d'elle. « Je ne peux pas la laisser seule au camp ! Qui s'occuperait d'elle si elle recommençait à avoir de la fièvre ? » (*Milena*, 244.) La récompense est contenue dans l'acte même, et en se souciant de l'autre on ne cesse de s'occuper de soi : ici, le plus dépensier est le plus riche.

Mais l'être qui se soucie d'autrui ne tire pas de son acte que des bénéfices. Les dangers viennent de deux côtés : d'une défaillance du donateur ou de celle du bénéficiaire. Si le souci fait partie de votre manière de vivre, alors ne pas l'accorder – ce qui ne peut manquer de se produire – vous fait ressentir une culpabilité douloureuse. Ella Lingens-Reiner ne peut se pardonner la mort d'une personne parmi les millions d'Auschwitz : une amie à qui elle avait promis de venir la soigner, si elle tombait malade. « Je sais qu'elle m'attendait et qu'elle comptait sur moi. Et je ne suis pas venue » (84). Ceux qui sont libérés des camps souffrent d'y laisser enfermés des êtres desquels ils se soucient. La chose qui torture le plus Guinzbourg n'est pas l'une des terribles punitions qu'on lui inflige ; c'est le souvenir de la fessée qu'elle avait donnée à son petit garçon Vassia (le futur écrivain Axionov), pour une bêtise insignifiante. « Ce souvenir me fait souffrir intolérablement » : elle a failli au souci qu'elle lui réservait. « La douleur que j'éprouvai cette nuit-là fut si aiguë, qu'elle demeura en moi pendant toutes les années qui suivirent. Aujourd'hui, à plus de vingt ans de distance, au moment même où j'écris ces pages, je ne cesse de la ressentir » (I, 116).

L'autre danger, c'est que l'être dont nous nous soucions souffre, voire disparaisse – alors qu'il représente tant pour nous. C'est ce que savent bien tous les amoureux : plus on se laisse aller à l'amour pour quelqu'un, plus on se rend vulnérable ; et si soudain l'être aimé cessait de répondre ? C'est aussi le destin éternel des parents et des enfants. Louis Micheels apprend qu'on amène de nouveaux juifs hollandais à Auschwitz où il se trouve déjà : il se rend compte de la possibilité de rencontrer son père en cet endroit et de « voir sa souffrance et sa mort lente. Je ne pouvais imaginer chose plus atroce » (87). « Je pouvais plaisanter comme la plupart sur le fait de passer par la cheminée mais, lorsqu'il s'agissait d'un de mes proches, cela devenait indicible, inimaginable » (122). Expérience qui n'a pas été épargnée, parmi d'innombrables autres, à Elie Wiesel ou à Germaine Tillion, dont j'ai rappelé le remords, et qui écrit aussi : « Il y a des maux insupportables et disproportionnés avec les forces humaines : c'est la souffrance et la mort de ceux qu'on aime » (II, 39).

Vivre selon l'éthique du souci, dans les camps, c'est se rendre particulièrement vulnérable : on ajoutera à ses propres souffrances celles des êtres dont on se soucie. Milena sait aussi de quoi elle parle : « C'est un spectacle horrible que de voir pleurer des êtres que l'on aime » (*Milena*, 234). On est bien mieux protégé si on lutte pour un idéal : la disparition d'un individu peut alors être relativisée, elle n'entame pas l'espoir de voir triompher sa cause. Mais peut-on, pour se prémunir contre ces risques, cesser d'aimer ou de se soucier de ses proches ? En souffrant pour et avec quelqu'un, comme le fait Pola Lifszyc, on ajoute au malheur du monde ; mais la bonté du geste fait que, dans son ensemble, le monde devient plus, et non moins, acceptable.

Le souci, sentiment humain indéracinable, soulagera ceux qui ont parents ou enfants, amant ou femme, camarade ou ami. Mais qui aidera ceux qui ne connaissent personne, les étrangers – c'est-à-dire les mêmes, mais en d'autres circonstances, car nous sommes tous, en puissance, des étrangers, des inconnus abandonnés ? Pour ceux-là, le souci des êtres qui les aiment ne suffit pas.

Activité de l'esprit

Expériences esthétiques et intellectuelles

Dans son récit de la vie aux camps, Viktor Frankl rapporte que, transférés d'Auschwitz à Dachau, les détenus font soudain la découverte d'une nouvelle expérience. « Il arrivait, tel soir où nous étions couchés sur le sol en terre battue de la baraque, morts de fatigue après le travail de la journée, nos gamelles de soupe entre les mains, que, tout d'un coup, un camarade entre en courant, pour nous supplier de sortir sur la Place d'Appel, uniquement pour ne pas manquer, malgré notre épuisement et malgré le froid du dehors, un merveilleux coucher du soleil ! » (76). La nature est plus belle à Dachau qu'à Auschwitz, et les conditions de vie, malgré tout, un peu moins insoutenables ; cela suffit pour que renaisse une expérience jusqu'alors oubliée : la contemplation et l'admiration de la nature. Evguénia Guinzbourg se souvient aussi du jour où on l'a conduite au tribunal, après la longue détention préventive. Elle devra y entendre sa condamnation – peut-être à mort ; mais, au lieu d'y penser dans l'angoisse, elle est tout émerveillée de revoir, furtivement, le monde extérieur. « Par-delà les fenêtres se dressent de grands arbres sombres ; j'entends avec émotion le murmure secret et frais des feuilles. Je crois l'entendre pour la première fois. Que ce bruissement des feuilles me touche ! » (I, 164).

On sent, à lire de tels passages, que cette expérience – on pourrait la dire esthétique – représente non seulement un plaisir pour celui qui l'éprouve, mais aussi une élévation morale : l'esprit quitte ses préoccupations immédiates, utilitaires, pour contempler la beauté ; et, par là même, il s'embellit lui aussi. Il serait donc possible d'ajouter à la dignité et au souci une troisième vertu quotidienne, qui n'était qu'à peine effleurée dans le récit d'Edelman sur l'insurrection du ghetto ; je l'appellerai l'activité de l'esprit, non pour l'opposer à celle du corps, mais pour disposer d'un seul terme désignant deux actions qui, en elles-mêmes, sont étrangères à la morale : la recherche du vrai et celle du beau. Cette activité n'est pas réservée aux seuls professionnels de l'esprit, savants ou artistes ; elle est accessible à tous.

Dans certaines conditions, en particulier en prison, on peut lire des livres. On est prêt à payer cher pour les obtenir : Charlotte Delbo achète un *Misanthrope*, dans la collection des Petits Classiques Larousse, contre une ration de pain d'un jour. L'effet de la lecture est alors très puissant et, a-t-on l'impression, indépendant du contenu particulier du livre, pourvu que la qualité d'écriture s'y prête. L'important n'est pas tel ou tel message, mais l'existence même de la beauté qu'incarnent ces livres et l'expérience de liberté de l'esprit qu'on éprouve en entrant en communication avec les créateurs et, par là même, avec l'universel. Un jeune communiste, Kostylev, découvre par hasard dans la bibliothèque quelques romans français, *L'Éducation sentimentale*, *Adolphe* ; leur lecture l'influence à un tel point qu'il commence à négliger ses obligations de membre du Parti ; il est arrêté peu après. Il ne le regrette pas : « Si j'ai jamais su, même pendant un court moment, ce qu'était la liberté, ce fut en lisant ces vieux livres français. » Herling, qui raconte cette histoire (95), décrit à son tour l'effet foudroyant qu'exerce sur lui la lecture des *Souvenirs de la maison des morts* de Dostoïevski, découvert dans les camps de Vologda.

Quand les livres sont absents, on peut essayer d'y suppléer par un effort de la mémoire (comme dans *Farenheit 451* de Bradbury). Guinzbourg connaît par cœur d'innombrables poètes, de Pouchkine à Pasternak, et ne manque pas une occasion de les réciter, suscitant l'affection de ses auditeurs. Une scène est particulièrement mémorable. Dans le train qui la conduit en Sibérie, Guinzbourg récite des poèmes à ses compagnes pour les distraire. Un gardien entre : il a entendu de la lecture, or les livres sont interdits. Guinzbourg l'assure qu'elle récite de mémoire, mais il a du mal à la croire et lui lance ce défi : « Si tu lis une demi-heure sans livre, sans t'arrêter, je te croirai. Si tu n'y parviens pas, tout le wagon au cachot jusqu'à Vladivostok » (I, 283). Le wagon retient son souffle : aura-t-il à payer pour son expérience esthétique ? Nouvelle Shéhérazade, Guinzbourg sourit et commence à réciter *Eugène Onéguine*... Une demi-heure plus tard, on lui apporte de l'eau pour s'humecter la gorge ; et elle continue. Le pari est gagné et tous, récitante et auditrices, sentent qu'elles ont emporté une petite victoire sur le mal environnant. Guinzbourg croira en cette forme de résistance jusqu'à la fin de son enfermement : « Mon instinct me disait que, même si mes jambes tremblaient, même si mon dos se cassait sous le poids des brancards surchargés de pierres brûlantes, tant que la brise, les étoiles et la poésie continueraient à m'émouvoir, je resterais vivante » (I, 325).

Primo Levi a ressuscité, dans un chapitre de *Si c'est un homme*, une autre scène singulière de récitation de poésie. Détenu à Auschwitz, il enseigne l'italien à son ami Jean le Pikolo, en échange de leçons de français : cette activité intellectuelle crée déjà un îlot de liberté au milieu de la misère ambiante. Mais Levi est saisi d'une idée plus ambitieuse : il décide de faire entendre à son ami la musique de Dante et commence à lui réciter la scène du voyage d'Ulysse, au chant XXVI de *L'Enfer*. Même s'il n'a rien d'un connaisseur de poésie, Pikolo comprend l'importance de la scène : « Il a senti que ces paroles le concernent, qu'elles concernent tous les hommes qui souffrent, et nous en particulier » (149). Quant à Levi, il éprouve intensément le besoin de poursuivre cette récitation, et il est prêt à donner tout – c'est-à-dire, par exemple, du pain et de la soupe – pour pouvoir retrouver quelques vers manquants. « Il est absolument nécessaire et urgent qu'il écoute, qu'il comprenne [...] avant qu'il ne soit trop tard ; demain lui ou moi nous pouvons être morts, ou ne plus jamais nous revoir » (151). Et si cela était, les vers de Dante auraient habité une conscience humaine de moins, un moment d'élévation spirituelle n'aurait pas eu lieu et le monde perdrait une parcelle de sa beauté.

Tous n'ont pas partagé les sentiments de Levi. Dans ses réflexions sur Auschwitz, Jean Améry, qui a pourtant été enfermé dans le même secteur de Monowitz et qui a, croit-il, dormi dans la même baraque que Levi, a gardé l'impression que d'être un intellectuel ou un écrivain (ce qui était son cas), un professionnel de l'esprit donc, était un handicap, non un avantage : vous ne connaissiez aucun métier pratique, et votre savoir était inutile. Un jour, une strophe de Hölderlin remplit sa tête ; mais il ne se produit rien. « Le poème ne transcendait plus la réalité. Il n'en restait plus que des mots, des phrases : voilà, l'auteur dit telle ou telle chose, le kapo se met à brailler “à gauche, gauche”, la soupe est claire et les drapeaux claquent au vent. Si j'avais eu à mes côtés un camarade animé du même esprit que moi, et à qui je puisse réciter cette strophe, peut-être l'émotion poétique sous-jacente dans le psychisme aurait-elle jailli. Mais je n'avais pas ce camarade, ni à mes côtés, ni même quelque part dans le camp » (*Intellectuels*, 18). C'est pourquoi il en tire une conclusion désabusée : « Nous [c'est-à-dire les intellectuels détenus à Auschwitz] avons acquis l'irrévocable conviction que l'esprit, dans une très large mesure, s'avère un jeu [...]. Ainsi avons-nous perdu une bonne part de notre superbe et de nos orgueilleuses illusions métaphysiques, mais aussi bien des joies naïves devant les pouvoirs de l'esprit » (32).

Mais peut-être Améry lui-même était-il responsable, dans une large mesure, de cette impression : intellectuel professionnel, il cherchait à établir une relation de haut niveau avec un pair, pour pouvoir jouir des beautés de l'esprit. Or Pikolo n'en était pas un, ni du reste Levi : celui-ci n'est à l'époque qu'un étudiant en chimie qui aime la littérature. C'est peut-être parce que Levi éprouve l'esprit comme une vertu quotidienne, et non pas réservée aux êtres d'élite, qu'il parvient à garder sa foi en lui, et à en préserver l'efficacité.

Quand la mémoire ne permet pas de restituer les livres eux-mêmes, les conversations les évoquant peuvent jouer un rôle de substitution. Herling prend, au camp, des « leçons » de littérature française avec un vieux professeur, Boris N. : occasion, pour tous deux, de discuter passionnément de sujets lointains et abstraits, étrangers à la vie qu'ils sont obligés de mener. Milena Jesenska et Margarete Buber-Neumann se ménagent des rendez-vous secrets, où elles parlent, non de plans d'évasion, mais de Kafka, de littérature, d'art. « Pour le prisonnier, l'esprit constitue une île, petite mais sûre, au beau milieu d'une mer de misère et de désolation » (*Ravensbrück*, 84).

Beaucoup moins fréquente que l'attitude de communion avec la beauté, que l'on peut adopter aussi bien à l'égard de l'art que de la nature, ou même que l'attitude intermédiaire de l'interprète-récitant, est celle de l'écrivain lui-même. Les raisons en sont évidentes : les camps ne sont pas un lieu propice à la création. Pourtant, c'est au sein de cette vie que les futurs écrivains préparent leur œuvre, souvent de façon tout à fait consciente. Guinzbourg, Levi savent que, s'ils survivent, ils essaieront d'écrire. Comme le dit Etty Hillesum qui, elle, ne survivra pas : « Il faut bien qu'il y ait un poète dans un camp, pour vivre en poète cette vie-là (oui, même cette vie-là !) et pouvoir la chanter » (I, 221). Le poète juif polonais Leon Staf, qui a vécu dans le ghetto de Varsovie, écrit aussi : « Encore plus que du pain, nous avons maintenant besoin de poésie, à une époque où justement cela paraît superflu » (Suhl, 122). Il y aurait autrement un appauvrissement irrémédiable du monde.

Ce qui est vrai du langage et de la littérature l'est aussi, même si c'est à un degré moindre, des autres arts. Milena et Margarete trouvent une image de Bruegel dans un journal et aussitôt la découpent pour l'accrocher au mur ; elles y voient, et à juste titre, « une protestation contre notre condition de détenues » (*Ravensbrück*, 84). Les artistes, eux, méritent encouragement : Milena vole et ment pour permettre à Miszka, une jeune femme peintre polonaise, de pouvoir continuer à dessiner (*Milena*, 217). De même pour la musique : Micheels ne peut oublier les pièces de Bach jouées à Auschwitz par un violoniste. « Le contraste entre la pureté de sa musique et notre propre misère semblait imprégner chaque phrase d'une profondeur spéciale. L'horreur de notre situation rendait la beauté de la vie d'autant plus poignante et précieuse » (56). Laks et Coudy, musiciens eux-mêmes, se souviennent : « Nous sommes redevenus des hommes normaux pendant les courts instants que dure la musique que nous écoutons dans un recueillement religieux » (185). Il en va de même pour ceux qui jouent : « En moi chaque morceau se déroule souplement, les mesures s'enchaînant aux mesures [...]. J'ai tout oublié, je suis heureuse » (Fénelon, 164). « La symphonie s'élève majestueuse, elle nous emporte, et c'est merveilleux » (165). Il ne s'agit pas seulement du pouvoir d'évasion de la musique (évasion momentanée et illusoire), mais du sentiment qu'on fait vivre un peu plus de beauté dans le monde et qu'à travers elle on participe soi-même de l'universel.

L'expérience esthétique est l'une des formes de l'activité de l'esprit ; une autre, qu'on sent lui être étroitement apparentée, est la compréhension et la connaissance du monde. Ces dernières sont, certes, importantes pour la survie même de l'individu ; de plus, elles sont une condition préalable à tout combat politique contre les camps. Mais cette compréhension peut aussi être liée d'emblée à un projet créateur, celui d'une explication du monde à travers une œuvre ; donc d'une activité de l'esprit. On se dit alors qu'il faut établir la vérité non seulement parce que cela vous aidera à survivre ou aidera d'autres à combattre un système détestable, mais aussi parce que l'établissement de la vérité est un but en soi. Guinzbourg, qui a bien compris les deux premières fonctions de son effort de mémoire, a su aussi formuler la troisième. « La vérité n'a pas besoin d'être justifiée par l'adéquation à un objectif supérieur. Elle est *la vérité*, tout simplement. Elle doit être servie, et non servir » (II, 497). Les détenus des camps ont vécu une expérience extrême ; c'est leur devoir devant l'humanité que de lui rapporter, en toute honnêteté, ce qu'ils ont vu et éprouvé, car il y a pour elle un enrichissement même dans l'expérience la plus horrible ; seul l'oubli définitif appelle le désespoir. Du point de vue non plus de soi mais de l'humanité (que chacun peut emprunter à son tour), une vie n'est pas vécue en vain s'il en reste une trace, un récit s'ajoutant aux innombrables histoires qui font notre identité, et contribuant de la sorte, ne serait-ce que dans une infime mesure, à rendre ce monde plus harmonieux et plus parfait. Tel est le paradoxe de cette situation : les récits du mal peuvent produire le bien.

C'est pourquoi les mourants demandent aux survivants : souvenez-vous de tout et racontez-le ; non seulement pour combattre les camps mais aussi pour que notre vie, ayant laissé une trace, conserve un sens. Gradowski met en tête de son manuscrit : « A celui qui découvrira ces écrits ! J'ai une requête à vous faire. Voici la véritable raison pour laquelle j'écris : que ma vie maudite puisse revêtir un sens, que mes journées infernales et mes lendemains désespérés puissent trouver leur utilité dans l'avenir » (Roskies, 548). En parlant de soi, on contribue à établir la vérité du monde. A l'intérieur d'une famille doit survivre au moins un membre : non pour qu'il en perpétue l'identité biologique, mais pour que la famille tout entière ne disparaisse pas sans laisser de trace. Il faut se maintenir en vie non pour la vie elle-même, mais en tant que support de la mémoire, en tant que récit possible. Marek Edelman se souvient aussi : « On avait tellement peur de passer inaperçus, peur de disparaître derrière sans qu'on remarque notre existence, notre combat, notre mort... Que le mur soit si épais que rien, aucun bruit ne le traverse » (71).

En observant, en gardant dans la mémoire, en transmettant cet acquis aux autres, on combat déjà l'inhumanité. « Comprendre, écrit Germaine Tillion, est une profonde vocation de notre espèce, une des visées de son émergence dans l'échelle de la vie » (II, 186). Savoir, et faire savoir, est une manière de rester humain. Cette action a donc aussi une dimension morale. En quoi consiste-t-elle ? Ce n'est pas que l'individu s'améliore lui-même en s'adonnant à une activité spirituelle, mais qu'un monde plus intelligible est un monde plus parfait ; y contribuer, c'est viser au bien de l'humanité.

Esprit et morale

Que le plaisir esthétique, de réception ou de production, que l'effort intellectuel de compréhension, bref, que l'activité de l'esprit possède en elle-même une vertu morale n'est pas une affirmation qui va de soi. On serait plutôt enclin à voir là deux attitudes indépendantes, voire opposées. Borowski décrit ainsi ce qui lui apparaît comme un dilemme existentiel : « Un homme enfermé dans le ghetto ferait-il mieux de sacrifier sa vie afin de fabriquer de faux dollars pour acheter des armes et faire des grenades avec des boîtes de conserve, ou bien ferait-il mieux de s'évader du ghetto, passer de l'autre côté [aryen], se sauver la vie et devenir ainsi capable de lire les *Epinicae* de Pindare ? » (*This Way*, 172). La femme qui formule cette alternative a choisi la seconde voie – c'est-à-dire, semble-t-il, l'art et l'esprit plutôt que la morale et la politique. Pourtant, les témoignages des survivants disent autre chose : c'est que les deux ne s'excluent pas mutuellement. Tout en étant des actes esthétiques, ces séances de récitation, ces concerts de Bach à Auschwitz étaient aussi des actes moraux, parce que, en rendant le monde meilleur qu'il n'avait été auparavant, ils amélioraient aussi ceux qui y participaient.

Lorsque Etty Hillesum décide de croire en sa vocation d'écrivain, elle ne choisit pas l'esthétique désintéressée contre le souci pour les êtres. Elle se dit, avec raison : « Je devrai me retirer d'une petite communauté pour pouvoir m'adresser à une autre, plus vaste » (I, 198). On a vu aussi Levi conscient de ce que les paroles de Dante « concernent tous les hommes qui souffrent ». Ces lecteurs ou auditeurs ne sont pas directement « secourus » par la littérature et n'ont pas à l'être : les livres ne sont pas des pansements ; mais, touchés par la beauté de l'art, ils en seront élevés. Et les récits issus de ces expériences dans les camps, de Hillesum comme de Levi, de Guinzbourg ou de Charlotte Delbo, et aussi de Borowski, valent en tant qu'actes moraux, non seulement parce qu'ils apportent un témoignage ou servent le combat politique, mais aussi parce qu'ils contribuent à nous dévoiler, à nous, leurs lecteurs, la vérité du monde, et donc à l'améliorer. La recherche de la vérité nourrit la morale.

On pourrait opposer cependant à cette affirmation des exemples tout aussi nombreux, prouvant qu'on peut cultiver l'esprit sans nullement faire de cette activité une vertu. Albert Speer ne peut s'empêcher d'éprouver une jouissance esthétique à regarder les bombardements de sa propre ville : « Du haut de la tour de la Flak les raids sur Berlin offraient un spectacle dont le souvenir ne peut s'effacer et il fallait constamment se rappeler le visage atroce de la réalité pour ne pas se laisser fasciner par cette vision. [...] C'était une grandiose vision d'Apocalypse » (409). Qu'y a-t-il de moral dans cette contemplation ? Ou dans l'acte qui permet à Speer de réaliser ses rêves architecturaux ? Ce qu'il désire, c'est produire de la beauté, c'est-à-dire, en pratique, construire des bâtiments à son goût. Mais le marché est limité, la concurrence sévère et tout ce qu'il trouve comme commande, dans la première année de son activité professionnelle, c'est la réfection d'un étage dans l'un des bâtiments appartenant à son père. A ce moment, le Premier ministre lui demande de devenir son architecte en titre. « N'ayant même pas trente ans, j'avais devant moi les perspectives les plus excitantes dont aurait pu rêver un architecte » (47). Ce désir est compréhensible, pour ne pas dire légitime. « L'œuvre, croyais-je à l'époque, que j'étais en train d'accomplir me mettrait au rang des plus célèbres architectes de l'Histoire » (182). Il s'identifie complètement à cette tâche, cinq années durant.

Son commanditaire ne s'appelait pas moins Hitler, et pendant que Speer rêvait à une renaissance de l'Antiquité, son pays absorbait les uns après les autres les États européens voisins. Mais n'est-ce pas ainsi déjà, soupire Speer, que Faust vendit son âme à Méphistophélès ? A Treblinka, Stangl aimait se promener parmi les futures victimes sur un cheval blanc, ceint d'une veste taillée sur mesure pour lui : doit-on se réjouir de ce sens de la beauté ?

(Dans les premiers mois après la prise du pouvoir par les communistes en Bulgarie, en 1944, ils massacrent des dizaines, peut-être des centaines de milliers de personnes (il n'y a pas de décompte officiel) : d'anciens fascistes, des policiers compromis dans la répression des résistants, mais aussi ceux dont ils veulent se débarrasser pour une raison ou une autre. Ce sont, en particulier en province, les notables locaux ou les représentants de l'intelligentsia : les maîtres d'école, les avocats, les journalistes, tous ceux qui auraient pu disposer d'une autorité indépendante de celle qu'octroie le nouveau pouvoir. Les victimes sont enlevées sans jamais être jugées, conduites dans les bois environnants et exécutées à coups de hache ou de crosse, puis sommairement enterrées. Pendant ces mêmes mois, mon père ne devait pas se sentir de bonheur : enfin il trouvait des interlocuteurs qui semblaient comprendre sa passion, les besoins des bibliothèques en Bulgarie. Il se lançait donc avec enthousiasme dans la construction de la nouvelle Bibliothèque nationale. Il se souvient aujourd'hui que quelques amis rencontrés à

l'époque lui disaient : « Vous avez la tête dans les nuages et ne semblez pas voir ce qui se passe sur terre, autour de vous ! Vous ne pensez qu'à vos bibliothèques ! Mais cela vaut peut-être mieux pour vous... »)

Le détenu Micheels est transporté par l'écoute de la musique. Mais il n'est pas le seul. La *Lagerführerin* du même camp, Maria Mandel, a un faible particulier pour l'air de *Madame Butterfly*, dans l'opéra de Puccini ; elle vient dans la baraque des musiciennes à toute heure du jour et de la nuit et demande qu'on le lui chante ; elle en est, à chaque fois, émerveillée. Josef Kramer, commandant de Birkenau, partage les inclinations musicales de Mandel et encourage les activités de l'orchestre féminin dans ce camp. Son morceau préféré à lui, c'est la *Rêverie* de Schumann ; il l'écoute avec la plus grande attention. « Il s'abandonne à sa tendre émotion et laisse agréablement rouler, sur ses joues soigneusement rasées, des larmes précieuses comme des perles » (Fénelon, 147). Mandel et Kramer absents, c'est le Dr Mengele qui se révèle le plus fervent mélomane. « Des hommes qui aiment tant la musique, des hommes qui pleurent en l'écoutant, sont-ils capables de faire tant de mal, de faire du mal tout court ? » se demande un membre de l'orchestre masculin d'Auschwitz (Laks et Coudy, 158). Hélas, oui. Et Fania Fénelon, qui est transportée par la musique qu'elle joue, n'est pas non plus la seule à l'être : dans les bureaux de la Sécurité d'État, à Berlin, on a aménagé une pièce pour la musique et on l'a garnie d'instruments ; un certain Adolf Eichmann vient y pratiquer régulièrement le violon, accompagné au piano par son camarade SS Bostramer : de la musique de chambre romantique.

Les musiciennes d'Auschwitz ne sont du reste pas dupes de cette situation, et elles ont du mal à se laisser toujours aller au bonheur procuré par l'exécution de la musique. Celle-ci sert à accélérer les pas des détenues, à distraire les gardiens de leurs soucis ou à leur donner bonne conscience. Faire de la musique, c'est se sentir libre, inciter à la joie : cela est-il encore vrai à l'ombre des cheminées des crématoires ? « La musique, c'est vraiment à Birkenau la meilleure et la pire des choses. La meilleure : elle dévore le temps, procure l'oubli, à la manière d'une drogue, on en sort abruties, lessivées... La pire, parce que notre public, ce sont eux : les assassins, ce sont elles : les victimes... et entre les mains des assassins ne devenons-nous pas à notre tour des bourreaux ? » (Fénelon, 189). Cette ambiguïté (où pourtant la « meilleure des choses » n'est pas vraiment très bonne) est familière à tout habitant des pays totalitaires : le pouvoir y flatte les artistes et les entretient (toutes proportions gardées) généreusement, parce que leurs productions, si belles soient-elles, ne le menacent pas – tant que ces artistes ne deviennent pas des dissidents. Et pourquoi, enfin, s'en tenir aux pays totalitaires seulement ? Le thème de la beauté du crime, de l'assassinat considéré comme un des beaux-arts, du dandy qui veut que sa vie soit réglée par les lois de l'esthétique et non par celles de l'éthique, est solidement installé en Europe depuis le début du XIXe siècle. « Le lien entre esthétisme et crime est bien connu : le fait d'être éminemment sensible aux valeurs artistiques peut vous rendre particulièrement insensible aux valeurs éthiques » (Kahler, 77).

Il en va de même pour les praticiens de la science. Tout comme les créateurs sont heureux de disposer des moyens nécessaires pour mener à bien leurs projets, les savants se réjouissent de ce qu'on leur demande de se surpasser : les grands scientifiques allemands bénissent le règne de Hitler, particulièrement généreux à leur égard. Heisenberg est encouragé à poursuivre ses recherches sur la fission de l'atome, Werner von Braun, celles sur les missiles à longue portée : quel autre gouvernement aurait mis autant de millions de marks à leur disposition ? L'esprit est en pleine effervescence ; mais l'éthique n'y trouve pas son compte. La science n'est-elle pas, en elle-même, entièrement étrangère à la morale, puisque obéissant à la seule pulsion de connaître ? Et chacun de nous n'est-il pas capable de citer des exemples prouvant que l'intelligence ne produit pas automatiquement la bonté ? C'est là une banalité, au moins depuis Rousseau : l'épanouissement des arts et des lettres ne contribue pas forcément à l'amélioration des mœurs, la grande intelligence même n'entraîne pas toujours une haute moralité. Toutes les plaidoiries récentes en faveur de la culture, avatars plus ou moins conscients du projet des Lumières, semblent bâties sur l'oubli de cette mise en garde : l'accroissement de la culture n'a pas d'effets automatiques sur la morale. L'activité de l'esprit peut conduire à l'opulence matérielle ; elle n'empêche pas notre fragilité morale.

Ces arguments sont puissants, et pourtant on ne peut renoncer non plus à l'affirmation contraire, celle de l'effet d'élévation de l'activité spirituelle. Il s'impose donc non de choisir entre les deux thèses, mais de préciser leurs champs d'application et la hiérarchie qui s'établit entre elles.

Ce qui caractérise les actes émanant des vertus quotidiennes, c'est qu'ils sont toujours adressés à des êtres humains particuliers. Mais la nature de ces êtres varie. Dans le cas de la dignité, le destinataire des actes est le sujet lui-même ou, si l'on veut, sa conscience : il faut que mon action me vaille mon propre respect, que je me considère digne de moi-même ; je suis à la fois acteur et juge, même si, évidemment, les critères qui me permettent de me juger moi-même ne sont qu'un reflet intériorisé de l'opinion des autres, en dehors de moi. Dans le cas du souci, ce destinataire (ou bénéficiaire) m'est extérieur : c'est un ou plusieurs êtres que je connais individuellement. Enfin, l'activité de l'esprit s'adresse également à d'autres êtres, mais leur identité n'est plus en cause, et ils peuvent être beaucoup plus nombreux, comme le remarquait Etty Hillesum : l'écrivain n'écrit pas pour sa fille ou pour son père, mais pour une partie de ses compatriotes ou de ses contemporains (ou pour ceux qui viendront dans trente ans, etc.). Cependant, qu'on en soit ou non conscient, il faut que ce destinataire reste présent et que, même multiple, il s'identifie à des êtres humains particuliers, à des personnes, plutôt que de se diluer dans l'abstraction d'une « humanité » ou de l'« Homme ». Les vertus quotidiennes sont, en ce sens du mot, « personnelles », alors que les actions héroïques ne l'étaient pas nécessairement. L'activité de l'esprit, à son tour, est morale si elle vise au bien des individus auxquels elle s'adresse et cesse de l'être si elle a pour résultat la destruction et la mort : la mise au point d'armes performantes, même si elle demande de grandes qualités intellectuelles, n'est pas un acte moral.

Le versant passif de l'activité de l'esprit, la contemplation de la beauté ou la compréhension du monde qui ne conduisent à aucun projet créateur, semble avoir un peu plus de mal à entrer dans ce cadre. On a vu pourtant combien souvent les gestes qui en procèdent étaient dirigés vers les autres. Le détenu de Dachau ne se contente pas d'admirer seul le coucher du soleil ; il veut que ses camarades partagent sa joie. Milena n'est pas heureuse d'évoquer ses souvenirs littéraires pour elle-même : elle les vit en commun avec son amie. Il ne suffit pas au détenu Frankl de mieux comprendre l'univers des camps ; il souhaite que d'autres que lui participent à cette compréhension. Cette tendance à partager l'expérience spirituelle n'indique-t-elle pas que, même lorsque celle-ci est solitaire, elle est à situer dans un cadre de communication, car elle nous met en contact avec tous ceux qui auraient pu être à notre place ?

Cette interprétation des vertus quotidiennes permet, en passant, de comprendre pourquoi elles se répartissent en trois ensembles, plutôt qu'en deux ou cinq. Je ne suis parti d'aucun schéma préconçu : j'ai retenu et regroupé des actes qui, à la lecture de ces récits, me paraissaient illustrer l'une ou l'autre des vertus quotidiennes. Mais si j'examine après coup leur nombre et leurs relations, je m'aperçois qu'elles dépendent de la nature de leur destinataire ou, si l'on préfère, de la structure de l'intersubjectivité. Dans la dignité, le *je* s'adresse au *je* lui-même ; dans le souci, à un ou plusieurs *tu*, c'est-à-dire aux êtres avec lesquels s'établit un rapport de réciprocité et de conversion possible des rôles (c'est la forme de base de l'échange humain) ; enfin, l'activité de l'esprit s'adresse à des *ils* plus ou moins nombreux, mais qui restent anonymes et ne sont plus les membres d'un dialogue se déroulant au présent. En ce sens, il ne peut y avoir que trois vertus, autant que les personnes de la conjugaison verbale. Cela suggère une double relation entre éthique et communication : celle-ci fournit à celle-là à la fois le contenu de son idéal (l'universalité est l'horizon ultime de la communication) et le cadre de ses manifestations.

Hiérarchie des vertus

Quelle hiérarchie les vertus quotidiennes forment-elles entre elles ? Cette question n'a pas de réponse simple, car celle-ci dépend du point de vue auquel on se place. Si je choisis la position du sujet lui-même, c'est la dignité qui me concerne le plus directement. Si je me mets dans celle de la communauté humaine dans laquelle je vis, c'est évidemment le souci qui prime sur les autres attitudes. Si enfin je me place du point de vue de l'histoire universelle, ou du monde comme un tout, l'activité de l'esprit a l'effet le plus durable : des siècles après leur mort, nous savons gré à Platon et Shakespeare d'avoir rendu le monde plus beau et plus intelligible qu'il ne l'était. Et cette activité s'adresse à tous, alors que le souci ne concerne que quelques-uns, et la dignité, le sujet seul. Cette diversité des hiérarchies n'est pas fortuite : le sujet ne saurait avoir les mêmes intérêts que la communauté, qui à son tour ne se confond pas avec l'univers tout entier. Mais on peut dire aussi que le souci coïncide dans sa définition même avec l'attitude morale (les personnes y sont la fin de nos actions), alors que dans l'activité de l'esprit cette interpellation de la personne est facultative et que la dignité peut être étrangère au bien du sujet ; c'est pourquoi, on l'a vu, dans ces deux cas on franchit facilement la frontière de la moralité.

Cependant la pratique mélange ce que l'analyse sépare. Ma conscience est une intériorisation du discours des autres : le *je* est formé par les *ils*. Le souci dont je témoigne pour mes proches me confirme, à mes propres yeux, dans la dignité. Et l'activité de l'esprit s'adresse souvent à un *tu*, à notre compagnon de vie, avant de chercher des *ils* incertains. On ne saurait cultiver une seule vertu au détriment des autres, et aucune recette préliminaire ne nous apprendra comment choisir en cas de conflit.

Les conflits existent, pourtant (et non seulement les accords ou les transformations d'une vertu en l'autre), et nous avons intérêt à les connaître. Plaçons-nous, pour cela, sur le terrain du souci. Si on prend soin des autres, c'est, au moins en partie, pour satisfaire à ses propres critères du bien ou, comme on le dit aussi, par devoir; et si on se soucie des autres, on peut en concevoir une satisfaction intérieure : l'accord entre souci et dignité est donc bien possible. Mais, comme Kant le savait déjà, ces deux vertus peuvent aussi s'opposer, car la dignité est avant tout liberté, alors que le souci est une limitation de cette liberté : dès que je reconnais que d'autres que moi doivent être la fin de mes actions, je ne suis plus entièrement libre. Bettelheim se réfère au même conflit inévitable par les termes d'autonomie et d'intégration : mouvements opposés, et pourtant aussi indispensables à l'individu l'un que l'autre.

Prenons un exemple bien terre à terre. Une fermière hollandaise qui cache des juifs pendant la guerre décrit les conflits qui naissent devant les toilettes dans sa maison. Les refugiés qui s'en servent sont au nombre de six; cela exige l'établissement d'un emploi du temps – tant de minutes par personne – et une certaine ponctualité. Parfois tout se passe bien; mais d'autres fois de petits retards s'accumulent, de sorte que la sixième personne prend son tour vingt minutes plus tard que prévu. Ces retards ne sont pas « naturels » ; ils résultent plutôt de ce que c'est là le seul moment de la journée où il devient possible aux refugiés d'enfreindre des règles, d'exercer leur liberté, et donc de retrouver la dignité. Mais ceux qui doivent attendre interprètent évidemment les mêmes actes comme un manque d'attention et de souci à leur égard (Stein, 236).

Ce conflit particulier pourrait être résolu, s'il était possible d'exercer un minimum de liberté en dehors de ces situations d'interaction; simplement, dans des circonstances extrêmes, la chose n'est pas toujours réalisable. Mais il se reproduit aussi en des circonstances bien moins dramatiques : qui n'a pas connu de ces êtres dont la vie se passe en soucis pour les autres – les mères qui ne cessent d'être épouses et filles pour autant – et qui en conçoivent une grande amertume, car elles ont l'impression de se négliger elles-mêmes, et donc de manquer de dignité ? A cet égard, il est peut-être possible de formuler une règle de préséance : le souci est un acte moralement supérieur mais seulement dans la mesure où il n'entame pas la dignité de la personne qui le pratique.

Le souci et l'activité de l'esprit peuvent également entrer en conflit. On pourrait partir ici du destin d'Alma Rose, le chef de l'orchestre féminin d'Auschwitz. Alma préfère la perfection de la musique au bonheur de ses musiciennes ; cette perfection est devenue pour elle un but en soi, et peu lui importe à qui s'adresse cette activité ; c'est pourquoi on ne peut plus parler de vertu ici, quotidienne ou autre. Avant la guerre, se souvient Alma, « les histoires d'arrestations, de déportations se passaient loin, si loin de moi. Elles ne me touchaient pas, ne m'intéressaient pas. Pour moi, seule comptait la musique » (Fénelon, 172). A la fin de sa vie, elle déclare encore : « Mourir n'a pas d'importance, c'est faire de la musique qui en a, de la vraie » (298). Une fois au camp, elle se dévoue de nouveau à la pratique musicale, et les défauts de ses musiciennes sont alors autant d'obstacles à surmonter ; la musique est sa fin, non les êtres. Alma hurle, gifle, punit et se justifie : « Ici ou ailleurs, ce que l'on fait doit l'être bien, ne serait-ce que par respect de soi » (184). On voit comment l'activité de l'esprit peut engendrer un sentiment de dignité (c'est celui qui provient de la conscience d'un travail bien fait), tout en négligeant les intérêts des individus. Après sa mort, les SS rendent un émouvant hommage à Alma : ils s'inclinent, en pleurant, devant la dépouille de cette juive, recouverte de fleurs blanches.

Le thème de l'artiste égoïste est, lui aussi, bien antérieur aux expériences des camps. Les beaux vers justifient-ils la souffrance des proches du poète ? Tout dépend, d'abord, de savoir si l'on choisit le point de vue de l'histoire mondiale ou celui de la communauté humaine. Bettelheim évoque le cas du neveu de Beethoven, dont la vie a été anéantie par l'oncle génial, et remarque : « Même s'il en résulte des œuvres de grande valeur, les proches de l'artiste risquent d'être détruits en cours de route » (*Cœur*, 56). Du point de vue moral, les deux ne sont pas à mettre sur le même plan. C'est pourquoi je ne peux suivre ici Frankl qui, formulant l'exigence de trouver un sens à sa vie, ne voit pas de différence dans la nature du but poursuivi. « *Être humain* signifie toujours *pointer vers*, se diriger vers quelque chose au-delà de soi, ou bien une cause à servir, ou bien un être à aimer » (170). Or la différence est grande entre les deux cas ainsi évoqués, et l'on ne reste pas également humain dans l'un et dans l'autre. Comme pour les relations entre dignité et souci, on pourrait formuler ici une règle : l'activité de l'esprit est admirable mais ne justifie pas la transformation de ceux qui entourent le créateur en instruments, et donc la perte de leur dignité. Pour citer encore une fois Orwell : « Si Shakespeare revenait demain sur cette terre, et si on trouvait que son passe-temps favori consistait à violer les petites filles dans les compartiments de chemin de fer, nous ne lui dirions pas de suivre ses goûts dans l'espoir qu'il nous donnerait peut-être un deuxième *Roi Lear* » (133).

Dans les camps, la vie des artistes et des savants vaut exactement autant que celle des êtres les plus insignifiants : toute vie en vaut une autre. Pendant l'insurrection du ghetto de Varsovie, plusieurs personnes cherchent à protéger particulièrement le poète Kacenelson. « Nous désirions ardemment qu'il survécût pour pouvoir, en qualité de témoin oculaire, raconter la vérité », se souvient Cyvia Lubetkin (Borwicz, 59). On comprend le sens de cet acte de la guerre parallèle, celle de la mémoire ; mais Kacenelson (qui du reste ne mourra pas à ce moment) « refusa absolument de se cacher » : il n'accepte pas de survivre à la place d'un autre être, sous prétexte qu'il serait plus précieux en tant que poète. Primo Levi, lui, est scandalisé quand, quelque temps après la guerre, un visiteur lui suggère qu'il a survécu à Auschwitz parce que Dieu a voulu qu'il en raconte l'histoire. « Cette opinion me parut monstrueuse [...] : je pourrais être vivant à la place d'un autre, aux dépens d'un autre ; je pourrais avoir supplanté, ce qui signifie en fait tué, quelqu'un » (*Naufragés*, 81). Il n'y aurait ensuite qu'un pas à faire jusqu'aux pratiques tant contestées de Rudolf Kastner, le dirigeant de la communauté juive hongroise pendant la guerre, qui accepte le sacrifice des juifs « ordinaires » pour pouvoir sauver quelques juifs « importants » (en fait, personnes riches ou membres de sa propre famille). L'activité de l'esprit, pas plus que l'argent, ne rend un être plus digne de vivre qu'un autre, même si l'Histoire retient le nom des poètes et des savants de préférence à celui des personnes qui leur apportent du thé dans leur chambre ou recousent leurs boutons.

Vertus quotidiennes et héroïques

On peut maintenant revenir à la confrontation globale des vertus quotidiennes avec les vertus héroïques. Je résume ce qui précède : les vertus héroïques classiques (puissance, courage, loyauté, etc.) peuvent devenir indispensables en cas de crise grave, de combat à vie et à mort, de révolte ou de guerre ; il y a des guerres justes, et l'on peut avoir besoin de héros pour les gagner. Mais, même dans ces situations extrêmes, l'héroïsme est facilement perverti lorsqu'on oublie que les actes héroïques doivent avoir pour destinataires les hommes plutôt que d'être accomplis en vue de l'héroïsme lui-même. Le héros qui se sacrifie pour sauver sa ville a un mérite différent de celui qui le fait pour la beauté du geste. Hors de ces situations extrêmes, l'héroïsme classique n'a plus de justification, en tous les cas dans les États démocratiques modernes. Et il est vrai que les vertus qui en relèvent y dépérissent. Mais elles se transforment en ce que j'appelais l'héroïsme moderne : la rage de gagner, la course au succès, le besoin de l'« emporter » à tout prix. Or, quelle que soit la valeur de ces qualités pour la réussite de la politique, de l'économie ou de la recherche, leur valeur morale est nulle.

Les vertus quotidiennes (dignité, souci, activité de l'esprit) sont, elles, appropriées au temps de paix. Mais de surcroît, elles ne sont pas déplacées en temps de guerre et de détresse, comme en témoignent tous les exemples concernant la vie dans les camps – si l'on veut non seulement emporter la victoire mais aussi rester humain. Et, une fois la guerre terminée, les héros rentrent à la maison ; pour ne pas sombrer dans la folie, la délinquance ou la drogue, ils ont besoin de sentir qu'ils n'ont pas bafoué tout ce qu'ils devaient respecter avant de partir. « On ne fait pas la guerre (ou la politique) avec de bons sentiments », aiment dire les chefs d'État « pragmatiques ». Mais, si on oublie tout sentiment humain, on est assuré de perdre – sinon la bataille, en tous les cas le combat pour la victoire du pays que l'on dirige. C'est pourquoi j'hésite à suivre ici Améry, qui, s'il reconnaît une certaine valeur à celui qui a simplement aidé un camarade plus faible, n'en place pas moins, très haut au-dessus de lui, celui qui s'est révolté : « Il était le héros absolu » (*Humanism*, 26). Sans doute ; mais les valeurs héroïques sont-elles nécessairement supérieures aux autres ?

Les différentes vertus quotidiennes ne sont du reste pas équivalentes à cet égard. Le souci implique, par définition, la prise en considération d'êtres individuels. La dignité et l'activité de l'esprit, elles, s'adressent bien à des individus (au *je* ou aux *ils*) ; mais ces individus peuvent n'être qu'un prétexte, qu'une convention. La dignité est remplacée alors par l'orgueil qu'on tire du travail bien fait, ce travail serait-il l'extermination de millions d'êtres humains, comme dans le cas de Hoess. Et l'activité de l'esprit ne se trouve plus adressée qu'à l'« humanité », ou à une autre abstraction comparable et se soumet d'autant plus facilement à la pure logique du succès, comme on l'a vu pour la recherche intellectuelle et artistique, qui peut aussi illustrer l'avatar moderne de l'héroïsme.

Cette alternative entre vertus héroïques et vertus quotidiennes n'est guère originale. On en trouve une formulation moderne (et populaire) dans la conférence de Sartre intitulée *L'existentialisme est un humanisme*. Sartre y raconte le cas d'un jeune homme venu lui demander conseil, pendant les années d'occupation allemande de la France. Le jeune homme hésite : doit-il rester auprès de sa mère, qui a déjà perdu son fils aîné à la guerre et dont le mari est devenu collaborateur ? Ou doit-il essayer de rejoindre les forces de la France libre, et se battre contre l'occupant allemand ? Sartre cherche à faire une double démonstration : d'une part, que l'essence ne précède pas l'existence, que les qualités humaines ne sont pas antérieures aux actes qui les manifestent ; et, d'autre part, qu'il est impossible de choisir entre ces deux possibilités au nom d'un principe moral quelconque : tout ce qu'on peut faire, c'est essayer d'éviter d'être dans l'erreur (manque d'information, faute de raisonnement) ou dans la mauvaise foi (manque de sincérité). Toute solution est bonne dès l'instant où on la choisit soi-même (autonomie), plutôt que de se soumettre aux impératifs d'une tradition ou à un déterminisme physique (hétéronomie). « Vous êtes libre, choisissez, c'est-à-dire inventez. Aucune morale générale ne peut vous indiquer ce qu'il y a à faire » (47). « Chaque fois que l'homme choisit son engagement et son projet en toute sincérité et en toute lucidité, quel que soit par ailleurs ce projet, il est impossible de lui en préférer un autre » (79). « La seule chose qui compte, c'est de savoir si l'invention qui se fait se fait au nom de la liberté » (86), etc.

Ce que Sartre apporte de neuf n'est pas l'alternative elle-même, mais l'affirmation selon laquelle ce n'est pas le contenu des choix qui doit nous faire préférer l'un ou l'autre terme mais l'attitude du sujet qui choisit. En effet, le dilemme se trouvait déjà formulé dans *L'Iliade*, à la fin du chant VI. Ce n'est pas un jeune étudiant qui s'y trouve confronté, mais Hector, le héros troyen. Au moment où il part pour la bataille, sa femme Andromaque l'arrête et le supplie de rester auprès d'elle et de leur jeune enfant Astyanax. Hector aime sa femme et son enfant, il dira même à une autre occasion que mourir pour les défendre, c'est choisir une mort glorieuse (XV, 496-7) ; mais il ne confond pas la fin et le moyen : le héros classique défend les faibles non en restant auprès d'eux, mais en partant se battre ; aussi Hector n'hésite-t-il pas un instant : « J'ai appris à être brave, en tout temps, et à combattre au premier rang des Troyens, pour gagner une immense gloire à mon père et à moi-même » (VI, 445-6). Les différentes vertus, pour Hector, se répartissent selon les sexes : « Allons ! rentre au logis, dit-il à sa femme, songe à tes travaux, au métier, à la quenouille, et donne ordre à tes servantes de vaquer à leur ouvrage. Au combat veilleront les hommes » (VI, 490-2). Le choix se fait donc bien ici par référence à un code extérieur (ce que refusait le héros sartrien) ; Hector n'est pas libre mais conforme à son idéal.

Pourtant, cet idéal ne règne pas sans partage sur la société antique, et Homère lui-même nous le suggère peut-être par le détail le plus curieux de cette scène déjà extraordinaire : lorsque Hector se penche pour embrasser Astyanax, l'enfant, effrayé par les armes de son père, se rejette en arrière en hurlant ; pour retrouver l'amour de son fils, Hector doit enlever son casque. *L'Énéide* reproduira la même scène, mais en en inversant l'issue. Lorsque, pendant le sac de Troie, Énée veut se lancer dans la bataille, sa femme Créüse essaie de l'arrêter, en lui montrant pour le convaincre leur fils Ascagne. Dans un premier temps, Énée penche pour l'attitude héroïque à l'ancienne ; mais, Jupiter lui ayant envoyé quelques signaux pour l'en détourner, il fait finalement un choix inverse à celui d'Hector : il charge son vieux père sur ses épaules, prend son fils par la main et, suivi par sa femme, s'enfuit dans la nuit (II, 673-729). Car si Énée est le beau-frère d'Hector, Virgile, lui, appartient à une époque différente de celle d'Homère, et il chante la gloire d'un fondateur de cité, non celle d'un pur guerrier. Une fois de plus, c'est la société (ou le destin) qui choisit pour l'individu – dont la volonté n'intervient pour ainsi dire pas.

Il est vrai que, dans le monde moderne, les deux systèmes de valeurs, vertus héroïques et vertus quotidiennes, existent côte à côte, et qu'on peut trouver des arguments convaincants en faveur de chacune des deux solutions. Est-ce à dire pour autant, comme le fait Sartre, qu'« il n'y a aucun moyen de juger » (86), et qu'il faut seulement exiger que le choix soit libre plutôt que d'être imposé de l'extérieur ? Les deux possibilités offertes au personnage sartrien sont estimables l'une et l'autre ; mais aurait-il suffi d'évoquer la liberté de choix si on prenait à la place l'exemple de Stangl, le commandant de Treblinka, qui hésitait entre le dévouement pour sa femme et son devoir à l'égard de la patrie (le bon fonctionnement du camp) ? Il est évident, alors que Sartre ne l'admettait pas, que nous ne pouvons faire entièrement abstraction de la nature du choix et nous en tenir à la seule attitude du sujet agissant ; l'authenticité, au sens de fidélité à soi, n'est pas une vertu, même si, Sartre a raison de le rappeler, dans l'optique moderne un acte n'est moral que s'il est libre, non imposé. Mais, même dans le cas du jeune homme hésitant, c'est un peu court de déclarer que les deux choix se valent. On ne peut le faire que si l'on décide d'ignorer délibérément tous les éléments du contexte pouvant faire pencher la décision dans l'une ou l'autre direction. C'est pourquoi je persiste à croire qu'il est juste, et non arbitraire, de désapprouver la décision d'Okulicki et d'adhérer à celle d'Anielewicz, même si tous deux optent pour la révolte et se réfèrent au même modèle de l'héroïsme classique.

Bien et bonté

Sartre suggère aussi une autre interprétation de la même alternative – non plus comme celle entre vertus quotidiennes et héroïques, mais comme celle entre « deux types de morale » (41) : l'une adressée à des individus, l'autre aux ensembles humains plus vastes ; l'une concrète, l'autre abstraite. Même si l'exemple choisi ne s'y prête pas très bien (la patrie est encore une instance particulière, son choix ne relève pas de la morale universelle), on peut supposer qu'il y a là une distinction éclairante entre, disons, la morale de sympathie et la morale de principes (certains parlent plutôt d'une morale « horizontale » et d'une autre, « verticale »). Le principe est une abstraction qu'illustre chaque cas particulier ; la sympathie, le sentiment éprouvé directement à partir de l'expérience d'autrui, que ce soit, comme dans le cas le plus fréquent, sous forme de compassion, où l'on aspire à la diminution de sa peine, ou de coréjouissance, provoquée par le spectacle de son bonheur.

Les exemples de contraste entre les deux, que je trouve dans les récits des survivants, ne les mettent pas cependant sur le même plan. Ella Lingens-Reiner raconte que, dans une baraque de l'hôpital, une jeune fille convalescente s'empare de la nourriture d'une moribonde ; le « vol » est découvert et son auteur puni par une corvée particulièrement harassante décidée par l'*Älteste* de la baraque, une communiste consciencieuse ; la jeune fille en meurt. « La *Lagerälteste* avait agi sur la base d'un principe moral conscient [...]. Elle avait souhaité préserver la loi de la décence. Mais sa détermination rigide, mesquine et crispée la rendait incapable de trouver le chemin de la simple bonté et de la tolérance humaines » (92). La même situation, pour ainsi dire, s'était déjà présentée dans un camp soviétique : Zimmerman, responsable au sovkhoze Elguen, à Kolyma, est une femme « honnête » ; du coup, elle est prête à punir le vol d'une pomme de terre par des châtiments qui équivalent à la mort.

Elle a donc « démoli et liquidé tant de gens avec un désintéressement absolu, au nom de ce qu'elle croyait le plus pur des idéaux » (Guinzbourg, II, 93). Buber-Neumann devient l'objet d'une intolérance semblable à Ravensbrück : elle n'a pas volé, il est vrai, mais a néanmoins transgressé le code moral de la cellule communiste, puisqu'elle prétend que les camps de concentration existent en URSS aussi ; du coup, elle est « ostracisée », ce qui risque de lui coûter la vie lorsqu'elle est atteinte d'une septicémie (*Ravensbrück*, 190-1).

La littérature décrivant les mœurs et les dilemmes des puritains nous a familiarisés avec ces contradictions entre les nobles principes et les ignobles comportements – qui pourtant prétendent s'en inspirer : la morale peut être un monstre froid. Au nom du bien commun, on tue des personnes particulières ; la défense de principes abstraits fait oublier les êtres qu'on était censé protéger et secourir. Mais c'est à partir des expériences extrêmes du passé récent que Vassili Grossman a élaboré une sorte de théorie. Elle se trouve dans son roman *Vie et Destin*, où elle est attribuée à un personnage secondaire, le vieil Ikonnikov. Les deux idéaux moraux sont appelés par lui *bonté* et *bien*. Les hommes ont toujours voulu agir au nom d'un bien. Mais chaque religion, chaque doctrine philosophique a défini ce bien à sa façon ; puis chaque race et chaque classe. Or, plus l'extension de cette définition se restreignait, et plus il devenait nécessaire d'intervenir pour essayer de l'imposer partout. Du coup, « la notion même d'un tel bien devenait un fléau, devenait un mal plus grand que le mal » (380). Ainsi, même du christianisme, « la doctrine la plus humaine de l'humanité » (381), ainsi encore du communisme. Qui *veut* le bien fait le mal : « Là où se lève l'aube du bien, des enfants et des vieillards périssent » (382). Méphistophélès disait, à en croire Goethe : « Je suis une partie de cette puissance qui veut toujours le mal et fait toujours le bien » (66). Grossman, lui, semble craindre surtout les protagonistes de l'attitude inverse : ceux qui veulent toujours le bien finissent par faire le mal.

Heureusement, il y a, en dehors du bien et du mal, « la bonté humaine dans la vie de tous les jours. C'est la bonté d'une vieille qui, sur le bord de la route, donne un morceau de pain à un bagnard qui passe, c'est la bonté d'un soldat qui tend sa gourde à un ennemi blessé, la bonté de la jeunesse qui a pitié de la vieillesse, la bonté d'un paysan qui cache dans sa grange un vieillard juif » (383). La bonté d'un individu pour un autre individu, la bonté sans idéologie, sans pensée, sans discours, sans justifications, qui ne demande pas que le bénéficiaire la mérite. Cette bonté est « ce qu'il y a d'humain en l'homme » (384), et elle perdurera tant que les hommes existent. Mais il ne faut pas la transformer en un mot d'ordre : « Sitôt que l'homme veut en faire une force, elle se perd, se ternit, disparaît » (385).

La morale de principes se distingue à peine ici du mal lui-même ; la morale de sympathie est la seule recommandable. Celle-ci s'oppose à celle-là d'abord négativement : elle ne se réfère à aucun concept, à aucune doctrine ; ensuite positivement : c'est un acte qui va d'un individu à un autre. J'ai déjà insisté sur ce que les actes de vertu quotidienne sont nécessairement adressés à des êtres particuliers (ils sont en ce sens « personnels »). Il faut maintenant rappeler qu'à sa source l'opération doit être assumée par le sujet lui-même pour qu'on puisse parler de bonté ou, dans mon vocabulaire, de vertus : celles-ci sont donc non seulement « personnelles », mais, de plus, « subjectives ». La justice ne se confond pas avec la vertu : ensemble de principes et de lois qui s'incarne dans une institution, elle peut produire des bienfaits pour des individus particuliers, tout comme les actes de dignité, de souci ou d'activité spirituelle ; mais elle n'implique guère la vertu de celui qui la pratique, et du coup ce dernier n'a pas à s'en enorgueillir. Au demeurant, nous ne demandons pas au juge d'être particulièrement vertueux, ou moral, mais seulement de se conformer à la justice. Le domaine de la morale ne commence qu'à partir du moment où la règle abstraite est assumée par un individu particulier, celui-là même qui l'énonce. La justice est objective, indépendante de celui qui l'incarne ou la formule ; la vertu est subjective (la sagesse, nécessairement *vécue* par le sujet lui-même, s'oppose semblablement à l'intelligence).

La présence ou l'absence de personnes particulières comme destinataires des actes (la personnalisation) nous a permis de distinguer les vertus quotidiennes des vertus héroïques, qui s'adressent à des abstractions : l'humanité, la patrie ou l'idéal héroïque lui-même. L'obligation d'identifier le sujet lui-même comme agent, ou source, de ces mêmes actes moraux (leur subjectivité) nous permet une autre distinction, cette fois-ci avec ce qu'on pourrait appeler le moralisme. Celui-ci consiste à pratiquer la justice sans la vertu, ou même simplement à invoquer des principes moraux sans se sentir soi-même concerné par eux ; à s'installer dans le bien par le simple fait qu'on déclare son adhésion aux principes du bien. Or la profession de foi moraliste n'est en rien un acte moral ; elle ne signifie, la plupart du temps, que le conformisme ou le désir de vivre en paix avec sa conscience. Il ne suffit pas de l'adhésion à un principe noble pour me rendre moi-même noble. Cette distinction était familière aux anciens moralistes ; n'est-ce pas à elle que se réfère la célèbre formule de Marc Aurèle : « Ne plus du tout discuter sur ce sujet : "Que doit être un homme de bien ?", mais l'être » (X, 16) ?

La nécessité, pour la personne, d'être elle-même l'agent des actions morales (plutôt que de se contenter d'adhérer à une proclamation de leur justesse) ne concerne pas les seules vertus quotidiennes, mais toute morale. Au nom de la morale, on ne peut exiger que de soi ; si on exige quelque chose des autres sans se reconnaître en eux, c'est qu'on prétend s'élever à un point de vue impersonnel, celui d'un dieu. Bien que l'idéal moral se définisse par l'universalité, l'action morale elle-même est, en un sens, impossible à généraliser : je ne me traite pas de la même façon que les autres (la justice n'est pas la morale, et il n'y a rien de moral dans le fait de s'attribuer une part du gâteau égale à celle des autres). Kant exprime cette asymétrie en identifiant les fins humaines qui sont en même temps des devoirs comme « ma perfection propre et le bonheur d'autrui » (*Vertu*, 56), et en rappelant qu'on ne peut intervertir ces termes : il n'y a rien de moral dans le fait d'aspirer à mon bonheur ou à la perfection d'autrui (c'est justement le moralisme).

Il ne s'agit pas là de deux actions séparées mais des facettes opposées que la même action offre au sujet et à autrui : c'est en visant à son bonheur que je contribue à ma perfection. Donc, si je veux des exemples du bien, je dois toujours les prendre en dehors de moi ; du mal, commencer par les chercher en moi : la paille dans mon œil devrait me gêner plus que la poutre dans celui du voisin. Réciproquement, celui qui se donne en exemple, si louable que soit par ailleurs sa conduite, accomplit par là un acte immoral. Philip Hallie, qui a réfléchi aussi sur la différence entre morale « verticale » et « horizontale » dans ce contexte, remarque : « En plus de la distinction entre le mal et le bien, entre blesser et aider, la distinction essentielle de cette morale est entre donner quelque chose et se donner soi-même » (106) : le premier acte n'est moral que dans la mesure où ces choses font partie de moi-même.

(Maurice Blanchot, auteur que j'ai admiré autrefois, a intitulé l'une de ses dernières publications (en 1984) « Les intellectuels en question ». Il y fait des commentaires judicieux, et pourtant je suis troublé. C'est qu'il consacre, par exemple, plusieurs pages – nourries de fines observations – à l'adhésion de Paul Valéry à la campagne antisémite et au parti antidreyfusard, au début du XX*e* *siècle ; qu'il formule ce jugement sévère : « Je ne tire [de cet examen] rien qui puisse le justifier d'avoir joint son nom aux noms de ceux qui exigeaient, dans les pires termes, la mort des juifs et l'anéantissement de leurs défenseurs » (13). Ce qui me gêne dans ces phrases, c'est de savoir que Blanchot lui-même adhérait, entre 1936 et 1938, aux positions de l'Action française, nationaliste et antisémite, et signait dans* Combat *des articles où les juifs étaient fustigés et régulièrement associés aux bolcheviks. Par la suite, il a connu une conversion complète – il est devenu plutôt procommuniste et philosémite ; mais il n'a pas trouvé en lui, que je sache, la force morale pour écrire ne serait-ce qu'une ligne sur son propre aveuglement d'antan. Or cette ligne eût été un véritable acte moral et pour nous, ses lecteurs, elle eût exercé une action plus forte que les longues pages consacrées aux errements des autres. Sa perplexité devant le cas de Valéry aurait pu être diminuée par une réflexion sur lui-même. Mais cette ligne ne vient pas, ni ici, ni ailleurs (par exemple dans ses commentaires, également récents, sur l'engagement nazi de Heidegger), alors que, dans le même texte, Blanchot rappelle son devoir*

de témoigner : « Comme avec les années qui passent deviennent rares les témoins de l'époque, je ne puis garder le silence » (20). Son seul « aveu personnel » ici (28) concernera sa haine des nazis : un aveu peu compromettant, malgré tout. Que valent alors ces mots que ne suivent pas les actes ? Alors que ses pages ne manquent ni de précision historique, ni de justesse dans les jugements, elles restent d'une valeur morale nulle ; ne mettant pas en cause leur auteur, elles ne permettent pas non plus au lecteur de le faire : les méchants, ce sont toujours les autres. Comme le dit Blanchot, mais de Valéry : « Pénible souvenir, pénible énigme » (12).)

Il en va de même pour les jugements sur le passé. Condamner l'esclavage n'est un acte moral qu'à une époque où cette condamnation ne va pas de soi et implique donc un risque personnel ; le faire aujourd'hui n'a rien de moral, cela prouve seulement que je suis au courant de l'idéologie de ma société ou que je veux me mettre du bon côté de la barricade. On en dira à peu près autant des condamnations du racisme aujourd'hui ; mais il n'en allait pas de même en 1936, en Allemagne. Constater aujourd'hui que Staline ou Hitler sont coupables relève de la justice historique, mais ne produit aucun bénéfice moral pour moi ; en revanche, si je découvre que moi-même ou des personnes en qui je me reconnais avons participé à des actes semblables à ceux que je condamne, je suis en condition d'assumer une attitude morale. Il est peut-être vrai que la culture allemande ou la culture russe sont responsables des désastres qui se sont produits sur ces terres, l'Allemagne et la Russie ; mais cet énoncé n'ajoute à ma vertu personnelle que si je suis, respectivement, allemand ou russe.

Si je reproche aux autres de ne pas avoir été héros ou martyrs, je me place du point de vue non de la vertu, mais de la justice (en l'occurrence une justice douteuse) ; mais il n'en va pas de même si je me le reproche à moi. Ou prenons le débat sur l'unicité du massacre des juifs pendant la Seconde Guerre mondiale : quelle que soit la vérité historique, l'attitude morale consistera, pour ceux qui s'apparentent aux victimes, à ne pas tirer avantage de ce caractère exceptionnel ; et pour ceux qui se retrouvent du côté des bourreaux, à ne pas chercher à profiter de ce qu'un tel événement pouvait avoir de banal. Comme le suggère Charles Maier, les juifs devraient insister sur la banalité de l'holocauste ; les Allemands, sur son unicité. C'est ce à quoi devait penser le vieillard arménien rencontré par Grossman et touché de ce qu'un juif ait pu écrire sur les Arméniens : « Il voulait que ce fût un fils du peuple martyr arménien qui écrivît sur les juifs » (*Dobro vam !*, 270).

Inversement, certains comportements seront d'autant plus justes qu'ils seront conduits sans référence à la morale. Si le juge rend justice en pensant avant tout à son élévation personnelle plutôt qu'à l'application de la loi, il risque d'être un mauvais juge. Si l'homme politique cherche, pour chaque problème, non la solution la plus conforme au bien public, mais celle qui lui permettrait de faire un pas de plus vers la sainteté, il y a de fortes chances pour qu'il soit un mauvais homme politique. De même, les électeurs ne devraient pas chérir leur chef d'État comme ils chérissent et entourent de soucis leurs parents ou leurs enfants. Dans toutes ces situations, les considérations sur le bénéfice moral du sujet agissant devraient être tenues à l'écart. Cela ne signifie pas, bien sûr, que morale et politique, ou morale et justice, ne peuvent s'inspirer des mêmes principes ni se retrouver dans les mêmes fins ultimes, mais que leurs pratiques doivent être clairement distinguées.

Cette deuxième exigence fondatrice de la morale (que je sois moi-même le sujet des actions que je recommande) implique donc une remise en question permanente de soi ; celle-ci n'a pas besoin d'être réduite pour autant à ce qu'en sont les formes les plus célèbres mais peut-être aussi les plus contestables : dans la tradition chrétienne, le repentir (suivi d'une absolution des péchés) ou l'autopunition que s'infligent les saints ascètes ; dans la tradition communiste, l'autocritique forcée et humiliante (dont les procès de Moscou représentent le paroxysme) ; dans la névrose individuelle, l'inexpiable sentiment de culpabilité. Ne pas s'exclure du principe moral auquel on adhère n'implique ni la ritualisation des actes de contrition, ni l'hyperbolisation de ses propres défauts.

C'est ainsi que je comprends la manière négative dont

Grossman caractérise la bonté (« sans pensée ») : une action est morale non pas en elle-même, mais seulement après avoir été mise en rapport avec son auteur, en un moment et un lieu. Il n'est pas du tout impossible par ailleurs de généraliser ni de conceptualiser les actes de bonté (on dira, par exemple, qu'il faut se préoccuper des individus, non des abstractions, et exiger de soi, non des autres). Le concept peut en saisir la nature ; simplement, il n'assure pas encore que le sujet les ait assumés personnellement. A moins qu'on ne limite le sens du « bien » à celui d'un bien politique (auquel cas il s'agit d'une critique de cet utopisme qui veut assurer le bonheur des individus par une réforme sociale, et non d'une critique du bien comme tel), l'identification abstraite du bien et la pratique de la bonté ne s'opposent pas, pas plus que ne le font une règle de grammaire et la pratique de la langue ; la possibilité de les rencontrer séparément ne signifie pas qu'elles s'excluent l'une l'autre. C'est pourquoi morale de sympathie et morale de principes ne s'opposent pas non plus, même si l'on peut trouver des personnes pratiquant l'une mais non l'autre ; elles se complètent plutôt comme une pratique et sa théorie. Le souci des autres est une mise en œuvre de l'impératif catégorique.

Ni monstres ni bêtes

Des gens ordinaires

Explications du mal

La situation extrême des camps totalitaires est habituellement associée, dans nos esprits, non avec les pratiques de la vertu, mais avec l'irruption du mal, à un degré jamais rencontré auparavant. Je n'ai pas voulu m'en tenir à cette image conventionnelle ; mais je ne suis pas moins obligé de reconnaître que le mal est le personnage principal de la littérature concentrationnaire. Son interprétation m'attire moins que celle du bien ; mais je ne me sens pas le droit de l'éviter – d'autant moins que ce mal n'est pas seulement extrême, mais aussi, semble-t-il, particulièrement rétif à l'explication. Plus exactement, les explications traditionnelles qui viennent facilement à l'esprit lorsque nous sommes confrontés aux manifestations du mal ne nous sont pas ici d'un grand secours.

D'abord, on ne parvient pas du tout à comprendre ce mal en l'interprétant en termes d'anormalité, sauf à définir celle-ci, tautologiquement, par ce comportement même : rien d'autre, dans la personnalité ou dans les actions des auteurs du mal, ne permet de les classer comme des êtres pathologiques, autrement dit des monstres ; et cela, quelle que soit la définition utilisée du normal et du pathologique. C'est d'ailleurs sans doute la raison pour laquelle restent un peu décevantes les études psychanalytiques ou psychiatriques des conduites dans les camps, même lorsque leurs auteurs en ont une connaissance de première main : elles tendent inévitablement à présenter soit les détenus, soit les gardiens (soit les deux) en termes de pathologie ; or il est clair qu'une telle description n'est pas adéquate. Il ne s'agit pas là, de ma part, d'un jugement *a priori* : ce sont les survivants eux-mêmes qui, de façon quasi unanime, l'affirment (l'explication du mal concentrationnaire par la monstruosité des gardiens ne se rencontre que chez ceux qui ignorent non seulement les camps, mais aussi les récits des camps).

L'observation commune à presque tous les survivants peut se résumer ainsi : une faible minorité des gardiens, de l'ordre de cinq ou dix pour cent, pouvaient être qualifiés de sadiques (et, à ce titre, d'anormaux) ; du reste, ils ne sont pas particulièrement appréciés par la direction. Benedikt Kautsky, survivant d'Auschwitz, écrit : « Rien ne serait plus faux que de voir les SS comme une horde de sadiques torturant et maltraitant des milliers d'êtres humains par instinct, passion et soif de jouissance. Ceux qui agissaient ainsi étaient une petite minorité » (Langbein, 274). Himmler aurait même donné des instructions pour écarter tous ceux qui semblaient trouver du plaisir à faire du mal à autrui (Fénelon, 268). De même à Buchenwald : « Seule une petite minorité était pervertie, mue par le besoin de torturer et de tuer » (Bettelheim, *Cœur*, 291). Ou encore, dans le service d'expériences médicales à Ravensbrück : à en croire Tillion, le personnel y présentait « une moyenne peu enthousiasmante mais non pas monstrueuse pour un hôpital quelconque de l'un ou l'autre monde » (II, 101). Même impression dans les camps russes : « Mes geôliers comptent très peu de sadiques convaincus : la majorité d'entre eux sont des employés un peu bornés, un peu rusés » (Ratouchinskaïa, 175). Pareil pour ceux qui envoient Guinzbourg à Kolyma : plutôt que de personnages diaboliques, ce sont de médiocres fonctionnaires qui « se bornent à remplir leur tâche et gagnent leur vie » (I, 164).

Penchons-nous un instant sur ces cinq ou dix pour cent d'exceptions : qui sont-ils ? En général, des êtres marqués par un défaut physique, ou par de lourds handicaps psychiques, ou par un destin peu enviable. Tillion remarque des SS de Ravensbrück : « Il y avait parmi eux une assez importante proportion de mal foutus qui, à ce titre, auraient pu avoir des vengeances personnelles à exercer contre l'espèce féminine en général » (II, 87). Les pires gardiens à Auschwitz sont des *Volksdeutscher* (et non des *Reichsdeutscher*), des

Allemands nés en dehors de l'Allemagne, qui ont encore à prouver leur germanité. On a scruté avec beaucoup d'attention le destin personnel des chefs nazis, avec l'espoir sans doute d'y découvrir les causes, finalement rassurantes, du mal qu'ils ont causé : Heydrich était peut-être un peu juif, Hitler aussi, ils avaient beaucoup à compenser ; Goebbels boitait, Himmler et Hitler avaient une vie sexuelle bizarre. Mais, outre que de telles caractéristiques n'ont rien de proprement pathologique ni d'exceptionnel, elles ne concernent que quelques individus, alors que le mal dont il s'agit de trouver l'explication est le fait de millions de personnes. Comme le dit Levi : « Les monstres existent, mais ils sont trop peu nombreux pour être vraiment dangereux ; ceux qui sont plus dangereux, ce sont les hommes ordinaires » (*Si*, 262).

Pas plus qu'il n'est possible de faire appel à la monstruosité, on ne saurait expliquer le mal en invoquant un quelconque retour à la bestialité ou à des instincts primitifs. On connaît ces expressions populaires : il y aurait une bête (un tigre) à l'intérieur de chaque homme, habituellement endormie mais prête à bondir dès que les circonstances s'y prêtent, ou encore un être primitif que retient normalement le mince vernis de civilisation – mais qui surgit à la première occasion, le sauvage en nous se livrant à l'assouvissement de ses instincts. On dit aussi, on l'a vu, qu'en ces circonstances on en revient à l'« état de nature » hobbesien, à la guerre de tous contre tous, puisque s'est effondré l'ordre social. Mais il suffit d'observer la situation réelle pour se rendre compte que de telles explications sont en porte à faux. Ni la torture ni l'extermination n'ont, bien entendu, le moindre équivalent chez les bêtes. Qui plus est, il n'y a dans cette situation aucune rupture du contrat social : en tuant et en torturant, les gardiens se conforment aux lois de leur pays et aux ordres de leurs supérieurs ; comme l'a remarqué Dwight MacDonald au lendemain de la guerre, la leçon des crimes nazis était que ceux qui appliquent la loi sont plus dangereux que ceux qui l'enfreignent. Si seulement les gardiens s'étaient laissés aller à leurs instincts ! Mais non, ils suivaient le règlement.

Enfin, l'explication par le fanatisme idéologique est, elle aussi, insuffisante. Les fanatiques communistes ou nazis existent parmi les gardiens ; mais leur proportion n'est pas plus élevée que celle des sadiques. Prédomine au contraire un tout autre type : conformiste, prêt à servir n'importe quel pouvoir ; intéressé par son bien-être personnel plus que par la victoire de la doctrine. On a beau remonter l'échelle du pouvoir : on ne rencontre pour ainsi dire jamais que des « pragmatiques » et des cyniques. L'idéologie, passé la période de la prise du pouvoir, est un alibi, non une motivation (ce qui ne veut pas dire qu'elle est inutile). Ceux qui avaient fréquenté Mengele disaient : c'est un cynique, non un idéologue. Mais Speer dit aussi de Hitler : c'était un pragmatique, non un fanatique. Il en allait sans doute de même de Beria. « Le nouvel État, remarque Grossman, n'avait que faire de saints apôtres, de bâtisseurs frénétiques et possédés, de disciples ayant la foi. [...] Il n'avait besoin que d'employés » (*Tout passe*, 198). On a souvent remarqué que le moment le plus intense de fanatisme antisémite en Allemagne, la *Kristallnacht* de 1938, a vu la mort d'environ cent personnes. Si l'assassinat des juifs s'était poursuivi au même rythme, les nazis auraient mis cent quarante ans pour arriver au nombre de victimes atteint en fait en cinq ans.

Crimes totalitaires

Les crimes accomplis sous le totalitarisme, les extrémités des camps ne peuvent être éclairés par aucune des explications traditionnelles ; ils exigent l'introduction de concepts nouveaux, car ils sont neufs dans leur principe même. C'est ce qu'a essayé de faire Hannah Arendt en utilisant, à propos d'Eichmann, l'expression de « banalité du mal ». A en juger par le nombre de malentendus qu'elle a provoqués, l'expression n'était pas très heureuse ; mais l'idée d'Arendt est importante.

Confrontée à l'individu Adolf Eichmann, au cours de son procès à Jérusalem, Arendt se rend à l'évidence : malgré les efforts déployés par l'accusation pour diaboliser cet homme, il apparaît comme un être profondément médiocre, ordinaire, commun, alors que le mal dont il est responsable est l'un des plus grands de l'histoire de l'humanité. « L'ennui, avec Eichmann, c'est précisément qu'il y en avait beaucoup qui lui ressemblaient et qui n'étaient ni pervers ni sadiques, qui étaient, et sont encore, terriblement normaux » (303). En ce sens donc – mais en ce sens seulement – le mal qu'illustre Eichmann est « banal », et non pas « radical », c'est-à-dire inhumain (Arendt distingue entre « radical » et « extrême »). Cette banalité ne doit en rien conduire à une banalisation : c'est précisément parce qu'il est si facile et n'exige pas des qualités humaines exceptionnelles que ce mal est particulièrement dangereux : pour peu que le vent souffle du « bon » côté, il se propage à la vitesse du feu. C'est cet aspect paradoxal du concept – un mal extrême, mais non radical – qui est sans doute responsable des malentendus l'entourant ; mais il faut dire que le fait est lui-même paradoxal, à la fois commun et exceptionnel.

La « banalité » n'est pas vraiment encore une explication ; c'est plutôt un moyen pour écarter les formules habituelles et indiquer la direction dans laquelle il faut chercher. L'un des condamnés de Nuremberg, Seyss-Inquart, ancien gouverneur de l'Autriche, puis de la Hollande, disait déjà, à propos du témoignage de Hoess sur les mises à mort à Auschwitz : « Il existe une limite au nombre de gens qu'on peut tuer par haine ou par goût du massacre [voici pour le fanatisme et le sadisme], mais il n'y a pas de limite au nombre qu'on peut tuer, de manière froide et systématique, au nom de "l'impératif catégorique" militaire » (Gilbert, *Psychology*, 256). L'explication ne doit pas être cherchée dans le caractère de l'individu, mais dans celui de la société, qui impose de tels « impératifs catégoriques ». L'explication sera politique et sociale, non psychologique ou individuelle.

Mais quelles propriétés de la société permettent l'accomplissement de tels crimes ? A vrai dire, la réponse à cette question est pour moi un point de départ, non d'arrivée : c'est son caractère totalitaire ; et c'est en effet le seul trait qu'ont en commun l'Allemagne et l'Union soviétique, la Bulgarie et la Chine. Les Allemands, les Russes et tous ceux qui accomplissent des crimes inouïs ne sont pas des êtres humains différents des autres ; c'est le régime politique dans lequel ils vivent qui l'est. Cette réponse n'écarte pas toute considération sur les traditions nationales de ces pays, puisque, même si l'on rejette l'idée nazie des races et peuples inférieurs (et coupables), on peut se demander, dans un deuxième temps, pourquoi le totalitarisme s'est installé en Allemagne et non en France, en Chine et non en Inde, etc., et évoquer la force de la tradition militariste ici, la brutalité constante des répressions là, voire l'« âme servile » ailleurs. Mais cette analyse des traditions culturelles et nationales n'est pas mon propos, et je souscris pour ma part à la conclusion de Germaine Tillion lorsqu'elle affirme : « Je suis convaincue [...] qu'il n'existe pas un peuple qui soit à l'abri du désastre moral collectif » (II, 213). Elle rejoint en cela David Rousset, survivant de Buchenwald, qui avait formulé cette mise en garde quelques années plus tôt, au lendemain de la guerre : « Ce serait une duperie, et criminelle, que de prétendre qu'il est impossible aux autres peuples de faire une expérience analogue pour des raisons d'opposition de nature » (186-7).

Cette conclusion de Tillion est d'autant plus précieuse que, au sortir du camp de Ravensbrück, un tel jugement équitable lui était impossible, et dans la première version de son livre elle était prête à chercher l'explication du désastre dans l'histoire et le caractère national des Allemands, ou des Polonais, etc. ; mais elle a su changer. « Aujourd'hui, j'ai honte de ce jugement, écrit-elle en 1972, car je suis convaincue que dans la même situation n'importe quelle autre collectivité nationale en aurait abusé aussi » (II, 54). Et on s'abstiendra d'autant plus volontiers de blâmer le caractère national allemand en l'opposant à celui des Français que ceux-ci ont été parmi les plus zélés collaborateurs dans la mise en œuvre de la « solution finale ». La machine totalitaire a absorbé les « leçons » du tsarisme russe, du militarisme prussien ou du despotisme chinois, mais elle en a fait un ensemble nouveau, et c'est ce dernier qui a agi sur la conscience des individus. Telle est aussi la conclusion de Levi : « Il faut poser clairement comme principe que la faute la plus grande pèse sur le système, sur la structure même de l'État totalitaire » (*Naufragés*, 43).

Ce qui m'intéresse ici, cependant, n'est pas le totalitarisme comme tel, mais son action sur la conduite morale des individus. A cet égard, quelques-unes de ses caractéristiques sont plus importantes que d'autres.

La première est la place réservée à l'ennemi. Toutes les doctrines extrémistes se servent du principe « qui n'est pas avec moi est contre moi » (qui provient malheureusement de l'Évangile), mais toutes ne poursuivent pas : « Et qui est contre moi doit périr » ; toutes ne disposent pas non plus des moyens de l'État totalitaire pour mettre à exécution la menace contenue dans ce principe. Ce qui caractérise plus spécifiquement le totalitarisme est que cet ennemi se trouve à l'intérieur même du pays. Il est vrai que l'Allemagne nazie et l'Union soviétique mènent aussi une politique extérieure agressive ; mais en cela elles se comportent comme les autres États impérialistes. L'idée d'ennemi intérieur, en revanche – ou, si l'on préfère, l'extension du principe de guerre aux relations entre groupes dans le pays même –, les caractérise spécifiquement. C'est Lénine qui la formule, au lendemain de la révolution d'Octobre ; et c'est Eicke, grand inspirateur et promoteur des camps en Allemagne, qui déclare dans un discours adressé aux *Führer* des camps, au début de la guerre : « Le devoir de détruire un ennemi de l'État à l'intérieur ne se distingue en rien de celui qui vous oblige à tuer votre adversaire sur le champ de bataille » (Hoess, 101).

La généralisation de l'idée de guerre conduit logiquement à la conclusion que les ennemis sont bons à tuer. Les doctrines totalitaires divisent toujours l'humanité en deux parties de valeurs inégales (qui ne coïncident pas avec « notre pays » et « les autres pays » – il ne s'agit pas d'un nationalisme simple) ; les êtres inférieurs doivent être punis, voire éliminés. Elles ne sont donc jamais universalistes : tous les hommes n'y ont pas les mêmes droits. La chose est évidente pour la doctrine nazie, qui assimile les « races inférieures », juifs, Tziganes et autres, à des sous-hommes, si ce n'est des parasites ; mais elle n'est pas moins vraie du communisme soviétique, où le même langage est abondamment utilisé au cours des purges des années trente (« aux chiens, une mort de chien », « écrasons la vermine », etc.), sans parler des pratiques, vieilles de vingt ans déjà à l'époque des purges ; cette guerre intérieure était censée, du reste, selon la doctrine stalinienne, aller en s'intensifiant au fur et à mesure qu'on s'approchait du communisme. L'ennemi – de race ou de classe, peu importe – est nécessairement un ennemi extrême, contre lequel se justifie une guerre d'extermination.

Une seconde caractéristique des systèmes totalitaires est également liée au renoncement à l'universalité. Elle consiste en ce que l'État devient le détenteur des fins ultimes de la société. L'individu cesse d'avoir un accès direct aux valeurs suprêmes devant régir sa conduite, il ne peut plus se considérer comme un représentant parmi d'autres de l'humanité et consulter sa conscience pour savoir vers quel but il doit se diriger et en fonction de quels critères il peut juger les actes d'autrui. L'État est devenu un intermédiaire obligatoire entre lui et les valeurs ; c'est l'État, et non plus l'humanité, qui détient la mesure du bien et du mal ; qui décide par conséquent de la direction dans laquelle évoluera la société. Par cette captation des fins dernières de la société et de l'individu, l'État totalitaire lui-même se confond progressivement avec ces fins, pour lui-même comme pour ses sujets.

Enfin une troisième caractéristique qui nous concerne ici est celle que désigne, précisément, l'adjectif « totalitaire » : l'État aspire à contrôler la totalité de la vie sociale d'un individu. Le Parti (communiste ou national-socialiste) ne se contente pas de s'emparer du pouvoir politique au sens étroit, comme dans les dictatures classiques, en éliminant l'opposition et en assumant tout seul le gouvernement. Il étend son contrôle sur toute la sphère publique dans la vie de chaque personne et empiète largement sur la sphère privée : il contrôle son travail, son lieu d'habitation, sa propriété, l'éducation ou les distractions de ses enfants, et même sa vie familiale et amoureuse. Cela lui permet d'obtenir la soumission de ses sujets : il n'y a plus de lieu où ils pourraient s'abriter et lui échapper. Pendant les périodes « dures » du totalitarisme (l'Union soviétique et l'Europe de l'Est sous Staline, l'Allemagne sous Hitler au temps de la guerre), cette obéissance est obtenue par la menace directe de violences physiques et de mort ; pendant les périodes « molles », le pouvoir se contente de vous déporter, de vous priver de travail, de vous empêcher de voyager à l'étranger ou d'accéder à la propriété, d'écarter vos enfants de l'Université, et ainsi de suite.

Chacune de ces caractéristiques du système devient la

cause de certains comportements moraux, propres aux sujets totalitaires. La présence d'un ennemi absolu dans le système de valeurs régnant, d'une incarnation du mal, rend toutes les actions hostiles à l'égard de cet ennemi possibles, voire louables. Ce n'est encore qu'une extension du principe de guerre : on loue le soldat pour sa détermination face à l'ennemi, autrement dit pour sa capacité de tuer ; ce qui était interdit en temps de paix devient recommandable pendant la guerre. On est obligé d'être fort, et surtout plus fort que l'ennemi ; la jouissance du pouvoir, éprouvée par celui qui l'exerce, est la conséquence inévitable de cette situation.

Le fait que l'État se soit approprié toutes les fins dernières de la société, qu'il soit le seul à décider des buts à poursuivre, a un double effet. D'une part, les sujets totalitaires en éprouvent un certain soulagement, car la responsabilité personnelle des décisions est un fardeau parfois lourd à porter. D'autre part, le pouvoir les oblige à s'en tenir à la seule pensée et la seule conduite instrumentales, celles qui se concentrent, en toute action, sur les moyens et non sur les fins (ce que les Anciens appelaient « l'habileté »). Sur le plan de la production matérielle, cette obligation ne suffit pas pour engendrer des résultats brillants (l'absence d'initiative personnelle, la bureaucratie croissante deviennent ici des obstacles) ; mais sur celui du comportement moral, elle est décisive. On s'est souvent demandé comment des « gens ordinaires », « bons maris et pères de famille », avaient pu accomplir tant d'atrocités : qu'était devenue leur conscience morale ? La réponse est que, grâce à cette captation des fins dernières, à cette restriction des hommes à la seule pensée instrumentale, le pouvoir totalitaire pouvait obtenir qu'ils accomplissent les tâches qui leur sont prescrites sans avoir besoin de toucher à la structure morale de l'individu. Les gardiens responsables d'atrocités ne cessent pas de distinguer entre le bien et le mal, ils n'ont subi aucune ablation de leurs organes moraux ; mais ils pensent que cette « atrocité » est en fait un bien, puisque l'État – détenteur des critères du bien et du mal – le leur dit. Les gardiens sont non pas privés de morale, mais dotés d'une morale nouvelle.

Enfin, l'emprise de l'individu dans un filet « total » a pour effet, comme escompté, la docilité des comportements, la soumission passive aux ordres. Les sujets totalitaires croient, à vrai dire, avoir trouvé une parade : ils décident de ne soumettre « que » leur comportement externe, gestes et paroles en lieux publics, et se consolent de ce qu'ils peuvent rester maîtres de leur conscience et fidèles à eux-mêmes dans leur vie intime. En réalité, cette espèce de schizophrénie sociale utilisée comme parade se retourne contre eux : même si le régime totalitaire déploie des efforts pour endoctriner ses sujets, il se contente en fait de leur docilité « seulement » publique, car elle lui suffit pour se maintenir, inébranlable ; et en même temps elle rassure ces mêmes sujets en leur donnant l'illusion que, « à l'intérieur d'eux-mêmes », ils restent purs et dignes. La schizophrénie sociale devient du coup une arme entre les mains du pouvoir, utilisée pour endormir la conscience des sujets, pour les rassurer, pour leur faire sous-estimer la gravité de ce qu'ils font en public. Resté maître dans son for intérieur, le sujet n'est plus très regardant sur ce qu'il accomplit au-dehors.

La soumission des sujets a une autre conséquence, plus tragique encore, si ces sujets ont le malheur de faire partie de l'ennemi intérieur. En conjuguant un contrôle total sur les moyens d'information et sur les moyens de coercition (la police) avec la menace de violences physiques et de mort, le pouvoir totalitaire obtient la soumission de ses victimes. Celles-ci ont beau être très nombreuses ; ne disposant d'aucune organisation, chaque être est seul devant une force infiniment supérieure, et donc impuissant. On sait que, pendant et après la Seconde Guerre, certains auteurs juifs ont pu reprocher aux populations juives dans leur ensemble de s'être laissé conduire « comme des moutons à l'abattoir », de ne pas avoir résisté les armes à la main (on rencontre l'idée chez des hommes aussi différents que Bruno Bettelheim ou Raul Hilberg, Jean Améry ou Vassili Grossman ; mais ces premières formulations se trouvent, utilisées comme un aiguillon, chez les animateurs de la résistance clandestine). D'autres écrivains se sont ensuite employés à contester cette affirmation, en mettant l'accent sur les actes de résistance qui avaient eu lieu ici ou là. Il s'agit en réalité d'un faux débat ; et à la question : pourquoi les juifs ne se sont-ils pas révoltés davantage ? on peut seulement répondre : parce qu'une telle révolte était impossible en régime totalitaire. Pourquoi les prisonniers de guerre soviétiques en Allemagne ne se sont-ils pas révoltés ? Pourquoi cinq millions de paysans de l'Ukraine se sont-ils laissés mourir passivement, pendant la famine que leur infligea Staline au début des années trente ? Pourquoi un milliard de Chinois ne se révoltent-ils pas aujourd'hui ? Invoquer ici les traditions judaïques ou une mentalité de ghetto est tout à fait déplacé.

Les crimes totalitaires sont des crimes d'une espèce nouvelle, et il faut reconnaître leur spécificité, même si cela ne nous oblige pas à réviser nos idées sur la « nature humaine ». Ils n'ont rien d'extra ou d'infrahumain, et pourtant c'est une innovation historique. La cause de ces crimes n'est ni dans les individus, ni dans les nations, mais dans le régime politique en vigueur. Une fois le système totalitaire en place, la très grande majorité de la population – vous, moi – risque de devenir complice de ses crimes ; cette seule condition suffit. Telle est l'une des leçons de ces événements tragiques : le glissement dans ce que nous jugeons être le mal est facile. « Je souhaite profondément, écrit Germaine Tillion, attirer l'attention des responsables sur la tragique facilité avec laquelle les "braves gens" peuvent devenir des bourreaux sans même s'en apercevoir » (II, 214)..

(*Jusqu'en 1944 la Bulgarie faisait partie du camp proallemand, et avait un gouvernement que l'on disait fasciste. Ce progermanisme et ce fascisme ne devaient pas être à toute épreuve puisque la Bulgarie est l'un des rares pays d'Europe qui, justement, n'a pas livré « ses » juifs – il était possible de manifester dans les rues contre le port de l'étoile jaune, des députés pouvaient protester à l'Assemblée nationale contre les mesures de regroupement, les ecclésiastiques orthodoxes pouvaient déclarer qu'ils se coucheraient sur les rails que devaient emprunter les trains chargés de juifs. Toujours est-il que ce fascisme était combattu, et qu'à la tête du combat se trouvaient les communistes. Ils étaient accompagnés de nombreux sympathisants, parmi lesquels mon père, à l'époque modeste bibliothécaire et homme de lettres, mais ayant déjà des opinions procommunistes. Pouvait-il s'imaginer alors, au moment où il avait la réaction la plus simple, et nullement extrême, consistant à soutenir le combat antifasciste, qu'il allait contribuer à mettre en place un autre régime totalitaire, avec un système de camps décuplé par rapport au précédent, qui pendrait, fusillerait ou étranglerait en prison tous les représentants de l'opposition et ne tolérerait jamais la manifestation dans la rue d'aucune opposition, ni l'expression d'aucune opinion personnelle ? Comment pouvait-il déduire l'extrême du quotidien ?)*

Les agents du mal

Dire que la cause des crimes totalitaires n'est pas dans l'individu mais dans le régime politique ne signifie pas que cet individu est exonéré de toute responsabilité. Il faut partir ici d'une distinction, celle entre culpabilité légale et responsabilité morale. Si l'on se place sur le terrain de la justice, on doit donc séparer les agents mêmes des crimes, qui seuls en relèvent, et les témoins passifs, responsables à la limite de non-assistance à personne en danger, mais qui n'ont de comptes à rendre que devant l'histoire ou devant leur propre conscience, et non plus devant les tribunaux. La distinction était déjà établie par Jaspers, au lendemain de la guerre, dans sa méditation sur *La Culpabilité allemande*. S'il est nécessaire d'insister là-dessus, c'est parce que nous avons affaire à des régimes totalitaires, où cette frontière, ailleurs nette, a tendance à se brouiller : ici, tous sont impliqués dans le maintien du système en place, et donc responsables, mais en même temps tous sont soumis et agissent sous la contrainte. La situation totalitaire est particulière, c'est vrai, et pourtant elle ne permet pas d'éliminer définitivement l'idée de responsabilité personnelle. Même au cœur des camps, dans cet extrême de l'extrême, le choix entre le bien et le mal reste possible, on l'a vu. A plus forte raison, il se maintient dans la vie hors des camps, même s'il n'est pas aussi facile que dans une démocratie.

Dans un chapitre brillant de *Tout passe*, consacré aux délateurs, Grossman a voulu juxtaposer les différents points de vue sur cette question, en brossant d'abord le portrait de quatre « Judas », en imaginant ensuite leur procès public, où s'affrontent accusateur et avocat. Bien qu'il se refuse à trancher, Grossman penche finalement pour l'absolution générale. Judas Ier a été l'objet de pressions irrésistibles (prison, camps, torture), il a donc cédé. Judas II a été vaincu par sa propre peur devant l'État-colosse, qu'il n'aurait jamais réussi à faire bouger. Judas III a pratiqué la soumission inconditionnelle. Judas IV est victime des conditions misérables dans lesquelles il a grandi. En tout cela, « seul l'État est responsable » (91). Et Grossman de conclure : « Non, non, ils ne sont pas coupables. Des forces obscures, des forces saturniennes les ont poussés » (95). Mais l'État ne vit pas en dehors des individus qui l'incarnent ; les forces obscures ont besoin de bras humains pour imposer leur volonté. Les supposer soumis à ce point, c'est en avoir une piètre opinion : au lieu de les excuser, Grossman les accable. Non, les hommes ne sont jamais *entièrement* privés de la possibilité de choisir. La personne est responsable de ses actes quelles que soient les pressions qu'elle subit, autrement elle renonce à son appartenance humaine ; toutefois, quand les pressions sont vraiment grandes, le jugement doit en tenir compte. Et dans la mesure où il n'existe pas un être essentiel, indépendant de ses manifestations extérieures, mais que l'être est lui-même constitué par l'ensemble de ses actes, c'est bien lui qui sera considéré comme atteint par le mal, et non seulement les actes.

Grossman ajoute : « Peut-être sommes-nous coupables, mais il n'y a pas de juge qui ait moralement le droit de poser la question de notre culpabilité » (92). « Parmi les vivants, il n'est pas d'innocents. Tout le monde est coupable, et toi, accusé, et toi, procureur, et moi qui pense à l'accusé, au procureur et au juge » (95). Aujourd'hui, au lendemain de l'effondrement du totalitarisme communiste dans plusieurs pays, la question est d'actualité : faut-il juger les coupables ? et si oui, où trouver des juges innocents pour le faire ? Mais l'argument de Grossman est hors de propos ici : les tribunaux rendent justice au nom de principes acceptés par tous, non parce que les justes, et eux seulement, ont le droit de condamner les coupables ; il confond, avec des conséquences graves, droit et morale. Le juge n'importe à la justice qu'en tant qu'il incarne ses principes avec rigueur ; elle n'a que faire de sa vertu personnelle. La pression exercée par l'État peut être considérée comme une circonstance atténuante, la pratique extrêmement répandue de certains crimes peut inciter à les amnistier au bout d'un moment ; il ne reste pas moins que, dans un premier temps, la vérité doit être établie et la justice rendue. La clémence sera la bienvenue, mais elle ne peut intervenir qu'après : il y a une grande différence entre mansuétude et occultation de la vérité. Au lendemain de la Libération, les lettres françaises étaient secouées par un débat passionné, qui voyait s'opposer les partisans de la justice (ce qui voulait dire, fréquemment, des règlements de comptes) et ceux de la charité (et donc du pardon des collaborateurs) ; d'un côté Vercors ou Camus, de l'autre Mauriac et Paulhan. Mais les deux attitudes ne s'excluent pas vraiment : même si l'on décide de pardonner, il vaut mieux le faire en connaissance de cause, après avoir dans un premier temps établi les faits : la justice ne se réduit pas à la punition.

D'un autre côté, cette responsabilité s'étend, dans notre monde compartimenté et spécialisé, depuis la conception intitiale jusqu'à l'exécution finale : la multiplicité des agents ne les rend pas moins responsables. Seule la culpabilité légale, il est vrai, relève des tribunaux, or, en l'état actuel des choses, la loi ne considère pas tous ces complices comme coupables ; ainsi, elle punit les décideurs, mais non les inspirateurs. Il faut donc ménager la place, à côté du jugement prononcé par les tribunaux, pour celui qui exprime le consensus social ; les responsabilités morales ne sont pas une fiction. On peut ne pas partager l'indignation de Hermann Kesten qui pense qu'en Allemagne « les assassins "de la plume" étaient infiniment plus dangereux et abominables que les tortionnaires et les bourreaux eux-mêmes » (Wiesenthal, 153) et qu'il faut par conséquent condamner plus sévèrement les écrivains et intellectuels, Jünger et Gottfried Benn, Heidegger et Carl Schmitt, que les commandants de camps comme Hoess et Stangl. Mais on doit bien admettre la responsabilité d'une pensée anti-universaliste (privilégiant la classe ou la nation), hyperdéterministe (niant en fin de compte la morale) et conflictuelle (voyant dans la guerre la loi suprême de la vie) dans l'avènement des régimes totalitaires, et par conséquent dans les crimes qu'on y a commis.

Au cours du procès de Nuremberg, les deux attitudes existent : certains accusés rejettent toute faute, mettant leurs méfaits sur le dos de l'État ou du Führer, d'autres se considèrent comme coupables. Ce dernier cas est illustré notamment par Speer. Devant le tribunal, il distingue deux séries de crimes : ceux dont il est personnellement responsable (l'utilisation des détenus des camps comme main-d'œuvre dans les usines d'armement, et donc aussi leur déportation) et ceux dont il est responsable par complicité, en tant que membre du groupe dirigeant du pays. Dans son procès à lui, Eichmann ne se reconnaît de culpabilité que du second type – sauf qu'il n'appartenait pas à la classe dirigeante. Speer accepte d'autant plus volontiers sa part de responsabilité dans les crimes de Hitler dont personne ne l'accuse qu'elle laisse dans l'ombre sa culpabilité directe : il se reproche, en somme, d'avoir participé à l'État nazi, non à tel ou tel acte (c'est sa stratégie tout au long de son livre aussi). Néanmoins, au cours du procès même, il assume les deux, et c'est probablement ce qui lui a permis de survivre spirituellement.

Mais le cas infiniment plus fréquent est celui des anciens agents du mal qui refusent de se reconnaître quelque responsabilité que ce soit. Devant les tribunaux comme dans le débat public, la plupart d'entre eux ont plaidé non-coupables. « Parmi tous ceux qui ont servi dans la “machine” de Hitler, pas un n'a utilisé dans sa défense la simple phrase “Je suis désolé” », constate Mitscherlich après avoir assisté au procès des médecins nazis (18). Dans les anciens pays communistes, les accusations n'ont même pas encore été formulées. Or, la reconnaissance du crime par ses agents est non moins importante à la santé du groupe social que sa punition. Examinons donc rapidement les arguments avancés en leur défense, sans tenir compte de ce que, contradictoires entre eux, ils sont souvent présentés en même temps, comme dans la fameuse histoire du chaudron percé.

La première défense, bien entendu, consiste à nier les faits, à affirmer que tout cela n'a jamais existé. Mais même les efforts les plus systématiques pour effacer toutes les traces échouent : des témoins ouvrent la bouche des décennies plus tard (le premier témoin direct du massacre de Katyn vient de publier son récit, cinquante ans après les faits), on retrouve les manuscrits enfouis, les cadavres mêmes apportent leur contribution à l'établissement de la vérité (en 1990, on est en train de déterrer, en Bulgarie, les squelettes des anciennes victimes et on trouve sur eux des indices accablants pour les bourreaux, toujours en vie et jouissant encore de leurs privilèges). C'est pourquoi, après l'échec du premier argument, on a besoin d'un second qui est : je ne savais pas. Lorsqu'elle est réelle, cette ignorance est recherchée de manière plus ou moins consciente. Stangl, pourtant commandant du camp, préfère ne pas regarder les choses en face. « A Sobibor, on pouvait s'arranger pour ne voir presque rien, ça se passait loin des bâtiments du camp » (Sereny, 121). Un gardien SS de Treblinka en dira autant : « Je ne voulais rien voir. Oui, je pense que pas mal de gens faisaient comme moi. C'était ce qu'on pouvait faire de mieux, vous savez, faire le mort » (179). Mais c'est ainsi qu'on « faisait » *les* morts, aussi...

Speer a raconté dans le détail ses refus successifs de prendre en considération les informations qui le gênaient. Vers la fin de la guerre, pendant l'été 1944, son ami Hanke, *Gauleiter* de Silésie, se confie à lui : « Il me demanda de ne jamais accepter une invitation à visiter un camp de concentration dans le *Gau* de Haute-Silésie. Jamais, sous aucun prétexte. Il avait vu là-bas un spectacle qu'il n'avait pas le droit de décrire et qu'il n'était pas non plus capable de décrire » (529). Speer se soumet docilement : il choisit d'ignorer la vérité d'Auschwitz. En ne sachant pas, il pourra continuer à aider l'effort de guerre allemand en toute tranquillité. Il conclut donc avec raison : « La mesure de mon isolement, l'intensité de mes échappatoires et le degré de mon ignorance, c'est, à la fin des fins, moi qui les déterminais » (162). « Être en position de savoir et éviter de savoir vous rend directement responsable des conséquences » (tr.am. 19).

Ceux qui ne peuvent prétendre, ni que les choses n'ont pas eu lieu, ni qu'ils en ignoraient l'existence, recourent à un troisième argument : j'obéissais aux ordres. Nous avons vu déjà que cette défense implique une dégradation de soi qui est pire que le crime, car on se déclare soi-même sous-humain. De surcroît, sur le plan légal, obéir à des ordres criminels reste encore un crime.

Enfin le quatrième argument fréquemment invoqué est celui-là même qu'avancent les enfants pris sur le fait : les autres en font autant. Les anciennes victimes constatent souvent : les bourreaux étaient des gens ordinaires, ils étaient comme nous ; et ils concluent dans l'angoisse : nous sommes donc coupables nous aussi. Les bourreaux, eux, font cette découverte dans l'euphorie : nous sommes comme les autres, par conséquent nous sommes innocents. C'est, en particulier, la stratégie de Goering à Nuremberg : il ne nie pas ce qui s'est passé, et n'esquive pas sa responsabilité sous prétexte qu'il obéissait aux ordres ; mais il se plaît aux rapprochements entre l'histoire allemande et celle d'autres pays. « L'Empire britannique n'a pas été bâti dans le respect des principes humanitaires [...]. L'Amérique s'est arrogé un *Lebensraum* très riche grâce à la révolution, les massacres et les guerres » (Gilbert, *Diary,* 187) ; quant à l'Union soviétique, elle a pratiqué un totalitarisme non moins féroce que celui de Hitler, qui du reste y a trouvé souvent une source d'inspiration. On ne peut faire la guerre en se réclamant de principes humanitaires, or aucun pays n'a su renoncer à la guerre, et surtout pas les Alliés victorieux. « Là où il est question des intérêts de la nation [...], là s'arrête la morale. C'est ainsi que l'Angleterre se comporte depuis des siècles » (339).

Les autres accusés ne répugnent pas non plus à utiliser cet argument. Hans Frank remarque : « Ils cherchent à rendre Kaltenbrunner responsable du meurtre de 2000 juifs par jour à Auschwitz – mais qu'en est-il des 30000 personnes tuées en quelques heures par les bombardements de Hambourg ? – Elles aussi étaient essentiellement des femmes et des enfants [ajoute Rosenberg]. – Et qu'en est-il des 80000 personnes mortes sous la bombe atomique au Japon ? » (243). Jodl acquiesce : le bombardement de Rotterdam qu'on lui reproche vaut celui de Leipzig, par les Alliés, alors que la guerre était déjà gagnée. Dans ces conditions, si l'on juge les uns, mais non les autres, c'est qu'on a pour soi, non le droit mais la force ; ou comme le dit Goering : « Le vainqueur sera toujours le juge, et le vaincu, l'accusé » (10).

On ne peut écarter ce dernier argument d'un revers de la main. On peut rétorquer, certes, que l'existence d'autres crimes semblables ne rend pas le premier crime excusable ; cela est vrai, mais comme seul l'un est puni, et non les autres, il faut bien admettre que la force y est pour quelque chose, et non seulement le droit. Que les représentants de Staline, à Nuremberg, condamnent à mort ceux de Hitler touche à l'obscénité – alors que les uns et les autres ont vécu jusque-là dans l'émulation, quand ce n'est pas la collaboration la plus étroite. Les camps soviétiques sont peut-être moins « perfectionnés » – mais ils sont plus anciens, plus grands, tout aussi meurtriers, et toujours aussi remplis après la fin de la guerre. On peut aussi objecter à Goering, Frank et Rosenberg que les juifs n'ont jamais été en guerre contre l'Allemagne, et qu'on ne peut donc assimiler leur cas à celui des victimes de guerre (la chose serait vraie aussi pour les ennemis « intérieurs » en URSS, en Chine ou au Cambodge) ; mais la guerre excuse-t-elle le meurtre des enfants ? On peut aussi dire qu'il y a des degrés dans le crime, et que l'extermination d'un groupe humain entier par l'appareil d'État sur la base de critères pseudo-raciaux en est un de particulièrement grave, quasiment unique. Mais il est vrai que les Allemands sont poursuivis aussi pour leurs bombardements, chose effectivement plus commune, y compris dans ses fonctions de terreur.

Il y a une part de vérité incontestable dans l'argument de Goering. Les crimes des grandes puissances coloniales, Angleterre et France en tête, sont innombrables ; ceux des régimes communistes ne sont pas moins graves ; dans toutes les guerres on transgresse les règles d'humanité, et les bombardements de Leipzig et Hambourg, sans parler de Hiroshima et Nagasaki, vont bien au-delà de ce que devrait tolérer un « droit de guerre » quelconque. Mais la conclusion que j'en tirerai est à l'opposé de la sienne : la comparaison n'excuse pas les crimes nazis, mais nous incite à réfléchir sur ces autres crimes, qui sont « nôtres » au sens où les premiers étaient « allemands », et à les condamner. Il n'est pas possible de remonter le cours de l'histoire et de faire aujourd'hui ce qui aurait dû être accompli dans le passé ; mais on peut au moins rétablir la vérité sur ce qui a été, et la maintenir présente dans la mémoire collective. Les Français, les Américains et les autres n'ont aucun mérite moral à se souvenir des crimes des Allemands en refoulant les leurs, même si les uns sont, dans tel cas particulier, plus graves que les autres. Comme le dit Glenn Grey : « Cela reflète bien une certaine mentalité moderne, que de s'émerveiller de l'absence d'une conscience coupable chez les autres, tout en acceptant sa propre innocence comme une évidence » (173). On ne peut refaire le passé mais il faut rappeler dans le présent quel serait le prix d'une guerre et on peut annoncer pour l'avenir que même les crimes légaux seront punis. La justice supranationale est pour l'instant un vœu pieux, mais on peut s'en servir au moins comme d'un principe régulateur. Plutôt que de critiquer avec Goering le bien-fondé de Nuremberg, j'aurais souhaité qu'un Nuremberg permanent siège pour juger tous les crimes contre l'humanité, dont les nazis ne sont pas les seuls à s'être rendus coupables.

Les témoins

Passons maintenant de l'autre côté de la frontière séparant les « actifs » des « passifs », et donc aussi les « coupables » des « responsables ». L'établissement même de cette frontière est essentiel, et les survivants des camps s'y sont souvent référés, en refusant l'idée d'une culpabilité collective dont il faudrait accabler le peuple des bourreaux. Etty Hillesum a encore le mérite de l'avoir affirmé à l'heure même où elle était réduite au rôle de victime. C'est en 1941 qu'elle écrit : « N'y aurait-il plus qu'un seul Allemand respectable, qu'il serait digne d'être défendu contre toute la horde des barbares, et que son existence vous enlèverait le droit de déverser votre haine sur un peuple entier » (I, 25). Au lendemain de la guerre, Jaspers met en évidence le non-sens qu'il y a à condamner, légalement ou moralement, un peuple entier, alors que seuls les individus ont une volonté et peuvent donc être tenus pour coupables ; dire que « les Allemands sont coupables de l'holocauste » est aussi absurde que de prétendre que « les juifs sont coupables de la crucifixion ». Les survivants des camps n'en jugeront pas différemment. Bettelheim écrit : « Quiconque accepte la thèse de la culpabilité de tout un peuple détruit le développement de la démocratie authentique qui est fondée sur l'autonomie et la responsabilité individuelle » (*Cœur*, 366), et Levi s'exclame : « Je ne comprends pas, je ne supporte pas qu'on juge un homme non pour ce qu'il est, mais à cause du groupe auquel le hasard l'a fait appartenir » (*Naufragés*, 171). C'est encore priver les hommes de leur humanité que de leur refuser la capacité de s'arracher à l'influence de leur origine ou milieu.

L'idée de la culpabilité collective est, on le sait, bien implantée chez les gardiens. Buber-Neumann se souvient que, dans les camps soviétiques, tous les Allemands étaient automatiquement traités de fascistes, même s'ils étaient en réalité des communistes qui avaient fui le régime de Hitler. Mais il n'en va pas autrement dans les camps allemands : tout individu y est réduit à son appartenance au groupe. Eicke terrorise les juifs qui y sont enfermés chaque fois qu'une protestation les concernant s'élève dans un coin quelconque du monde : ils sont collectivement coupables. Hitler lui-même tient pour coupables, d'abord, tous les juifs, ensuite, vers la fin de la guerre, tous les Allemands (parce qu'incapables de gagner les batailles). Cette solidarité à l'intérieur du groupe est même étendue à des rassemblements beaucoup plus fortuits : un wagon de prisonniers, une baraque de détenus ; c'est pour cela qu'on y fusille dix personnes pour chaque évasion, cent pour chaque acte de résistance ; tous les membres du groupe sont responsables des actes de chacun. Bettelheim peut donc conclure avec raison : « Lorsque nous choisissons un groupe de citoyens allemands pour leur montrer les camps de concentration en leur affirmant : "Vous êtes coupables", nous affirmons un principe fasciste » (*Cœur*, 366).

Il est vrai que Jean Améry, un autre survivant qui a beaucoup souffert, a voulu relever le défi théorique lui-même, et a défendu dans son livre, contre Jaspers, l'idée de la culpabilité collective des Allemands. Il sait bien que les exceptions existent, il a lui-même rencontré de bons Allemands, mais il croit néanmoins à sa thèse comme à une approximation statistique valable. Quand le train des détenus traversait la Tchécoslovaquie, des mains secourables se tendaient ; quand il s'arrêtait en Allemagne, les visages restaient de pierre. Par conséquent, « tant que la nation allemande [...] n'a pas décidé de vivre entièrement privée d'histoire [...], elle doit continuer de porter la responsabilité de ces douze années-là » (*Mind*, 76). Telle est aussi, à peu près, la position de Jankélévitch. Mais il faut dire que si on est sur le terrain du droit, on peut condamner seulement des individus, non « les Allemands ». Et si l'on est sur celui de l'histoire, il faut bien admettre la comparaison entre l'histoire allemande et celle d'autres pays, et constater que l'Allemagne, hélas, n'est pas la seule à avoir des choses à se reprocher. Mais c'est une comparaison qu'Améry a toujours rejetée, considérant par exemple que le terme de « totalitarisme » ne servait qu'à camoufler les crimes germaniques. L'individu, certes, ne peut que se sentir blessé de voir son expérience unique inclue dans une série, et transformée en exemple de quelque chose de plus commun. C'est son droit, et il faut le respecter. Mais c'est notre devoir aussi que de faire la différence entre justice et ressentiment.

Les témoins échappent donc, par principe, aux poursuites légales ; mais on peut les tenir pour moralement responsables. Ils ne forment pas un groupe homogène ; on pourrait plutôt les voir comme disposés en une série de cercles concentriques, selon leur degré d'éloignement des agents mêmes du mal.

Dans le *premier cercle* se trouvent les intimes des personnes légalement responsables : leur famille, leurs proches. Ceux-ci ne peuvent vraiment pas recourir à l'argument d'ignorance : ils étaient, en quelque sorte, aux premières loges ; aussi font-ils appel à d'autres arguments. L'un des plus communs parmi eux est qu'ils regrettaient de voir ce qui se passait mais étaient dans l'impossibilité d'aider. « C'est atroce mais on n'y peut rien », dit un proche témoin à la femme de Stangl (Sereny, 146), et l'épouse d'un SS travaillant dans l'« institut » d'euthanasie : « C'était affreux, évidemment, mais que pouvions-*nous* faire ? » (112). A ce fatalisme fondamental s'ajoute la crainte de la punition. Donc, à quoi bon protester quand, premièrement, cela ne soulagera pas les victimes et, deuxièmement, entraînera la perte du témoin ? Ce double argument est caractéristique des régimes totalitaires, à la fois parce que ceux-ci reposent sur la crainte de l'individu pour sa vie ou son intégrité physique, et parce qu'ils présentent le déroulement des événements de la vie sociale (l'« Histoire ») comme aussi inexorable qu'un processus naturel : c'est l'hyperdéterminisme propre à la philosophie de ces régimes. En réalité, aucun des deux arguments ne résiste à l'examen : si les protestations sont nombreuses, le régime modifie sa politique ; et l'expression du désaccord n'entraîne pas la mort de celui qui la profère. Mais ce que le régime ne parvient pas à instaurer dans les faits, il le réalise dans la tête des sujets totalitaires : c'est là que réside sa force. Il reste qu'un acte de protestation comporte un certain risque et que, du point de vue moral, il est légitime d'inciter les autres à le prendre, mais non de leur reprocher de ne pas l'avoir fait (c'est un reproche qu'on ne peut s'adresser qu'à soi-même).

Gitta Sereny a eu la bonne idée d'interroger longuement non seulement l'ancien commandant de Treblinka, mais aussi son épouse, Theresa Stangl. Comment cette dernière a-t-elle accepté que son mari ait la mort pour métier ? En faisant de son mieux pour l'ignorer. En évitant de lui poser des questions gênantes. En acceptant ses explications embarrassées, selon lesquelles il ne s'occupait que d'administration, pas de la mise à mort (« Bien sûr, je *voulais* être convaincue, n'est-ce pas ? » admet-elle trente ans plus tard, 145). En assimilant les victimes aux soldats tombés au front. En refusant de croire qu'on tuait aussi les femmes et les enfants. Cette accommodation du monde lui est nécessaire pour pouvoir continuer à vivre tranquille. Elle le dit assez clairement elle-même : « C'est ainsi que j'avais envie, que j'avais besoin de penser, qu'il me *fallait* penser pour conserver notre existence familiale et, si vous voulez, [...] pour conserver ma raison » (373). Mme Stangl préfère le confort à la vérité ; mais elle n'est pas la seule.

Quelle est la responsabilité de ce premier cercle d'intimes ? Les agents du mal, on l'a vu, souffrent souvent d'une fragmentation de leur existence en sphère publique et sphère privée, qui ne communiquent pas entre elles ; ils peuvent être de bons maris et d'excellents pères. Stangl, en particulier, voudrait se comporter en père de famille d'autant plus exemplaire qu'il cherche à compenser par là les insatisfactions que lui procure son travail. Qu'aurait-il fait s'il avait été sommé par sa femme de choisir entre son métier et elle-même ? Sereny pose la question à cette femme, qui en comprend l'enjeu : si elle pense qu'il aurait changé de métier, elle doit se sentir responsable de ce qui s'est produit, puisqu'elle aurait pu l'arrêter. Sa réaction est révélatrice. Après avoir longuement réfléchi, elle répond : si je l'avais mis face à l'alternative : Treblinka ou moi, « oui, pour finir, c'est moi qu'il aurait choisie ». Mais quelques heures plus tard elle change d'avis et envoie à Sereny une lettre affirmant le contraire. Son interlocutrice tire la conclusion qui s'impose : « La vérité est une chose terrible, trop terrible quelquefois pour que nous puissions vivre avec elle » (387-8). Dans un grand nombre de cas, les intimes auraient pu empêcher les massacres, et ils ne l'ont pas fait.

Dans le *deuxième cercle* autour des agents du mal se trouvent leurs compatriotes : ceux qui ne les connaissent pas personnellement mais appartiennent à la même communauté. Les anciens détenus ont gardé en général l'impression que la population civile autour d'eux restait indifférente à leur sort ; et il n'y a aucune raison de mettre leur témoignage en doute. Dans le cas des camps allemands, ces détenus venaient souvent d'un pays étranger ; mais, en Union soviétique comme en Bulgarie, ils étaient chez eux ; pourtant, la population ne les a pas davantage aidés. L'explication généralement donnée par les personnes concernées est celle de l'ignorance : nous ne savions pas ce qui se passait à l'intérieur des camps de concentration. Cette situation a été examinée longuement sous tous les angles. On peut conclure aujourd'hui que l'excuse fournie contient certainement une part de vérité : le secret est, on le sait, consubstantiel à l'État totalitaire, et il peut être assez bien gardé ; souvent, les agents du mal eux-mêmes n'ont pas une vue d'ensemble de l'action dans laquelle ils sont engagés. Mais, d'un autre côté, les camps ne sont pas vraiment isolés du reste du pays de manière hermétique : ce sont aussi des lieux de travail, ils s'insèrent donc dans un schéma économique général, et le contact avec la population extérieure est inévitable. Du reste, les détenus sont trop nombreux, et par conséquent aussi les gardiens, pour que, de proche en proche, la nouvelle ne se répande partout. On peut dire que, si la population n'a vraiment pas su ce qui s'y passait, c'est qu'elle ne voulait pas le savoir ; mais on ne peut incriminer chaque personne individuellement de cette négligence.

(On parle beaucoup en ce moment en Bulgarie [depuis que la presse a été libérée en novembre 1989] des massacres qui ont eu lieu en 1944, au lendemain de la prise du pouvoir par les communistes. Je demande à mon père : « Comment pouvais-tu approuver cela et te déclarer solidaire des communistes qui étaient responsables de ces massacres ? – On n'en savait rien, me répond-il, cela se passait dans les villages, et on n'en entendait pas parler dans la capitale. » Pourtant il me raconte aussi que sa propre mère, qui vivait en province, le regardait avec des yeux effrayés depuis qu'il avait rejoint le Parti. Je crois me souvenir également que l'une des meilleures amies de ma mère était l'épouse d'un ancien Premier ministre, qu'on a fusillé à cette époque. Mon père avait-il vraiment cherché à savoir ce qui se passait autour de lui ? L'aurais-je fait à sa place ?)

Les exemples abondent dans les récits des survivants. Levi entre en correspondance avec un certain Müller qu'il avait connu à Auschwitz comme chimiste (et non comme gardien) et lui demande comment il réagissait à l'époque à ce qu'il voyait ; la réponse est qu'il ne voyait rien. Ce n'est pas forcément un mensonge. « En ce temps, pour la majorité silencieuse allemande, c'était une technique répandue d'essayer d'en savoir le moins possible, et pour cette raison de ne pas poser de questions » (*Système*, 262). Les éléments d'information « furent étouffés par la peur, le désir du gain, par la cécité et la stupidité volontaires » (*Naufragés*, 16). « Pour ne pas voir, ils faisaient leurs achats en hâte », dit un autre témoin (Lanzmann, 63). Evguénia Guinzbourg écrit : « Quand on jette aujourd'hui un coup d'œil en arrière, vers cette époque terrible, on s'étonne d'un tel aveuglement volontaire : comment les gens pouvaient-ils ne pas se poser de questions devant ce qui crevait les yeux ? » (II, 336-7). Elle est bien obligée de répondre à cette question : elle se rend compte qu'elle-même se laissait leurrer comme les autres. C'est que, et c'est une des leçons de cette expérience, croire est plus fort que voir. Les détenus avaient besoin de croire pour espérer ; ils oubliaient donc le témoignage de leurs sens. Les témoins avaient besoin de croire pour vivre tranquilles : ce qu'ils voyaient à Kolyma n'entrait pas dans le champ de leur conscience.

(La nouvelle presse d'opposition en Bulgarie a attiré l'attention sur une autre période aussi : 1959-1962. A ce moment-là, il n'y avait plus de « fascistes », mais on avait toujours besoin d'ennemis intérieurs ; on menait donc la chasse aux garçons et aux filles non conformistes. En particulier, à ceux qui dansaient et s'habillaient « comme en Occident », c'est-à-dire, pour les hommes, avec des pantalons étroits. La police faisait des descentes dans les soirées dansantes et demandait aux hommes d'enlever leurs pantalons sans toucher aux chaussures. Ceux qui n'y parvenaient pas étaient embarqués et sauvagement battus dans les postes de police. A la deuxième « infraction », on les envoyait au camp par mesure administrative, sans qu'ils passent jamais en justice. Le camp, c'était, à Lovetch, une carrière de pierres ; la moitié des détenus y est morte, par les bons soins des gardiens. En ces temps je n'étais plus un enfant, c'étaient mes dernières années d'université ; justement, j'allais souvent danser. Je n'ai jamais vécu les scènes de déshabillage ; mais peut-être la police choisissait-elle les milieux où elle frappait ? J'ignorais tout de Lovetch. Ai-je cherché à savoir ? J'étais trop content de mes petits privilèges pour risquer de les perdre en sympathisant avec des victimes du régime. Comme tout le monde, je savais qu'il y avait un camp sur l'île de Béléné ; cela ne m'avait jamais posé problème : je considérais son existence comme aussi naturelle que celle des prisons.)

Le rapprochement établi par Guinzbourg entre l'aveuglement des témoins et celui des victimes elles-mêmes s'impose en effet, à la lecture des récits des survivants. Levi parlait, on l'a vu, de « cécité volontaire » chez la population allemande ; mais il ne trouve pas d'autre terme pour décrire sa propre attitude, la veille de son arrestation, en Italie. « Si l'on voulait tirer un profit quelconque de la jeunesse qui coulait dans nos veines, il ne restait vraiment pas d'autre ressource que la cécité volontaire » (*Système*, 65). « Notre ignorance nous permettait de vivre » (155). Les exemples abondent des mises en garde écartées, des avertissements volontairement ignorés. Une personne se rend clandestinement à Treblinka pour apprendre quel est le sort des juifs qu'on y amène ; elle revient à Varsovie et raconte ce qu'elle a vu. « Le jeune homme adjura les Anciens du ghetto de le croire ; ceux-ci finirent par déclarer qu'il souffrait de surmenage et qu'on allait lui trouver une place dans la clinique du ghetto afin qu'il puisse se reposer » (Sereny, 275). Moché-le-Bédeau revient au village avec la terrible nouvelle. « Les gens refusaient non seulement de croire à ses histoires, mais encore de les écouter. – Il essaie de nous apitoyer sur son sort. Quelle imagination... Ou bien : – Le pauvre, il est devenu fou » (Wiesel, 20-1).

Les mêmes attitudes se retrouvent à l'intérieur des camps, au vu même de la mort. Filip Müller formule la règle de ce comportement : « Qui veut vivre est condamné à l'espoir » (Lanzmann, 83). C'est, ajoute Micheels, « l'une des nombreuses formes de dénégation sans lesquelles la vie serait insupportable » (34). Tous les survivants ont en commun cette phrase : je ne croyais pas, je ne pouvais le croire. Buber-Neumann rencontre des détenues d'Auschwitz transférées à Ravensbrück : « Je ne crois pas un mot de ce que je viens d'entendre, pensant qu'elles ont complètement perdu la raison » (*Ravensbrück*, 120). Richard Glazar doit trier, à Treblinka, les habits de ceux qui sont arrivés en même temps que lui : « Je crois que je continuais à ne rien penser ; ça paraît impossible maintenant, mais c'était comme ça » (Sereny, 189). Le même déni du réel se répète à l'ombre des cheminées des fours crématoires ou devant la porte des chambres à gaz. Les raisons de ce geste ne sont pas incompréhensibles. « Ce serait commettre une erreur historique immense que de considérer les principaux mécanismes de défense employés par les victimes [...] comme de purs symptômes d'aveuglement ou de bêtise ; au contraire, ces mécanismes de défense découlent de certaines qualités profondes qui sont inhérentes à tous les êtres humains : l'amour de la vie, la peur de la mort... » (Jong, 54). On croit ce qu'on veut, non ce qu'on voit.

N'est-ce pas scandaleux d'observer le même processus psychologique chez les victimes et les témoins, alors que les résultats en sont si différents ? Je ne le pense pas. Les uns et les autres protègent leur bien-être (ou croient le faire) en niant le réel. Mais ce même mécanisme psychologique est utilisé dans deux situations tout à fait différentes, puisque le danger qu'on décide d'ignorer vous menace vous-même dans l'un des cas, votre prochain dans l'autre. Du coup, leur signification morale est entièrement différente : on peut regretter l'aveuglement volontaire des victimes, mais on ne peut pas le leur reprocher ; il n'en va pas de même des témoins, qu'on peut blâmer, même si ce n'est que devant l'Histoire, de non-assistance aux personnes en danger.

Les avis là-dessus sont partagés. Certains survivants accusent amèrement les témoins d'indifférence ; sans eux, les agents même du mal, qui sont toujours peu nombreux, n'auraient pas pu commettre leurs méfaits. Levi, qui pourtant ne veut pas croire à la culpabilité collective, pense que « le peuple allemand, dans son ensemble » est « pleinement coupable de cette démission délibérée » (*Si*, 241). D'autres considèrent qu'un tel reproche est injustifié car il revient à exiger des qualités exceptionnelles de la part de gens ordinaires. « On peut blâmer l'Allemand moyen de n'avoir pas été un héros, mais il y a peu de peuples dont le citoyen moyen soit héroïque », déclare par exemple Bettelheim. « Attribuer les crimes de la Gestapo à des spectateurs désarmés reviendrait à accuser de complicité les spectateurs d'un vol à main armée sous prétexte qu'ils ne se sont pas interposés entre l'agresseur et la victime » (*Cœur*, 364).

La question, posée sous cette forme, me paraît un peu trop abstraite. Levi oublie ici ses propres distinctions, entre culpabilité légale et morale, collective et individuelle ; mais Bettelheim ne nous permet pas de saisir la nature de cette situation dans laquelle tous se voient entraînés par une complicité criminelle. J'en trouve cependant une bonne évocation chez Guinzbourg : « Il ne suffit pas pour retrouver la paix de se dire qu'on n'a pas pris une part directe aux assassinats et aux trahisons. Car qui a tué ? Pas seulement celui qui a frappé, mais aussi tous ceux qui ont apporté leur soutien à la Haine. Peu importe de quelle manière. En répétant sans réfléchir des formules théoriques dangereuses. En levant sans rien dire la main droite. En écrivant lâchement des demi-vérités » (II, 188). De cela les habitants des pays totalitaires sont bien responsables.

(Je sais de quoi parle Guinzbourg. J'étais jeune, bien sûr ; mais je me rappelle que, peu après la mort de Staline, nous avons exclu du Komsomol un élève de ma classe, parce que, paraît-il, il n'avait pas montré assez de chagrin à la suite de ce triste événement. Quelque temps après, je m'en souviens à peine, sa famille – des Russes « blancs » qui avaient émigré en Bulgarie après la Révolution – était rappelée en URSS, et on n'en a plus entendu parler. J'ai appris récemment que cette émigration forcée signifiait la déportation. Quelques années plus tard, déjà à l'Université, j'assistai – cette fois-ci dans la désapprobation silencieuse – à l'exclusion d'un autre camarade, à la suite de je ne sais quel péché. Chaque fois j'avais voté comme il le fallait. Si j'étais resté en Bulgarie, j'aurais passé les trente années suivantes à écrire des demi-vérités, en jouant au plus fin avec « eux ». Tel est l'un des traits les plus frappants des régimes totalitaires : tout le monde devient complice, tout le monde est à la fois détenu et gardien, victime et bourreau.)

Dans le *troisième cercle* autour des agents du mal se trouvent les pays soumis : des populations comme celles de la Pologne et de la France, par rapport à l'Allemagne. On ne peut transférer sur elles la responsabilité des agents, puisque ceux-ci étaient des ennemis. Mais, dans certains cas, on peut se demander si ces populations ne se sont pas montrées particulièrement complaisantes à l'égard des exactions qui s'accomplissaient sur leur sol ; la question a notamment été soulevée pour les habitants de la Pologne, qui ont vu de près l'extermination des juifs dans les camps de la mort : leur indifférence, imputée à l'antisémitisme traditionnel, ne les rend-elle pas coupables ? Car, comme le dit Marek Edelman, dans certaines situations « n'est pas un ennemi celui seulement qui te tue, mais aussi celui qui est indifférent. [...] Ne pas aider et tuer, c'est la même chose » (*Au sujet*, 271).

Du débat passionné qui a entouré cette question je retiens que, comme souvent, la vérité n'est pas faite d'une pièce. L'antisémitisme a joué, et aussi la cupidité ou la peur ; les témoins polonais non juifs ont fini par s'habituer à l'inacceptable, et ils ont eu plus de pitié d'eux-mêmes que des juifs. En même temps, les gestes d'entraide ont été nombreux, bien que les Polonais aient été particulièrement menacés et persécutés par l'occupant. Un exemple et une formule générale me semblent résumer le mieux la situation. Un couple polonais « aryen » cache une juive pendant l'occupation. Le mari, qui n'a jamais cessé d'être antisémite, décide de la dénoncer un jour pour s'en débarrasser. Menacé par un ami de sa femme, il renonce à son projet et quitte la maison. Après l'insurrection de 1944, la population de Varsovie est évacuée ; la femme juive ne peut plus rester dans sa cachette. Pour la protéger, la Polonaise lui prête son bébé : celle que l'on prend pour une mère risque moins. Et si la Polonaise perdait ainsi son enfant ? « Irena ne lui aurait pas fait de mal. Elle aurait pris bien soin de lui » (Tec, 55). La trahison et le souci cohabitent sous le même toit. Walter Laqueur conclut, quarante ans plus tard, que l'attitude des Polonais est loin d'être la pire de toutes, pendant cette sombre période : « Une comparaison avec la France ne serait pas du tout défavorable à la Pologne » (107).

La comparaison avec la France n'est pas totalement hors de propos, du fait de l'occupation qui leur est commune et de la présence des juifs ici et là, même si beaucoup d'autres éléments divergent. Les accusateurs de la Pologne louent par contraste la France. « L'existence de camps d'extermination était impossible en France », déclare péremptoirement Claude Lanzmann (*Au sujet*, 249), « les paysans français ne l'auraient pas supporté » (232). Ce type d'affirmations au conditionnel passé est, bien entendu, à tout jamais invérifiable ; on peut en revanche rappeler quelques faits concernant la France. Que, par exemple, les lois raciales de Vichy étaient plus strictes que celles de Nuremberg ; ou que la déportation des enfants était une initiative française, non allemande. Pour ce qui est de la sympathie spontanée de la population, je lis ceci, dans une enquête récente sur les camps de transit qu'on avait organisés pour les juifs, dans l'Orléanais. Une femme qui était alors une fillette raconte (elle avait été arrêtée dans la rafle du Vel d'Hiv) : « Des autobus vinrent nous embarquer pour le Vélodrome. Cela nous valut une longue traversée de la capitale, en plein jour, sous le regard apparemment indifférent, parfois surpris, des Parisiens » (Conan, 62). Un rapport de la Préfecture, à l'époque même, constate avec soulagement : « C'est avec indifférence, la plupart du temps, que les habitants ont vu passer les convois d'internés » (63).

Une femme habitant les environs du camp se souvient du moment où, à l'intérieur, on séparait les mères des enfants : « Des cris, des cris, qu'on se demandait ce que c'était » (65) ; la curiosité s'arrête là. Une autre voisine raconte : « Je me souviens que nous sommes passés à côté de ces gens enfermés sans que notre professeur ne nous dise quoi que ce soit sur eux » (67). Le sous-préfet de l'époque, toujours fonctionnaire aujourd'hui, ne se souvient, lui, de rien. Les voyages d'un camp français à un autre camp français, organisés et encadrés par la gendarmerie française, se passent dans les mêmes wagons à bestiaux qui conduiront quelque temps après ces enfants à Auschwitz. Je crois que les Français doivent être reconnaissants à Eichmann et ses collègues d'avoir choisi la Pologne comme lieu d'extermination (pour des raisons « pratiques », et nullement parce que les Français auraient refusé la collaboration ou auraient été des témoins gênants) ; sinon, on aurait appris une fois de plus qu'« impossible n'est pas français ». On peut blâmer les témoins pour leur indifférence, mais pas un peuple plus que les autres.

Il est vrai cependant que deux pays européens font exception, le Danemark et la Bulgarie, puisque les juifs n'en seront pas déportés. Au Danemark, les nazis se heurtent à un refus de collaborer émanant de toute la population, qui au contraire s'organise pour assurer l'évasion de la minorité juive en Suède, pays neutre. En Bulgarie, on laisse déporter les juifs des territoires nouvellement acquis aux dépens de la Grèce et de la Yougoslavie ; mais, pour ce qui concerne les juifs citoyens bulgares, ils seront recensés, expropriés, assignés à résidence hors de la capitale – et pourtant jamais déportés au-delà des frontières du pays. Les raisons de ce dénouement heureux sont chaque fois semblables. Il y a d'une part l'absence de tradition antisémite bien implantée au sein de la population ; et, d'autre part, la capacité de quelques hommes politiques de prendre des décisions courageuses et de s'y tenir. Au Danemark, le roi, le Premier ministre, le directeur de l'Administration, l'évêque font savoir publiquement qu'ils sont contre toute discrimination à l'égard des juifs ; de nombreuses personnes de moindre notoriété participent aux opérations de sauvetage. En Bulgarie, le roi encore, le vice-président de l'Assemblée nationale, le métropolite de Sofia et même le ministre de l'Intérieur déclarent ouvertement leur opposition aux déportations ; là aussi, la population aide individuellement les juifs à se cacher et à survivre.

Peut-on en conclure que ces peuples sont intrinsèquement meilleurs que les autres, faits d'une substance supérieure ? S'agissant en particulier des Bulgares, dont je me sens partie prenante, je pense que ce n'est pas le cas ; du reste, les persécutions récentes de la minorité turque montrent que les sentiments d'exclusion et de discrimination ne sont pas totalement inconnus de la majorité bulgare. Je crois qu'il faut plutôt rendre responsable du cours de l'Histoire une combinaison heureuse de circonstances, mais d'où l'intervention de la volonté humaine n'est pas absente. La position géographique et politique compte, comme aussi la tradition et les données sociologiques ; mais rien de décisif ne se serait passé si quelques individus politiquement influents n'avaient pas trouvé le courage de défendre leurs convictions, au risque de perdre leur situation ou même leur vie.

Enfin, dans le *quatrième* (et dernier) *cercle* se trouve la population des pays libres, ennemis des dictatures où s'accomplissent les crimes. Ces populations sont donc, elles aussi, libres (elles ne vivent pas sous la menace totalitaire) et elles disposent de sources d'information multiples, ce qui leur permet, si elles le souhaitent, d'accéder à la vérité. On sait aujourd'hui que l'information sur les camps d'extermination nazis a filtré très tôt (c'est le sujet du livre de Laqueur) ; quant aux camps soviétiques, elle n'a jamais vraiment manqué, depuis les années vingt déjà. On sait aussi que les interventions extérieures contre les camps, quand elles ont eu lieu, se sont avérées plutôt efficaces. Cependant, ces interventions ont été pratiquement nulles pour ce qui concerne les camps nazis et très tardives pour les camps soviétiques. Pourquoi ?

S'agissant de l'extermination des juifs, la réponse est particulièrement sinistre : c'est parce que les Alliés craignaient que Hitler ne les prenne au mot et ne leur remette quelques millions de juifs, au lieu de les exterminer. Un document du Foreign Office anglais, adressé au gouvernement américain et daté de mars 1943, affirme : « La possibilité existe que les Allemands ou leurs satellites puissent passer de la politique d'extermination à une politique d'exclusion et visent, comme ils le firent avant la guerre, à mettre d'autres pays dans l'embarras en les inondant d'immigrants étrangers » (Wyman, 145). En octobre 1943, un document du Département d'État américain précise à son tour : « Il y a de graves objections à faire au sujet de démarches directes auprès du gouvernement allemand pour lui demander qu'il nous confie ces gens. [...] Le résultat net serait de jeter l'opprobre sur les gouvernements alliés plutôt que sur celui de l'Allemagne » (254). Le même type d'arguments est utilisé par les Canadiens. Les fonctionnaires des gouvernements alliés préfèrent que les juifs meurent chez les autres plutôt que de les encombrer chez eux.

Dans le cas des camps soviétiques, les raisons sont différentes : on ne craint pas tant d'être submergé par des émigrés indésirables que d'indisposer le gouvernement soviétique lui-même et, peut-être plus encore, les amis de l'idéologie communiste chez soi. C'est une minorité, bien sûr, mais une minorité qui sait se faire entendre, puisqu'elle est particulièrement représentée chez les intellectuels. En France, malgré les efforts, à partir de 1949, de quelques rescapés des camps nazis, comme David Rousset, Germaine Tillion et d'autres, en vue de faire la lumière sur ces autres camps toujours en activité, l'opinion publique reste sceptique. Les membres du Parti communiste, pourtant citoyens d'un pays démocratique, affirment au cours du procès en diffamation que leur intente Rousset : cela n'est pas vrai car cela n'est pas possible. Marie-Claude Vaillant-Couturier, ancienne déportée d'Auschwitz mais également députée communiste, déclare à l'audience, après qu'on y a présenté une dizaine de témoignages irréfutables : « La question ne peut pas se poser parce que je sais qu'il n'existe pas de camps de concentration en Union soviétique » (Rousset *et al.*, 194). D'autres (Sartre) admettent la vérité des faits, mais refusent de la divulguer : « Il ne faut pas désespérer Billancourt. » Ce faisant, les uns et les autres combattent en réalité pour le maintien des camps ; du coup, ils en portent aussi la responsabilité. Ce n'est qu'au milieu des années soixante-dix, après la publication des écrits de Soljenitsyne, qu'un tournant s'esquisse au sein de l'intelligentsia française de gauche.

Un autre exemple de cette résistance à la vérité concerne un récit de survivant : *Un monde à part*, de Gustaw Herling, publié en polonais en 1951 et aussitôt traduit en anglais avec une préface de Bertrand Russell, sera refusé par tous les éditeurs français, et notamment par les éditions Gallimard, malgré les interventions insistantes d'Albert Camus, l'une des rares personnalités du monde littéraire à dénoncer les camps communistes – ce qui lui vaut de solides inimitiés ; tout ce qui concerne l'Union soviétique, force est de le constater, est soumis à la censure. *La Pensée captive*, le livre d'un autre Polonais, Czeslaw Milosz, sera publié en 1953, mais il sera ignoré par l'intelligentsia française ; à cette époque, se souvient Milosz en 1981, « la majorité des intellectuels français, irrités par la dépendance de leur pays de l'aide américaine, avaient mis leur espoir dans un monde nouveau à l'Est, gouverné par un chef d'une sagesse et d'une vertu incomparables : Staline. Ceux parmi leurs compatriotes qui, tel Albert Camus, osèrent évoquer le réseau des camps de concentration qui étaient la base même de ce système théoriquement socialiste furent calomniés et ostracisés par leurs collègues » (*Mind*, V).

Les intellectuels de ce pays libre se sont faits les complices actifs des camps de concentration communistes, en empêchant la divulgation de l'information les concernant, une information qui est en même temps un moyen de les combattre. Mais, me dira-t-on, il y a loin de Kolyma à Paris ; on ne peut rapprocher cette situation de celle de la population allemande qui prétendait ignorer Buchenwald et Dachau. Certes ; mais les intellectuels parisiens des années quarante et cinquante ne vivaient pas dans un pays totalitaire et n'avaient pas non plus les excuses des habitants de Weimar ou de Munich : aucune répression n'allait s'abattre sur eux s'ils proclamaient la vérité.

Au terme de ce parcours à travers les cercles de la complicité avec le mal, une conclusion quelque peu sombre semble s'imposer : les témoins, proches ou lointains, ont, dans l'ensemble, laissé faire (même si des exceptions peuvent être relevées). Ils savaient, ils pouvaient aider et ils ne l'ont pas fait. Il s'est toujours et partout trouvé des individus qui ont manifesté du souci pour les victimes ; mais le gros de la population, incontestablement, a fait preuve d'indifférence. Les légers écarts qu'on peut observer d'un pays à l'autre ne sont pas décisifs, bien qu'ils apparaissent tels aux yeux de ceux qui ont eu à subir un rejet de la part d'une population particulière. Allemands et Russes, Polonais et Français, Américains et Anglais se valent de ce point de vue : tous ont laissé faire. Le malheur d'autrui nous laisse froids si pour y remédier nous devons renoncer à notre tranquillité.

On n'avait pas vraiment besoin d'aller dans les camps pour l'apprendre. Tous les jours, autour de nous, se perpètrent des actes d'injustice, et nous n'intervenons pas pour les empêcher. Jusqu'en 1989, on continuait de déporter des populations en Roumanie et en Bulgarie. Les descendants des juifs persécutés au cours de la Seconde Guerre mondiale acceptent qu'il y ait dans leur pays deux catégories de citoyens et que les uns subissent impunément la violence des autres. Nous nous résignons aux guerres présentes et futures. Nous nous habituons à voir la pauvreté extrême, autour de nous, et à n'y plus penser. Les raisons invoquées sont toujours les mêmes : je ne savais pas, l'aurais-je su que je n'aurais rien pu faire. Nous connaissons, nous aussi, la cécité volontaire et le fatalisme. En ce sens (mais en ce sens seulement), le totalitarisme nous révèle ce que la démocratie laisse dans la pénombre : c'est qu'au bout du chemin de l'indifférence et du conformisme apparaissent les camps de concentration.

Faut-il exiger pour autant que chacun prenne sur lui tout le malheur du monde et ne s'endorme pas tranquille tant que subsiste quelque part la moindre trace d'injustice ? Qu'on pense à tous et qu'on n'oublie rien ? Certainement pas. Une telle tâche est proprement surhumaine et tuerait celui qui l'assumerait avant qu'il n'ait pu faire le premier pas. L'oubli est grave ; mais il est aussi nécessaire. Personne sauf le saint ne pourrait vivre dans la stricte vérité, renonçant à tout confort et à toute consolation. C'est pourquoi on pourrait se donner un objectif plus modeste et plus accessible : en temps de paix, se soucier de ses proches ; et pourtant, en temps de détresse, trouver en soi les forces pour ouvrir ce groupe au-delà de ses limites habituelles et reconnaître comme proches même ceux dont les visages nous sont inconnus.

Vices quotidiens

Revenons aux manifestations du mal. Face aux persécutions et aux humiliations subies par les victimes, il était important pour elles d'affirmer : nous aussi, nous sommes des hommes comme vous. *Si c'est un homme* de Primo Levi, *L'Espèce humaine* de Robert Antelme sont de tels plaidoyers en faveur de l'humanité des victimes ; c'est en cette humanité commune que réside l'espoir de ces dernières. « C'est parce que nous sommes des hommes comme eux que les SS seront en définitive impuissants devant nous. [...] Le bourreau [...] peut tuer un homme, mais il ne peut pas le changer en autre chose » (Antelme, 229-30). Mais qui dit : nous sommes des hommes comme eux, doit pouvoir conclure aujourd'hui, alors que l'humanité des victimes est reconnue par tous mais que celle des bourreaux paraît problématique : ils sont des hommes comme nous. Les agents du mal étaient des gens ordinaires, nous le sommes aussi : ils nous ressemblent, nous sommes comme eux.

Il n'y a peut-être aucun mérite à faire ce constat quand on n'a pas été directement touché par les événements en question ; mais la chose n'est pas facile pour celui qui les a subis dans sa chair. Un détenu d'Auschwitz raconte que ses camarades et lui se posaient constamment la question de savoir « si l'Allemand était un être humain comme tous les autres.

A chaque fois la réponse fut catégorique : “Non, l’Allemand n’est pas un homme, l’Allemand est un boche, un monstre et qui plus est : un monstre conscient de sa monstruosité” » (Laks, 157). C’est avec d’autant plus d’admiration que je lis ces lignes dans le journal d’Etty Hillesum. Un ami dit devant elle : « Qu’a donc l’homme à vouloir détruire ainsi ses semblables ? » Elle réplique : « Les hommes, les hommes, n’oublie pas que tu en es un. [...] Toutes les horreurs et atrocités ne constituent pas une menace mystérieuse et lointaine, extérieure à nous, mais elles sont toutes proches de nous et émanent de nous-mêmes, êtres humains » (I, 102-4). Cela se passe le jeudi 19 février 1942, le matin, à l’arrêt du tram, à Amsterdam.

D’autres mettent plusieurs années avant de faire cette découverte. Levi défend l’humanité du détenu en 1946, dans *Si c’est un homme* ; mais ce n’est que quarante ans plus tard, en 1986, qu’il peut écrire dans *Les Naufragés et les Rescapés* : « Ils étaient faits de la même étoffe que nous, c’étaient des êtres humains moyens, moyennement intelligents, d’une méchanceté moyenne : sauf exception, ce n’étaient pas des monstres, ils avaient notre visage » (199). Soljénitsyne se souvient des années où il était officier de l’Armée rouge, et conduisait sa batterie à travers la Prusse ravagée ; il se souvient des crimes dont il était lui-même capable. Nous savons maintenant que c’est le point de départ obligé de l’action morale, et il le dit : « Rien ne favorise autant l’esprit de compréhension que les réflexions lancinantes sur nos propres crimes. » Il conclut, trente ans plus tard, alors qu’il a été entre-temps emprisonné et déporté : « Peu à peu j’ai découvert que la ligne de partage entre le bien et le mal ne sépare ni les États ni les classes ni les partis, mais qu’elle traverse le cœur de chaque homme et de toute humanité » (II, 459). Si ces gens avaient été à notre place, ils se seraient conduits comme nous ; si nous avions été à la leur, nous aurions pu devenir comme eux.

En général, nous avons beaucoup de mal à admettre cette vérité. Il est infiniment plus commode, pour chacun de nous, de penser que le mal nous est extérieur, que nous n’avons rien de commun avec les monstres qui l’ont commis (on retrouve la même réaction face aux crimes « monstrueux » qui se produisent sporadiquement de nos jours). Si nous préférons oublier Kolyma et Auschwitz, c'est de peur de voir que le mal des camps n'est pas étranger à l'espèce humaine ; c'est cette peur aussi qui nous fait préférer les (rares) histoires où le bien triomphe. Les psychanalystes qui se sont penchés sur les expériences concentrationnaires, comme Alexander Mitscherlich ou Bruno Bettelheim, ont eu raison d'insister là-dessus : ces pratiques du mal ne nous sont pas aussi étrangères que nous l'aurions voulu, et c'est pour cette raison précisément que nous refusons de l'admettre mais optons volontiers pour la thèse de la monstruosité.

Il ne faut pas se méprendre sur le sens de cette affirmation. En aucun cas on ne doit (ni ne peut) en déduire qu'il n'y a pas de différence entre coupables et innocents, ou entre bourreaux et victimes. Arendt, qui a parlé de la banalité du mal, a toujours mis en garde contre une interprétation de sa formule comme voulant dire : il y a un petit Eichmann en chacun de nous, nous sommes donc tous pareils. Le faire aurait signifié qu'on n'admet pas la distinction – qui est pourtant à la base de la justice – entre la capacité d'agir et l'action elle-même ; ni entre des degrés incommensurables d'une seule et même caractéristique. Primo Levi a insisté sur le même point : que les bourreaux soient humains comme nous ne permet nullement de déduire (à la manière de quelques cinéastes confus ou pervers, comme Liliana Cavani) que « nous sommes tous victimes ou assassins » (*Naufragés*, 48) : c'est effacer d'un trait de plume la culpabilité des uns, la souffrance des autres, c'est renoncer à toute justice au nom d'une idée caricaturale de l'inconscient. Les uns et les autres ne sont pas de nature différente, c'est vrai ; mais la justice sanctionne les actes accomplis, et rien d'autre. Elle diffère en cela de la compassion, qui s'exerce à l'égard des êtres, et à plus forte raison de l'anthropologie, qui étudie les dispositions humaines plutôt que telle ou telle action particulière. L'anthropologie aspire à comprendre ; le droit permet de juger. Il s'agit, on le voit, d'un sentier étroit entre deux abîmes, et le malentendu ici est facile. Mais l'enjeu, lui, est de taille : il s'agit de refuser la vision manichéenne du mal, de rejeter l'application rigide de la loi du tiers exclu. Il faut essayer de maintenir ensemble, d'articuler ces deux propositions qui ne se contredisent qu'en apparence : les crimes sont inhumains, mais les criminels ne le sont pas ; ces êtres ordinaires ont accompli des actes extraordinaires.

Philip Hallie, qui a étudié dans le détail l'un des rares cas de bonté pendant ces sombres années, celui d'André Trocmé et ses aides (j'y reviendrai), affirme : « Il y a une différence infranchissable entre ceux qui sont capables de torturer et de tuer des enfants et ceux qui peuvent seulement les sauver » (373). Spontanément, nous avons envie de lui donner raison : il y a un abîme entre « eux » et « nous » ; je me scrute aussi honnêtement que possible et je crois pouvoir déclarer en toute bonne foi : jamais je ne jetterai des enfants vivants dans un four crématoire. Je pense cependant que cette formulation obscurcit le problème en ne retenant que les deux extrêmes d'un continuum (les parents qui n'ont jamais torturé leurs enfants – certes beaucoup moins cruellement – sont rares), et en éliminant toute considération sur les circonstances particulières de l'action (les processus d'habituation et d'endurcissement). Or les témoignages sont unanimes pour décrire la force de ces processus. Rudolf Vrba, l'évadé d'Auschwitz, le résistant, une personne admirable, raconte ses impressions d'une bastonnade : « Je m'habituai à voir ces punitions dès le premier jour. Je me mis même à les accueillir avec soulagement, car pendant que Koenig et Graff [les tortionnaires] étaient occupés, je pouvais voler et assurer ma survie » (165). Margarete Buber-Neumann admet : « En 1944, lorsque je devais d'aventure passer à l'infirmerie et en traversais les couloirs bondés d'où se faisaient entendre les râles des mourantes, je me frayais un chemin hantée par une unique pensée : ne plus voir ce spectacle, ne plus entendre ces râles » (*Ravensbrück*, 42). Et Bettelheim a, me semble-t-il, raison de conclure : « Quelques cris nous angoissent, nous poussent à agir pour secourir un être en détresse. Des cris qui se prolongent pendant des heures nous donnent simplement envie de faire taire celui qui les pousse » (*Survivre*, 323).

Mais revenons à l'essentiel. Etty Hillesum, l'une des victimes d'Eichmann, n'aurait jamais agi comme lui, en aucune circonstance ; c'est néanmoins en s'observant elle-même qu'elle peut comprendre Eichmann et ses semblables. Le personnage principal de *Maintenant ou jamais*, le juif Mendel, qui est pourtant victime des persécutions, se dit en se scrutant lui-même : « Peut-être chacun de nous est-il le Caïn de quelque Abel et l'abat-il au milieu de son champ sans le savoir » (81). Et c'est en parlant de lui-même et de ses compagnons de détention que Levi conclut : « Nous étions potentiellement capables de construire une masse infinie de douleur [...]. Il suffit de ne pas voir, de ne pas écouter, de ne pas faire » (*Naufragés*, 85). Pour que le mal se réalise, ce n'est pas assez qu'il y ait l'action de quelques-uns, encore faut-il que la grande majorité reste à côté, indifférente ; or de cela, nous le savons bien, nous sommes tous capables.

Que savons-nous de plus de la nature humaine, après Kolyma et Auschwitz ? L'homme est-il fondamentalement méchant, un loup pour l'homme, comme le voulait Hobbes, ou est-il naturellement bon, comme l'affirmait Rousseau ? Je ne pense pas, pour ma part, qu'on puisse tirer de ces expériences extrêmes un enseignement nouveau sur la nature de l'homme. Ni les théories optimistes du progrès, ni celles, apocalyptiques, du déclin, ne peuvent se réclamer de l'expérience des camps. Le totalitarisme est un régime incontestablement plus mauvais que la démocratie, voilà qui est (aujourd'hui) clair ; quant aux êtres humains, ils ne sont, de nature, ni bons ni méchants, ou alors les deux : l'égoïsme et l'altruisme sont également innés. « La nature de l'homme subit-elle une mutation dans le creuset de l'État totalitaire ? » se demandait Grossman (en pensant à l'alternative de la liberté et de la soumission plutôt qu'à celle du bien et du mal) ; et il répondait par la négative : « L'homme, condamné à l'esclavage, est esclave par destin et non par nature » (*Vie*, 199-200). Le mal n'est pas accidentel, il est toujours là, disponible, prêt à se manifester ; il suffit de ne rien faire pour qu'il monte à la surface. Le bien n'est pas une illusion, il se préserve jusque dans les circonstances les plus désespérantes. Il n'y a pas plus de raison de se résigner au cynisme que de se complaire dans des rêveries naïves.

Nous nous sommes familiarisés avec ce que j'ai appelé les vertus quotidiennes, les actes moraux que sait pratiquer chacun de nous, sans qu'il soit pour autant héros ou saint. Il nous faut maintenant envisager la série opposée des vices quotidiens, des traits de la conduite qui ne font pas de leurs porteurs des monstres ni des bêtes, des êtres d'exception, et que tous nous possédons aussi ; ces traits que mettent en lumière les situations extrêmes des camps totalitaires, mais qui se manifestent aussi de nos jours, dans des circonstances beaucoup plus paisibles. Je partirai de quelques caractéristiques qui me frappent plus que les autres : la fragmentation du comportement, ou la rupture entre comportement et conscience ; la dépersonnalisation des êtres pris dans l'enchaînement de la pensée instrumentale ; la jouissance du pouvoir. Ces concepts, ou peut-être seulement thèmes de réflexion, je les ai délibérément choisis d'un niveau d'abstraction moyen : ils sont plus généraux que les actes observables, mais ne relèvent pas pour autant d'une théorie unifiée, psychologique, anthropologique ou politique, qui expliquerait par une seule cause tous les actes. Ce qui m'intéresse, une fois de plus, c'est l'enracinement banal des actes exceptionnels, les attitudes quotidiennes qui pourraient faire de nous des « monstres » si nous devions travailler dans un camp de concentration.

Fragmentation

Formes de discontinuité

Tant les survivants d'Auschwitz que les observateurs plus tardifs sont frappés par un trait commun à tous les gardiens, y compris les plus cruels parmi eux : l'incohérence de leurs actes. Dans ce même lieu, et parfois à l'intérieur de la même journée, voire de la même heure, une personne enverra un détenu à la mort sans sourciller et prendra soin d'un autre. Non que bien et mal s'équilibrent – celui-ci l'emporte, et de loin ; mais il n'y a aucun gardien qui soit, de part en part, « méchant ». Tous semblent être d'humeur constamment changeante, si l'on peut dire, soumis à l'influence des circonstances – au point que le mot de « schizophrénie » s'impose pour les décrire, alors même qu'aucun d'entre eux n'est atteint d'une quelconque maladie mentale ; il s'agit de cette schizophrénie sociale qui est spécifique aux régimes totalitaires. « Contre toute logique, remarque Primo Levi, pitié et brutalité peuvent coexister dans le même individu et au même moment » (*Naufragés*, 56).

Prenons, comme premier exemple de discontinuité, un extrait du journal intime de Johann Paul Kremer, médecin à Auschwitz en 1942. A la date du 5 septembre il écrit : « Ai assisté ce midi à une action spéciale dans le camp des femmes (musulmanes) – l'horreur la plus horrible de toutes. Hschf. [= adjudant] Thilo, chirurgien militaire, avait raison lorsqu'il m'a dit aujourd'hui qu'on se trouvait dans l'*anus mundi*. Le soir vers 20 heures eut lieu une autre action spéciale avec un détachement de la Hollande. » Le lendemain, 6 septembre, il marque : « Aujourd'hui un excellent repas dominical : potage de tomates, demi-poulet avec pommes de terre et choux rouges (20 g de gras), dessert et magnifique crème à la vanille » (215-7). Est-ce bien la même personne qui constate un jour l'horreur la plus horrible, et note l'expression, qui devait devenir célèbre, d'*anus mundi*, et qui, le lendemain, ne pense qu'à transcrire le menu de son dîner ? Vingt-quatre heures à peine se sont écoulées. En fait la transition est encore plus brutale : inscrivant les événements du 6 septembre sur la page, Kremer ne pouvait manquer de relire la notation du jour précédent, immédiatement voisine. Il relit l'une, puis ajoute l'autre : une mise à mort provoquant l'horreur, un bon dîner.

Il en va de même d'autres personnages à la réputation sinistre. Le tortionnaire Boger aide parfois les juifs qui travaillent sous ses ordres. Le *Lagerführer* de Birkenau, Schwarzhuber, est directement responsable de la mort de milliers de personnes ; mais un jour il intervient pour sauver la vie de soixante-huit garçons de Teresin, destinés à la chambre à gaz. Le Dr Frank apporte de l'aide aux juifs autour de lui, ce qui ne l'empêche pas de prendre son tour à la rampe d'arrivée des trains, où il participe aux « sélections », autre nom des condamnations immédiates à mort. Mengele lui-même est capable, entre deux « sélections », de prendre le plus grand soin d'un malade. Les humeurs ne changent pas vraiment au hasard ; ces mouvements en apparence chaotiques obéissent à quelques règles. Un détenu que le gardien connaît personnellement a plus de chances de provoquer sa compassion. Certains donnent une assise idéologique à l'incohérence de leur comportement : telle surveillante sera accommodante avec les Russes et les Polonaises, mais impitoyable avec les juives. Les choses ne se passent pas très différemment dans les autres camps, et même en dehors d'eux : Hitler, au dire de Speer, glissait en un instant de l'intolérance à la bienveillance.

Cette cohabitation du bien et du mal chez la même personne peut nous conduire, selon notre façon de voir les choses, à l'espoir ou au pessimisme. L'être même le plus noir a de bons côtés ; mais, inversement, la présence de la bonté ne garantit nullement que le mal ne surgira pas. Le plus épouvantable chez les mouchards et les délateurs, écrit Grossman, « c'est le bien qui est en eux, le plus triste, c'est qu'ils soient pleins de qualités, de vertus. [...] C'est cela qui est effrayant : il y a beaucoup de bon chez ces êtres humains » (*Tout passe*, 94).

(Pendant les dernières années de la vie de ma mère, je parlais avec mon père surtout au téléphone. Il était lui-même tout étonné de ses propres incohérences. Tantôt il s'asseyait à côté de ma mère, qui ne reconnaissait plus personne en dehors de lui, et, pour la calmer ou lui faire plaisir, lui racontait ce qui lui apparaissait comme les meilleurs moments de leur vie commune : quand, à l'époque de leurs fiançailles, il venait, timide, dans la maison de ses parents ; quand les enfants étaient nés ; quand eux deux avaient fait une croisière sur le Danube. Ma mère devait deviner l'émotion dans sa voix, même si elle comprenait à peine les mots, et commençait à pleurer ; ce que voyant, il pleurait à son tour. L'instant d'après il s'apercevait que, incontinente, elle avait mouillé ses habits ; et il se mettait à l'injurier, persuadé qu'elle le faisait exprès pour l'embêter. Maintenant qu'elle est morte, il a retrouvé sa cohérence : il ne se souvient plus de s'être mis en colère.)

A cette première forme de fragmentation, ou moments d'alternance entre bien- et malveillance, s'en ajoute une seconde, plus systématique, qui provient de ce que, comme on l'a vu, deux de nos « vertus quotidiennes » ne vont pas forcément ensemble, le souci pour autrui et l'activité de l'esprit. On a remarqué déjà combien souvent, dans les camps nazis, les gardiens étaient férus de musique. Mais le même Kramer, qui pleurait en écoutant Schumann et qui avait été libraire avant de devenir commandant de Birkenau, était capable de défoncer le crâne d'une détenue avec sa matraque parce qu'elle n'avançait pas assez vite ; à Struthof, où il avait travaillé auparavant, il poussait lui-même les femmes déshabillées dans la chambre à gaz et observait leur agonie par une fenêtre spécialement aménagée ; à son procès il déclarait : « Je n'ai ressenti aucune émotion en accomplissant ces actes » (Tillion, 2e éd., 209). Pourquoi la musique le faisait-elle pleurer, et non la mort d'êtres humains qui lui ressemblaient ? La même Maria Mandel qui accourt écouter l'air de *Madame Butterfly*, ordonne des bastonnades et frappe elle-même, quand elle ne pousse pas les médecins à pratiquer des « sélections » plus fréquentes. Les actes du mélomane Mengele, qui sifflote constamment des airs de Wagner, sont bien connus. Pery Broad, autre gardien, joue du Bach et torture les prisonniers du bunker ; Eichmann joue du Schumann et organise la déportation des juifs. Ce n'est pas que la musique cesse d'être un bien ; mais, grâce à la fragmentation, cette activité de l'esprit reste sans conséquences sur l'ensemble du comportement, et ce petit bien est largement contrebalancé par le mal qui règne ailleurs.

Dans les camps staliniens, on rencontre plutôt des amateurs de littérature ; mais l'amour de Pouchkine ne rend pas plus moral que celui de Bach. Les grands tirages qu'atteignaient en URSS les éditions des classiques russes et étrangers, et qui provoquaient l'admiration des intellectuels occidentaux et facilitaient leur approbation du communisme, ne diminuaient nullement la population des camps : celle-ci s'élevait également à plusieurs millions. Mais l'Allemagne non plus n'était évidemment pas un pays sans culture ; comme le remarque Borowski, « dans les villes allemandes, les vitrines des magasins sont remplies de livres et d'objets religieux, mais la fumée des crématoires flotte encore au-dessus des forêts » (*This Way*, 168). Et ceux qui ont fait des études supérieures ne le cèdent pas en cruauté aux personnes illettrées, pour peu que les uns et les autres pratiquent leurs activités spirituelles d'une façon parfaitement étanche. On ne peut que sourire devant la naïveté des accusateurs au procès de Nuremberg, qui, parlant des membres des *Einsatzkommandos*, les unités mobiles de tuerie derrière le front en Russie, constataient comme une circonstance aggravante le fait que ces derniers n'étaient pas « des indigènes inéduqués incapables d'apprécier les meilleures valeurs de la vie » mais des personnes ayant reçu une éducation supérieure : huit avocats, un professeur d'université, un dentiste... Comme si la morale s'apprenait à l'Université !

Privé et public

C'est encore une autre forme de discontinuité qui semble jouer le premier rôle dans les crimes totalitaires, celle entre sphère privée et sphère publique. En étendant la notion d'ennemi de sorte qu'elle inclue non seulement les soldats qui nous combattent mais aussi les adversaires à l'intérieur du pays lui-même, le totalitarisme généralise l'état de guerre et aussi, du coup, cette séparation caractéristique du guerrier : « Des hommes qui, dans la vie privée, sont très scrupuleux à l'égard de la justice et du droit conventionnels deviennent dans la guerre capables de détruire la vie et le bonheur des autres sans cas de conscience particulier » (Glenn Grey, 172). Cette séparation est en effet familière à presque tous les gardiens : ils continuent de mener une vie privée et familiale pleine d'amour et de souci, alors même qu'ils se comportent avec la dernière brutalité à l'égard des détenus.

Borowski raconte, par exemple, l'histoire du kapo Arno Boehm, qui « administrait vingt-cinq coups de cravache pour chaque minute de retard ou chaque mot prononcé après le gong du soir ; celui-là même qui écrivait toujours à ses vieux parents à Francfort des lettres courtes mais émouvantes, remplies d'amour et de nostalgie » (*Le Monde*, 149). Au procès de Kramer, sa femme vient témoigner : « Les enfants étaient tout pour mon mari » (Langbein, 307). Schwarzhuber se soucie de son fils âgé de six ans et lui accroche une pancarte au cou, pour qu'on ne le jette pas par erreur dans une chambre à gaz, alors qu'il erre dans Birkenau... Le sinistre Hoess lui-même retrouve des accents humains quand il parle dans ses dernières lettres de ses enfants.

Mandel, la surveillante en chef de Birkenau, ne se contente pas de protéger, comme le faisait déjà Kramer, l'orchestre féminin d'Alma Rose ; elle a aussi un faible pour les enfants : non les siens propres, puisqu'elle n'en a pas, mais ceux des autres. Elle découvre un jour deux enfants juifs, que leur mère cherche à dissimuler, et les convoque dans son bureau ; la mère reste tremblante devant la porte. « Ils réapparurent cinq minutes plus tard, serrant chacun un paquet avec du gâteau et du chocolat [...]. Elle était capable d'avoir la réaction normale, maternelle d'une femme, et aussi de se transformer en bête sauvage » (Lingens-Reiner, 146). Fania Fénelon raconte un épisode qui se termine moins bien : Mandel sauve un enfant polonais de la chambre à gaz et le couvre de caresses et de cadeaux ; pour la première fois les détenues la voient rire. Cependant, quelques jours plus tard, elle entre particulièrement sombre dans la baraque et demande le duo de *Madame Butterfly*. Les détenues apprennent qu'elle a dû se séparer de l'enfant et le livrer d'elle-même à la mort. En général, pense Fénelon, « son cerveau, comme celui de tous les Allemands, est compartimenté comme un sous-marin, formé de caissons étanches, l'eau peut en envahir un sans que les autres en soient troublés » (346). Or, cette fois-ci, le caisson « vie privée » risquait de déborder sur le caisson « vie professionnelle » ; il a donc fallu rétablir l'étanchéité. Peut-être ; mais n'y a-t-il que les Allemands à avoir le cerveau ainsi organisé ? Et tous les Allemands sont-ils vraiment sortis du même moule ?

On dispose de documents personnels – lettres, entretiens ou souvenirs – sur quelques personnages ayant pratiqué cette séparation du privé et du public, qui nous permettent d'observer de plus près son fonctionnement. R. J. Lifton a analysé dans le détail le cas du Dr Eduard Wirths, médecin chef d'Auschwitz. Celui-ci adhère à la doctrine nazie et professe donc l'antisémitisme, mais cela ne l'empêche pas, à l'époque où il est encore médecin de campagne, de soigner des juifs, à la différence de nombre de ses collègues. A Auschwitz, il pratique des expériences « médicales » sur les détenus ; mais il est aussi connu pour son honnêteté personnelle : il refuse d'utiliser pour son ravitaillement autre chose que les tickets normaux (nouvelle exception dans un monde où règne la corruption). L'amour qu'il porte à sa famille semble équilibrer dans son esprit les inconvénients de sa situation professionnelle : « Rien n'est impossible tant que je t'ai, toi, ma bien-aimée », écrit-il à sa femme. Plus les sélections sont rapprochées et plus ses lettres sont remplies de demandes sur les premières dents des enfants ou de commentaires sur leurs photos ; il semble même établir une relation plus forte entre les deux séries, comme s'il ne travaillait à Auschwitz que poussé par l'amour pour ses enfants : « Il faut le faire pour nos enfants, mon ange, pour nos enfants » (Lifton, 435). Sa fille a gardé le souvenir d'un père aimant, et son désir de comprendre le passé prend la forme de cette question : « Un homme bon peut-il faire des choses mauvaises ? » (450).

Gitta Sereny a longuement interrogé dans sa prison Franz Stangl, l'ancien commandant de Sobibor et de Treblinka. C'est un policier zélé, beaucoup plus carriériste que fanatique, qui travaille d'abord dans les « instituts » d'euthanasie, ensuite dans les camps d'extermination. Lui aussi adore sa femme ; pendant les premières séparations il lui écrit tous les jours ; ensuite il reporte cet attachement sur ses enfants. Dans les entretiens, il explique lui-même sa vie à l'époque par une fragmentation qui rappelle l'image du sous-marin de Fénelon. « Je ne pouvais vivre que si je compartimentais ma pensée » (175). Brûler des cadavres n'est pas un passe-temps agréable ; alors il s'accroche à l'idée que lui-même n'allume pas les feux, mais supervise les constructions ou organise l'expédition, à Berlin, de l'or trouvé sur les victimes. « Il y avait des centaines de moyens de penser à autre chose. Je les ai tous utilisés. [...] Je me forçais à me concentrer sur le travail, le travail et encore le travail » (214).

Stangl veut convaincre ses proches et se convaincre lui-même que ce travail est encore plus compartimenté qu'il ne l'est en réalité, qu'on peut s'occuper de l'arrivée des trains mais non de la destinée de leurs occupants, de la construction des bâtiments mais non de l'action qui s'y déroule : « Je suis présent mais je ne fais rien à personne », déclare-t-il à sa femme (145). Celle-ci apprend un jour la vérité ; elle est choquée (elle refuse d'avoir des rapports sexuels avec lui pendant plusieurs jours !), mais finit par se résigner : c'est vraiment un très bon mari. Sa fille, beaucoup plus tard, alors que son père est en prison, déclare à Sereny : « C'était mon père. Il me comprenait. Il a été à mes côtés à mes plus mauvais moments et, quand j'ai cru que ma vie était ruinée, il m'a sauvée. Il m'a dit une fois : “Rappelle-toi, rappelle-toi toujours, si jamais tu as besoin d'aide, j'irai au bout du monde pour toi.” Moi aussi j'irai au bout du monde pour lui [...]. Je l'aime – je l'aimerai toujours » (375). C'est étrange : les mots de Stangl rapportés par sa fille rappellent ceux que, sans se les dire, a vécus Pola Lifszyc : elle est allée, elle, au bout du monde pour sa mère. Ce bout du monde s'appelait Treblinka, et Stangl était son maître. C'est Stangl qui a présidé à l'assassinat de Pola et de sa mère. Serait-il allé avec sa fille à Treblinka pour y subir le même traitement, si les circonstances l'avaient voulu ? Peut-être.

(La fille de Klaus Barbie, filmée au moment du récent procès, s'exprimait à peu près de la même manière. Je ne puis m'empêcher d'admirer cet amour qui se déclare supérieur à la justice. J'aurais aimé que ma fille pense la même chose, je voudrais lui dire les mêmes mots que Stangl, cet assassin de masse. Je voudrais que nous soyons prêts à aller au bout du monde l'un pour l'autre, si besoin était. Je ne pense pas qu'elle aurait à me pardonner des crimes comparables ; mais il y aura toujours assez de choses sur lesquelles elle devra fermer les yeux. Cette proximité me trouble. Stangl est non seulement humain ; je me reconnais en lui. Dois-je, pour ne pas en rougir, croire à mon tour que la vie peut être compartimentée, à l'image d'un sous-marin ? Comment un homme bon peut-il faire le mal, ou plutôt : comment le même homme peut-il faire en même temps le bien et le mal ? Voilà la question que ne parvenait même pas à poser un mélodrame récent, le film de Costa Gavras Music Box.*)*

Confrontés à de tels témoignages, certains ont tendance à les mettre en doute ; d'autres, à les mettre de côté, les considérant comme n'ayant aucun rapport avec les crimes dont sont accusés des individus comme Wirths, Stangl ou Barbie : être un bon père de famille, pensent-ils, n'excuse rien et n'explique rien. Pour ma part, je suis convaincu que ces témoignages disent vrai et qu'ils sont nécessaires pour comprendre la personnalité des gardiens : j'ai l'impression que ceux-ci ont besoin de fragmenter ainsi leur vie à la fois pour que la pitié spontanée n'entrave pas leur « travail » et pour que leur vie privée louable rachète, à leurs propres yeux, ce qu'il peut y avoir de perturbant dans leur vie professionnelle.

Qu'un individu soit vertueux dans la vie privée ne signifie pas que sa vie publique – ni, par conséquent, les doctrines qu'il professe – puisse en bénéficier : tel est l'argument développé par Vassili Grossman à propos du fondateur du système soviétique des camps, Lénine. Staline est, d'une certaine manière, un adversaire commode : sa brutalité personnelle est en harmonie avec la politique d'extermination qu'il mène. Mais Lénine séduit par sa personnalité. « Dans les relations privées, [...] Lénine faisait toujours preuve de délicatesse, de douceur, de politesse. [...] Ce politique ambitieux, capable de tout pour satisfaire sa soif du pouvoir, était un homme extraordinairement modeste. Il n'a pas cherché à conquérir le pouvoir pour lui personnellement » (*Tout passe*, 208-9). Du coup, on est tenté d'excuser le système par la personne : un homme si honnête, qui ne pense pas à s'enrichir (comme Wirths vivant sur ses tickets de rationnement), un homme si attentif dans les relations personnelles (comme Stangl avec sa famille), un idéaliste sincère peut-il vraiment provoquer le mal ?

La réponse est, évidemment : oui ; c'est le même Lénine qui développe l'idée d'ennemi intérieur, qui organise la répression, qui fustige l'apitoiement. Oui, car il est possible que « l'homme politique et l'homme de la vie privée apparaissent comme deux figures inverses : plus et moins, moins et plus » (210). La fragmentation chez Lénine n'est pas moins forte que celle de Stangl. Et, comme il s'agit d'un homme politique qui a réussi dans ses entreprises, que sa personnalité publique a touché infiniment plus d'individus que sa personne privée, celle-ci pèsera beaucoup moins lourd que celle-là dans notre appréciation globale de l'individu. Ses traits d'intellectuel, ses goûts modestes, son train de vie ascétique n'influencent ni n'excusent ses actes politiques, mais contribuent peut-être à le convaincre lui-même, comme plus tard ses admirateurs, de la justesse de ses idées.

J'ai déjà évoqué une autre forme de rupture entre les convictions de la personne et son mode de vie, celle du pharisien qui proclame de beaux principes sans avoir cure d'y soumettre sa propre conduite. Cette rupture, qui empêche l'action proprement morale et produit à sa place le moralisme, nous est familière aussi par l'attitude de nombreux intellectuels (Rousseau aurait dit : des philosophes) prêchant la générosité ou la tolérance, dont nous apprenons, au détour d'une confidence, qu'ils se conduisent en privé comme des êtres irascibles et intéressés. C'est, en somme, la distribution inverse de celle observée dans les camps qui est de règle chez eux : la doctrine professée est vertueuse, mais la personne ne l'est pas. Il faut donc faire comme elle dit, non comme elle fait ; c'est la surface séduisante qui est censée maintenant racheter, tout au moins aux yeux du sujet lui-même, les imperfections du noyau interne : je bats ma femme à la maison, c'est vrai, mais je me bats à l'extérieur contre l'impérialisme américain. Cette figure de la fragmentation n'est du reste pas absente des camps : Henry Bulawko se souvient de son chef d'équipe Mosche, qui, semblable au kapo Arno Boehm, garde toujours un bâton à portée de la main. « Il était pieux, il disait ses prières trois fois par jour – et tous les jours il frappait » (Langbein, 171). L'*Einsatzkommando* II b, qui agit dans la région de Simféropol, en Russie, reçoit l'ordre de tuer trois mille juifs et Tziganes avant Noël ; l'ordre est exécuté avec une célérité particulière pour permettre aux troupes de se rendre à la cérémonie de célébration de la naissance du Christ ; le chef du commando, Otto Ohlendorf, adresse à ses soldats un discours ému.

Au fond, pour celui qui a quelque chose à se reprocher, il importe peu de savoir si cela se situe dans la sphère publique ou dans la sphère privée ; ce qui compte, c'est qu'il y en ait deux, et que l'une – que l'on proclame du coup constituer l'essentiel de son être – puisse, à ses propres yeux avant tout, le racheter de l'autre. « Le sinistre Dr Otto Bradfisch, ancien membre des *Einsatzgruppen*, qui présida le meurtre d'au moins quinze mille prisonniers, déclara à un tribunal allemand qu'il s'était toujours "opposé dans son for intérieur" à ce qu'il faisait. » Un ancien *Gauleiter* déclare aussi que « seule son "âme officielle" aurait commis les crimes qui lui valurent d'être pendu en 1946. Son "âme privée" les avait toujours réprouvés » (Arendt, 143-4). Il ne s'agit pas d'accepter ces arguments comme des excuses ; mais qu'ils soient présentés comme telles nous permet de comprendre comment les gens ordinaires peuvent devenir des assassins – ou comment l'habitant d'un pays totalitaire peut réconcilier son inévitable soumission à l'ordre extérieur avec un peu de respect pour soi.

Causes et effets

Comme on s'est penché beaucoup plus sur les camps nazis que sur les camps communistes, on a souvent eu tendance à expliquer la fragmentation dans le comportement des gardiens par le caractère national allemand ou par l'histoire allemande. Les Allemands seraient des êtres ne chérissant que l'intériorité et l'intimité, mais qui restent indifférents aux actes et aux comportements en public – et cela, depuis Luther au moins, puisque le fondateur du protestantisme a proclamé la séparation de la vie religieuse et de la vie pratique et a voulu ne se préoccuper que de la première : seule la foi compte, non les actes. Pour Fania Fénelon, on l'a vu, tous les Allemands ont le cerveau compartimenté ; l'Allemande Alma Rose, du reste, lui reproche le défaut inverse : « Vous autres, les Français, [...] vous semblez ignorer qu'il y a une heure pour chaque chose, [...] vous mélangez tout » (177). Mais nous savons aujourd'hui que, malgré leur tendance au mélange, les Français pendant la guerre savaient très bien séparer leurs devoirs familiaux et l'indifférence à l'égard des enfants juifs qu'on déportait à Auschwitz. Nous savons aussi que le caractère allemand ne permet pas d'expliquer les atrocités dans les camps communistes. Nous savons enfin que, quels que soient les supposés défauts du caractère national allemand, les camps de concentration n'ont existé en Allemagne que pendant les deux régimes totalitaires, national-socialiste et communiste.

Le fait que les camps, à la différence des bagnes, n'existent qu'au XXe siècle pourrait nous inciter à chercher si des traits mentaux comme la fragmentation ne sont pas plutôt liés à d'autres caractéristiques de la société moderne. Le rapprochement est tentant entre la mentalité fragmentée et la spécialisation croissante qui envahit non seulement le monde du travail, mais aussi celui des relations sociales. Bien entendu, la spécialisation dans le travail existe depuis l'époque néolithique et n'a pas attendu Marx pour être stigmatisée ; mais la complexité croissante des tâches l'a énormément accrue au cours du siècle qui vient de s'écouler. Qui peut se prétendre capable de maîtriser simultanément les techniques propres à son métier et toutes les implications ou conséquences liées à sa pratique ? Si chacun subdivise sa vie en compartiments étanches, n'est-ce pas là une réaction compréhensible à la compartimentation croissante du monde ?

(Cette attitude, je m'en suis aperçu avec surprise, a ses défenseurs aujourd'hui. Les révélations récentes sur l'engagement nazi de Heidegger ont incité ses disciples à lui chercher des excuses. L'une des plus commodes était de dire : mais il n'y a, il ne doit y avoir rien de commun entre le philosophe – génial – et l'homme – nazi. Un philosophe américain « pragmatiste » a au contraire vu l'unité là où d'autres n'apercevaient que la rupture et est allé jusqu'à dire que l'erreur de Heidegger a précisément été de vouloir établir une continuité entre sa philosophie et sa vie : en cela il s'était comporté comme Hitler. Il faut rester un bon citoyen dans la vie, certes ; on peut par ailleurs professer les vues qu'on veut, pourvu qu'on n'essaie pas de les mettre en œuvre. Comme si le monde n'était déjà pas assez compartimenté, et qu'il fallait lutter pour ériger encore d'autres murs !)

L'éclatement du monde, avec sa contrepartie, le professionnalisme, et sa conséquence psychologique, la fragmentation, caractérise plus particulièrement les pays totalitaires, où ce qui était au départ une caractéristique de la production industrielle devient un modèle pour le fonctionnement de la société. Première séparation : le Parti, ou l'État, se charge des fins, donc de la définition du bien et du mal ; les sujets ne s'occupent que des moyens, c'est-à-dire chacun de sa spécialité. Speer remarque : « On avait inculqué aux petits militants que la grande politique était beaucoup trop compliquée pour qu'ils puissent en juger. En conséquence, on se sentait constamment pris en charge, jamais personne n'était invité à prendre ses propres responsabilités. » Deuxième séparation : d'une profession à l'autre. « L'exigence, expressément formulée, de ne prendre des responsabilités que dans les limites de son propre domaine, était encore plus inquiétante. On ne pouvait plus se mouvoir que dans son groupe, que ce soit celui des architectes ou celui des médecins, des juristes, des techniciens, des soldats ou des paysans. [...] Plus le système hitlérien durait et plus la pensée se cloisonnait » (48).

La séparation arrange bien Speer, les jours où il ne se trouve pas l'âme d'un nazi convaincu : « Je me sentais l'architecte de Hitler. Les événements de la vie politique ne me concernaient pas. [...] Je me sentais et me voyais dispensé de toute prise de position. En outre, le but de l'éducation national-socialiste était la séparation des sphères de réflexion ; ainsi, on attendait de moi que je me limite à mon domaine : la construction. » Plus tard, devenu ministre de l'Armement, il maintient le même point de vue, alors même que le contenu de son travail a changé : « La tâche que j'ai à remplir est une tâche apolitique », note-t-il en 1944 (160-1). En février 1945, il commence à comprendre qu'il ne peut plus s'intéresser à sa seule spécialité et dit à Doenitz, au cours d'une réunion : « Mais il faut faire quelque chose ! » A quoi Doenitz réplique, sèchement : « Je ne représente ici que la Marine. Tout le reste ne me concerne pas. Le Führer doit savoir ce qu'il fait » (594). Au Führer la pensée des objectifs et à chacun sa spécialité : voilà le raisonnement typique du sujet totalitaire.

Le produit le plus achevé de ce système n'est toutefois ni Speer ni Doenitz, mais Adolf Eichmann. Quand on lit son interrogatoire par le capitaine Avner Less, on est frappé de voir que même à cette époque (en 1961), toute son attention est concentrée non sur la nature des actes dont on l'accuse, pourtant terribles, mais sur d'éventuels conflits de compétence entre différents services du Troisième Reich : l'étanchéité était, et reste pour lui, totale. Son service était chargé d'assurer le transfert des populations, de trouver les trains et de choisir les gares : une tâche étroitement spécialisée, à l'en croire. « Pour IV B 4 [le bureau qu'il dirige] il ne s'agissait que de questions purement techniques » (136). Toute pensée des fins est écartée ; il n'est question que des moyens, et encore de moyens appropriés à une partie du processus seulement. « Quant à savoir qui passerait à la chambre à gaz, s'il fallait ou s'il ne fallait pas commencer, s'il fallait arrêter ou s'il fallait accélérer le mouvement... je n'y étais pour rien » (112). Quand Less lui soumet un fait révoltant, il ne réagit jamais sur le fond, mais seulement sur l'attribution à tel ou tel service : non, les stérilisations, ce n'était pas nous, c'était un autre bureau, ce témoignage qui les lui attribue est indigne de confiance ; l'extermination des « métis », pareil, c'était même à un autre étage, quelle confusion grossière ! A l'époque même, dit-il, tout ce qui l'intéressait, c'était d'« éviter les conflits d'attribution avec les autres services en place » (221).

Au cours de l'interrogatoire comme pendant le procès, on cherche à établir qu'Eichmann a participé personnellement à tel ou tel assassinat. Lui-même s'en défend farouchement : « Je n'avais rien à voir avec l'exécution des juifs, je n'en ai pas tué un seul. [...] Je n'ai jamais tué personne et n'ai jamais donné l'ordre de tuer qui que ce soit » (339-40). Hoess déclarait aussi : « Je n'ai jamais maltraité un détenu ; je n'en ai jamais tué un seul de mes propres mains » (251). Et Stangl, concernant son travail dans l'« institut » d'euthanasie : il n'était pas, dit-il, « impliqué dans l'exécution » (Sereny, 62) ; il se défend aussi d'avoir tué quelqu'un à Sobibor. Cette réponse, reprise par tant d'autres accusés, n'excuse rien ; mais elle explique beaucoup. Il est un peu dérisoire de vouloir prouver qu'Eichmann ou Hoess ou Stangl ont eux-mêmes torturé et tué, comme n'importe quel vulgaire assassin, alors qu'ils ont participé à la mise à mort de millions de personnes. Mais ils l'ont fait en ne s'occupant, chacun, que d'un petit chaînon à l'intérieur d'une longue séquence et en envisageant leur tâche comme un problème purement technique.

Cette compartimentation de l'action elle-même et la spécialisation bureaucratique qu'elle provoque fondent l'absence de sentiment de responsabilité, qui caractérise les exécutants de la « solution finale », mais aussi tous les autres agents de l'État totalitaire. A l'un des bouts de la chaîne, il y a, disons, Heydrich : son sommeil n'est pas perturbé par les millions de juifs qui meurent, il ne voit jamais aucun visage souffrant, il manie des grands chiffres inodores. Ensuite vient le policier, mettons, français : sa tâche est tout à fait limitée, il repère les enfants juifs, puis les dirige vers un camp de regroupement, où ils sont pris en charge par le personnel allemand ; lui ne tue personne, il ne fait qu'exécuter une action de routine : arrestation, expédition. Eichmann entre alors en scène : son travail à lui, purement technique, consiste à assurer qu'un train parte de Drancy le 15 et arrive à Auschwitz le 22 ; où est le crime là-dedans ? Puis Hoess intervient : il a donné des ordres pour qu'on vide les trains et qu'on dirige les enfants vers les chambres à gaz. Enfin, dernier chaînon : un groupe de détenus, le commando spécial, pousse les victimes dans les chambres et verse dedans le gaz mortel ; ses membres sont les seuls à tuer de leurs propres mains (et encore), mais il s'agit dans leur cas, de toute évidence, de victimes, et non de bourreaux.

Aucun des éléments de la chaîne (bien plus longue en réalité) n'a le sentiment d'avoir la responsabilité de ce qui est accompli : la compartimentation du travail a suspendu la conscience morale. La situation n'est légèrement différente qu'aux deux bouts de la chaîne : quelqu'un doit bien prendre la décision – mais il suffit d'une seule personne pour cela, d'un Hitler, d'un Staline, et le destin de millions d'êtres humains bascule dans le macabre ; cette personne, qui plus est, n'a jamais affaire aux cadavres, au concret. Et quelqu'un doit bien donner le coup de grâce – cette personne perdra le repos intérieur jusqu'à la fin de ses jours (qui risque de toutes façons d'être très proche), mais elle n'est, pour le coup, vraiment coupable de rien. Ceux qui ont rendu la chose possible – Speer, Eichmann, Hoess et les innombrables autres intermédiaires, policiers, fonctionnaires d'état civil, employés des chemins de fer, fabricants de gaz mortel, fournisseurs de fil barbelé, constructeurs de crématoriums hautement performants – peuvent toujours rejeter la responsabilité sur le chaînon voisin. On peut leur répondre qu'ils ont tort et que, même à l'intérieur d'un État totalitaire, l'individu reste responsable de ses actes, voire de l'absence de tout acte ; il n'en est pas moins évident que nous sommes confrontés là à une responsabilité de nature tout à fait nouvelle, inassimilable à celle des criminels traditionnels. La non-reconnaissance de cette responsabilité par les agents mêmes du crime totalitaire, l'élimination du problème moral rendent ce crime beaucoup plus facile à commettre.

Mais il serait hypocrite de constater les effets du travail compartimenté dans les seuls pays totalitaires, alors qu'ils nous sont familiers à tous, quel que soit le pays où nous habitons. Nous aimons aujourd'hui agiter un doigt accusateur sur le personnel des usines allemandes qui produisaient du Zyklon B ; mais, demandent G. Kren et L. Rappoport, « les ouvriers des usines chimiques qui avaient fabriqué le napalm accepteraient-ils la responsabilité des bébés brûlés ? » (141). Et pourquoi ne mentionner que ces moyens d'extermination particulièrement spectaculaires, n'en va-t-il pas de même de toute arme, quelle qu'elle soit ? Peut-on vraiment croire que ces explosifs, ces canons ou ces missiles qu'on fabrique ne serviront jamais à tuer personne ? Et comment savoir s'ils seront utilisés contre des populations « innocentes » ou des soldats « coupables » (d'appartenir à la nation ennemie) ?

*(J'ouvre le journal d'aujourd'hui : en page 12, il est question d'une ville qui m'est familière, Bourges. « La locomotive économique de Bourges s'appelle l'armée : usines du groupement industriel de l'armement terrestre (2 000 personnes) qui construit des canons de gros calibre. [...] Toutes ces usines occupent des personnels de haute qualification, distribuent une sous-traitance abondante. Résultat : Bourges s'enorgueillit de ne compter que 7 % de chômeurs » (*Le Monde *du 29-30 avril 1990). Voilà ce qui fait l'unanimité des élus, communistes, démocrates et nationalistes, pour une fois prêts à oublier leurs querelles : laissez-nous produire encore plus d'armes, clament-ils d'une seule voix. A qui seront vendues ces armes, contre qui seront-elles utilisées, « n'est pas leur affaire ». Bourges s'enorgueillit... Pourquoi penser aux bébés brûlés ?)*

Les effets de la fragmentation intérieure ne sont pas moins répandus. Les soldats qui cherchent à tuer aussi vite que possible sont souvent d'excellents pères de famille : la case « guerre » ne communique pas chez eux avec la case « paix ». Et il ne s'agit pas seulement de la guerre : on a souvent remarqué que les mêmes soldats américains débarqués en Europe qui étaient révoltés par l'antisémitisme des nazis pratiquaient une politique de ségrégation raciale à l'égard de leurs propres Noirs. Les Français qui se réclamaient des principes de la Révolution, la liberté et l'égalité, instauraient dans leurs colonies des régimes où les populations soumises ne jouissaient ni de l'une ni de l'autre. Et je sais bien que ma vie à moi n'est pas préservée des effets malins de la fragmentation.

Dans un régime totalitaire, la schizophrénie sociale, la séparation de la vie en sections imperméables, est un moyen de défense pour qui garde encore quelques principes moraux : je ne me comporte de façon soumise et indigne que dans tel fragment de mon existence; dans les autres, que je juge essentiels, je reste une personne respectable. Sans cette séparation je ne pourrais fonctionner normalement. Un peu comme la fièvre au cours d'une maladie, la fragmentation n'est pas elle-même le mal, mais une défense contre lui; c'est néanmoins grâce à elle que ce mal devient possible, voire facile, et à ce titre elle est bien un « vice quotidien ». R. J. Lifton, qui, dans son livre sur les médecins nazis, accorde une grande attention à cette situation, s'y réfère comme au « dédoublement » (mais les compartiments sont souvent plus que deux) et il a décrit les innombrables moyens par lesquels la personne compromise parvient à garder une bonne opinion d'elle-même : en acceptant d'accomplir tel acte mais non tel autre, en isolant le privé du public, en rachetant le vice public par la vertu privée.

Or il n'y a pas que les médecins nazis qui agissent ainsi; il en va de même de tous les « professionnels » (et nous sommes tous des professionnels d'une façon ou d'une autre) qui n'appliquent pas les mêmes règles éthiques à l'intérieur de leur travail et le reste du temps; et qui peuvent accepter l'inacceptable en tant que spécialistes en se rassurant par le fait que, dans leur autre vie, la « vraie », ils se comportent de manière digne. Le physicien qui contribue à la production d'armes nucléaires se persuade qu'il ne fait aucun mal parce que, en même temps, il est bon citoyen et mari modèle; il croit à l'unité là où s'est installée en fait une fragmentation qu'il méconnaît. Lorsque, aujourd'hui, nous préférons ignorer les horreurs du monde totalitaire, ou penser que les monstres qui en sont responsables n'ont rien à voir avec nous, nous cherchons encore à nous défendre en fractionnant le monde en compartiments étanches ; tous, ou presque, nous préférons le confort à la vérité.

Une certaine dose de fragmentation est pourtant indispensable à la simple survie psychique de l'individu. Chacun de nous connaît les limites de son action ; il se sait impuissant à rendre le monde tel qu'il voudrait qu'il soit. C'est pourquoi il choisit ses propres Zones d'Action Prioritaire et délaisse les autres. J'ai beau me sentir concerné par les malheurs du monde, je m'y consacre en fait peu, je n'aide même pas tous les mendiants que je rencontre entre ma maison et la bouche du métro : ils ne figurent pas dans mes Zones. Comment reconnaître la limite à partir de laquelle la fragmentation devient coupable, voire criminelle ? En tenant compte du contexte ; par exemple, pour combattre la misère, l'aumône n'est pas le moyen le plus efficace. Mais aussi en raisonnant sur le degré de mal que j'écarte de mon horizon : la torture et la mort ne sont pas dans la même catégorie que, pour prendre des exemples de notre vie à nous, les inconvénients causés par la publicité envahissante ou par la baisse de qualité dans la culture.

A l'intérieur des camps, les détenus voient les effets néfastes de la fragmentation et se promettent : si nous sommes libres un jour, « nous mettrons nos actes en accord avec nos idées » (Guinzbourg, II, 86). Milena a la même exigence : « Elle ne supportait pas l'écart entre les mots et les actes » (Buber-Neumann, *Milena*, 229) ; et le Dr Frankl a entendu, dans les camps, « un appel à témoigner de mes idées par ma vie même, au lieu de seulement les publier dans un livre » (167). Mais ces décisions, qui partent d'une condamnation de la fragmentation, soulèvent un problème qu'on a déjà rencontré à propos de la dignité : la cohérence entre les idées et les actes, ou entre le privé et le public, n'est pas nécessairement bonne ; le nazi cohérent n'est pas meilleur que celui qui, de temps en temps, se laisse aller à la bonté. La décision du Dr Frankl ne me plaît que parce que j'approuve ses idées ; Hitler a peut-être pris un jour la même, au fond de sa prison, mais cela ne me réjouit guère : un peu plus de fragmentation, un plus grand nombre de ces moments de bienveillance dont se souvient Speer n'auraient pas été de trop.

Le jugement final que nous porterons dépend donc, ici aussi, du contenu des actes accomplis et des idées émises. La fragmentation est un vice quotidien qui peut faciliter grandement l'avènement du mal et tempérer un peu ses effets ; mais elle ne constitue pas, en elle-même, un mal.

Dépersonnalisation

Déshumanisation des victimes

L'idéologie totalitaire considère les êtres humains individuels comme des instruments, des moyens en vue de la réalisation d'un projet politique, voire cosmique. Hitler parle volontiers « du néant [...] de l'être humain individuel et de son existence prolongée dans l'immortalité visible de la nation » (Rauschning, 222), et Himmler demande à chaque SS « le sacrifice total de sa personnalité dans l'accomplissement de son devoir à l'égard de la nation et de la patrie » (Hoess, 95) ; à plus forte raison le SS doit-il être prêt à sacrifier la vie des autres à cette grande cause... On pourrait aligner des citations semblables tirées de Lénine et Staline, sauf que le mot « communisme » y prendrait la place de celui de « nation ». Les doctrines totalitaires sont donc proprement appelées anti-humanistes. La philosophie humaniste, au sens que je retiens ici pour cette expression, considère au contraire comme indépassable la personne humaine. Tel est l'impératif moral pratique de Kant, un Allemand parmi d'autres : « Agis de telle sorte que tu traites l'humanité aussi bien dans ta personne que dans la personne de tout autre toujours en même temps comme une fin, et jamais simplement comme un moyen » (*Métaphysique*, 295). La philosophie humaniste n'ignore pas qu'il est inévitable de considérer parfois les individus aussi comme des moyens ; ce qu'elle exige, c'est qu'on ne les y réduise pas.

Sur ce point précis – à la différence de bien d'autres – la pratique totalitaire est conforme à la théorie : l'être humain y est en effet considéré comme un moyen, il n'est donc plus une véritable personne (si l'on prend le mot « personne » dans cette acception précise). « Le but du système était la dépersonnalisation », affirme Bettelheim (*Cœur*, 309) : en fait non, c'est là un moyen pour transformer les individus en ingrédients d'un projet qui les transcende. Mais il est vrai que ce moyen est omniprésent, et que les camps sont le lieu où il triomphe. Beaucoup plus que tous les instincts sadiques ou primitifs, c'est la dépersonnalisation de l'autre et de soi qui est responsable du mal totalitaire.

Dans son fonctionnement normal déjà, le système totalitaire réduit les individus à des fonctions ; mais au moins ces fonctions sont-elles plus d'une. Les camps jouent une fois de plus le rôle de miroir grossissant : ici, il n'y a plus qu'une fonction reconnue, le travail ; et, comme l'approvisionnement en main-d'œuvre est ininterrompu, il n'est plus nécessaire de s'occuper de l'entretien de cet instrument et donc de la préservation des vies humaines. Au-dehors, les individus restent humains, même s'ils ne sont pas valorisés comme personnes, car c'est ainsi qu'ils remplissent au mieux leurs tâches. Ici, ils ne sont plus vraiment considérés comme appartenant à l'espèce humaine. Le juge d'instruction dit à Guinzbourg, avant même qu'elle ne rejoigne son camp : « Pour nous, les ennemis du peuple ne sont pas des êtres humains. Contre eux, tout est permis » (I, 66). Être classé comme ennemi suffit pour vous exclure de l'humanité. Une fois arrivée à destination, elle découvre que cette attitude est monnaie courante. Voici le directeur du sovkhoze pénal Elguen : « Il ne tirait aucun plaisir de nos souffrances. Simplement, il ne nous voyait pas, parce qu'en toute sincérité il ne nous considérait pas comme des êtres humains. Une "poussée de pertes" dans la main-d'œuvre détenue, c'était pour lui un ennui technique comme un autre » (II, 89). Réciproquement, le moyen pour obtenir un meilleur traitement de la part des gardiens est de lier avec l'un d'entre eux un rapport personnel, c'est-à-dire se faire reconnaître comme individu ; savoir parler la même langue s'avère, pour cette raison, indispensable : privé de parole, l'être perd une grande part de son humanité.

La transformation des personnes en non-personnes, en êtres animés mais non humains, n'est pas toujours facile.

Malgré les principes idéologiques, confronté à un individu concret, on peut avoir du mal à surmonter une résistance intérieure. Une série de techniques de dépersonnalisation entrent alors en action, dont la finalité est d'aider le gardien à oublier l'humanité de l'autre. En voici quelques-unes.

Il y a d'abord la transformation imposée aux victimes dans leur comportement. Avant d'être tuées, elles seront déshabillées. Les êtres humains ne se tiennent pas nus en groupe, ils ne se déplacent pas nus ; les priver de leurs habits, c'est les rapprocher des bêtes. Et les gardiens témoignent que toute identification avec les victimes devient impossible dès lors qu'ils ne voient plus que des corps nus ; les habits sont une marque d'humanité. Il en va de même de l'obligation de vivre dans ses excréments ; ou du régime de sous-nutrition, en vigueur dans les camps, qui oblige les détenus à être constamment à la recherche de nourriture et prêts à avaler n'importe quoi. Hoess observe les prisonniers de guerre russes : « Ce n'était plus des hommes. Ils s'étaient transformés en bêtes qui ne pensaient plus qu'à manger » (160) ; il oublie seulement d'ajouter que c'est lui qui est responsable de cette transformation. Tous les moyens visent ce même but, que les gardiens n'ignorent pas. Gitta Sereny demande à Stangl : « Puisqu'on allait les tuer de toute façon, à quoi bon toutes les humiliations ? » Il répond : « Pour conditionner ceux qui devaient exécuter ces ordres. Pour qu'il leur devienne possible de faire ce qu'ils ont fait » (107-8). L'opération comporte donc deux temps : on induit d'abord un comportement qui apparaît comme « animal » ; ensuite, en bonne conscience, on traite ces êtres comme des animaux ou pis.

D'autres techniques sont moins brutales, mais non moins efficaces. Les détenus sont privés de leur nom et dotés d'un numéro ; or le nom est la première marque de l'individu. En parlant d'eux, les gardiens évitent d'employer des termes comme « personnes », « individus », « hommes », mais les désignent comme « pièces », « morceaux », ou se servent de tournures impersonnelles. Stangl continue de le faire dans ses entretiens avec Sereny, plus de trente ans après les faits : « tout était terminé » (pour désigner un assassinat collectif), « un transport était classé », etc. (182). « Il était interdit d'employer le mot "mort" ou le mot "victime" parce que c'était exactement comme un billot de bois », se souviennent deux fossoyeurs de Vilno (Lanzmann, 24). Une note secrète, concernant les modifications à apporter dans les camions qui servent de chambres à gaz mobiles, à Chelmno, datée du 5 juin 1942, donne particulièrement froid dans le dos : les êtres humains à tuer sont toujours désignés comme « le chargement », « les pièces », ou pas désignés du tout : « quatre-vingt-dix-sept mille ont été traités » (Kogon *et al.*, III-IV).

Le grand nombre produit d'ailleurs le même effet : tuer deux personnes est, en un sens, plus difficile qu'en tuer deux mille. « Je les ai rarement perçus comme individus. C'était toujours une énorme masse », déclare Stangl (Sereny, 215). (Nous continuons tous à réagir ainsi, aux annonces de milliers de morts ; la quantité dépersonnalise les victimes et du coup nous insensibilise : une mort est un chagrin, un million de morts, une information.) Enfin toute inclusion des individus dans une catégorie plus abstraite contribue à les dépersonnaliser : il est plus facile de traiter de manière inhumaine les « ennemis du peuple » ou les « koulaks » qu'Ivan et Macha ; les juifs ou les Polonais, plutôt que Mordehaï et Tadeusz. Les communistes se comportent ainsi jusque dans les camps nazis. « Elles ne demandaient pas : "Souffres-tu ?" Ou bien "As-tu de la fièvre ?" mais : "Es-tu membre du Parti communiste ou non ?" » (Buber-Neumann, *Milena*, 230). La réduction de l'individu à une catégorie est inévitable si l'on veut étudier les êtres humains ; elle est dangereuse dès qu'il s'agit d'une interaction avec eux : en face de moi je n'ai jamais une catégorie mais toujours et seulement des personnes.

C'est justement pour cette raison que, dans les camps d'extermination, tout est fait pour éviter le face-à-face, pour empêcher que le bourreau voie le regard de la victime se poser sur lui. Seul un être individuel peut nous regarder (et si je regarde un inconnu j'évite qu'il s'en aperçoive) ; en fuyant son regard, nous pouvons d'autant plus facilement ignorer sa personne. Autrement, les plus endurcis même ne sont pas à l'abri d'une défaillance. Eichmann raconte, par exemple : « Hoess m'avait dit un jour que Himmler était venu, qu'il avait tout bien regardé... et qu'apparemment il avait chancelé » (117). Mais Eichmann lui-même fait grand cas de sa propre incapacité de regarder la mort en face, de voir les chiffres et les graphiques se transformer en cadavres humains difformes. Il visite Chelmno où l'on tue dans les camions à gaz : « Je n'ai pas regardé tout le temps de la manœuvre [c'est le terme qu'il emploie]. Je ne supportais pas les cris, et j'étais bien trop énervé [...]. J'ai pris la fuite. Je me suis précipité dans la voiture, et je n'ai plus ouvert la bouche » (111). Il assiste à une exécution de masse à Minsk : « J'ai pu voir une femme rejeter les bras en arrière [...] les jambes allaient me manquer [...] je suis parti... » (115). Il va à Auschwitz : « J'ai préféré ne pas regarder comment on asphyxiait les gens. [...] Un gigantesque gril de fer sur lequel on brûlait des cadavres... Je n'ai pas tenu le coup, je fus pris de nausée » (152). Il se rend à Treblinka : « Je me tenais à l'écart, j'aurais voulu ne rien voir » (153). Il envoie les juifs hongrois marcher jusqu'à Vienne : « Je ne les ai pas vus moi-même, par principe je refusais de regarder des spectacles accablants si je n'en avais l'ordre formel » (326). Pour éviter ce genre de réaction « humaine », dont même Himmler et Eichmann sont capables, pour empêcher que les membres des *Einsatzkommandos* qui fusillent des victimes par milliers ne deviennent tous fous, on invente les chambres à gaz. Là, la machine remplace l'homme, et le bourreau évite tout contact avec la victime. C'est ainsi que Himmler les justifie devant Hoess : il y a trop de monde à tuer pour se contenter de fusiller ; et « en tenant compte des femmes et des enfants, cette dernière méthode serait trop pénible pour les SS qui l'appliqueraient » (Hoess, 263). Mais, sur le plan technique, il en va de même de toute la guerre moderne : là aussi, le contact est éliminé et, du coup, l'efficacité (la mortalité chez l'ennemi) augmente. Il est psychologiquement plus facile de lâcher une bombe de l'avion, qui tue dix mille personnes, que de tirer à bout portant sur un seul enfant ; et nous avons tendance à criminaliser davantage le second acte que le premier. « La personne qui lance une bombe en appuyant sur un bouton, le général ou l'homme d'État qui dirige de loin le massacre, ne fait face qu'à des cibles et des chiffres et doit, par nécessité, perdre sa capacité de chérir et de percevoir les êtres humains » (Kahler, 70). R. J. Lifton a pu établir une corrélation significative entre altitude et attitude : les pilotes qui, pendant la guerre du

Viêt-nam, conduisent les bombardiers à haute altitude ont la conscience tranquille ; ceux qui tirent à partir d'hélicoptères connaissent le remords et l'angoisse (541). Un soldat ennemi dont nous faisons la connaissance risque de cesser d'être notre ennemi.

Enfin la dépersonnalisation est obtenue aussi par l'endoctrinement idéologique, qui, en particulier en Allemagne, prend la forme d'un culte de la « dureté » et d'un dénigrement systématique de tout sentiment de pitié. Ce culte y est antérieur au nazisme, et il fait partie de ce qu'on a pu appeler la « pédagogie noire » (le père doit battre son fils pour en faire un homme). Il est également présent, sous le nom de *Drill*, dans l'entraînement militaire prussien : on impose des exercices exténuants, des marches démesurées avec un gros poids sur le dos, au nom de l'idée que chaque souffrance supplémentaire est là pour votre bien, et qu'on doit donc s'en enorgueillir plutôt que s'en plaindre. Le nazisme s'empare de ces « traditions » et les intègre à un système cohérent. L'entraînement des SS est « dur » ; cela garantira que le traitement auquel ils soumettront les détenus ne sera pas entaché d'une pitié spontanée. Une circulaire de la chancellerie de Hitler évoque ainsi les déportations : « Ces problèmes, parfois épineux, ne [peuvent] être résolus dans l'intérêt de notre peuple et de sa sécurité permanente que par la dureté impitoyable, *rücksichtloser Härte* » (Arendt, 180). On recrute donc à la SS de préférence les candidats qui paraissent les plus coriaces, et ceux qui y aspirent comptent qu'un peu de la dureté de l'organisation rejaillira aussi sur eux – que, du fait de leur appartenance même à la SS, ils apparaîtront à tous comme plus durs et plus virils. Il en est de même des membres de la Tcheka. Il va de soi que cette « dureté » ne signifie pas une endurance personnelle (les gardiens des camps sont, en temps de guerre, des planqués qui suscitent les moqueries des vrais soldats), mais seulement une insensibilité à la souffrance d'autrui.

Hitler lui-même parle avec mépris du sentiment de pitié, survivance encombrante de l'éthique chrétienne. Il déclare une fois devant Speer : « Nous avons la malchance de ne pas posséder la bonne religion. Pourquoi n'avons-nous pas la religion des Japonais, pour qui se sacrifier à sa patrie est le bien suprême ? La religion musulmane aussi serait bien plus appropriée que ce christianisme, avec sa tolérance amollissante » (138). Les autres religions sont préférables au christianisme précisément parce qu'elles ne valorisent pas autant la pitié pour les faibles, la compassion. Du reste, Hitler évite soigneusement tout attachement personnel ; Speer ne lui en connaît qu'un, pour son chien ; en effet, avant de se donner la mort, Hitler le tue – signe de distinction suprême !

Eicke, le responsable de la mise en place des camps, insiste toujours là-dessus : « Faire acte de charité à l'égard des "ennemis de l'État" serait une faiblesse dont ceux-ci profiteraient aussitôt. Un sentiment de pitié pour ces hommes serait indigne d'un SS : dans les rangs de la SS, pas de place pour les "mous", ceux-ci feraient aussi bien de se retirer dans un couvent [Eicke imagine les moines aussi fanatiques que les nazis, mais sensibles à la pitié]. On avait besoin d'hommes durs et décidés » (Hoess, 71). « Un SS doit être capable, nous disait-il, d'anéantir même ses parents les plus proches s'ils se rebellent contre l'État ou contre les conceptions d'Adolf Hitler » (100). En Union soviétique, c'est le jeune pionnier Pavlik Morozov qui incarne cet idéal : dénoncer ses parents s'ils ne sont pas d'accord avec la pensée du guide. Dans un autre discours encore, Eicke recommande aux SS de se débarrasser « des vieilles conceptions bourgeoises que la révolution hitlérienne a rendues caduques. Ce sont des symptômes de faiblesse et de sensiblerie indignes d'un *Führer* SS » (101-2). On sait que la majorité des SS a suivi docilement ces instructions, et qu'elle n'a pas laissé une pitié déplacée entraver la dépersonnalisation systématique des détenus ; un régime ne peut cultiver simultanément la pitié et la torture. La seule pitié présente est celle que les gardiens éprouvent pour eux-mêmes, d'avoir à être si durs avec les détenus ; il leur arrive, comme à Eichmann, d'en être « énervés », même s'ils ne cessent pas pour autant d'accomplir leur devoir.

L'idéal de dureté ou, comme on le dit aussi parfois, de virilité, n'est évidemment pas réservé aux seuls gardiens des camps ; mais il est vrai qu'il atteint chez eux son paroxysme. Nous aussi savons dépersonnaliser nos proches ; les moyens que nous employons sont toutefois infiniment moins spectaculaires ; parfois, un regard distrait suffit.

Soumission des gardiens

Les détenus ne sont pas les seuls à subir le processus de dépersonnalisation ; dans le système totalitaire, et dans les camps en particulier, les gardiens tendent vers le même état, bien qu'en suivant d'autres chemins. Le but du système est de transformer chacun en rouage d'une immense machine, de sorte qu'il ne dispose plus de sa volonté. Les gardiens témoignent de cette transformation en disant qu'ils se soumettent aux ordres, qu'ils considèrent l'obéissance comme leur devoir ; ils ne se rendent pas compte qu'une telle soumission implique leur propre dépersonnalisation, car ils ont accepté de se faire moyen, et non plus fin.

Une fois le système totalitaire effondré, les anciens gardiens recourent au principe d'obéissance comme à une excuse. « Nous ne faisions qu'obéir », s'exclament-ils, considérant que cette formule suffit pour leur ôter toute responsabilité. Obéissance au guide du peuple, au Führer, aux lois et aux ordres. Leurs accusateurs, en réaction, ont cherché à démontrer que cette défense ne tenait pas, et que les gardiens avaient agi de leur propre initiative ; dans ce cas, en effet, la faute eût été plus grande. Quoi qu'il en soit des cas particuliers, il faut constater que l'exigence d'obéissance aveugle, la demande de se considérer comme un simple rouage dans une machine, est bien caractéristique du système totalitaire. Même si de tels propos ne décrivent pas toujours exactement la réalité des actes, ils sont justes en tant qu'évocation de l'état d'esprit des sujets totalitaires ; loin de les rejeter, il faut les retenir comme un aveu précieux. Les gardiens ne faisaient qu'obéir aux ordres : cela diminue peut-être leur responsabilité légale, mais montre en même temps la gravité de leur transformation morale ; un être qui ne fait qu'obéir aux ordres n'est plus une personne. La nouveauté des crimes totalitaires consiste précisément en cette possibilité. La soumission est d'abord présentée comme une obligation. Laissons encore la parole à Eicke : selon lui, le vrai SS « devait considérer chaque ordre comme sacré, et l'exécuter sans hésitation, même si cela lui paraissait pénible » (Hoess, 95). L'en-tête de son papier à lettres porte : « Une seule chose doit compter : l'ordre donné » (100-1), le slogan de tous les SS étant : « Führer, ordonne, nous te suivons » (196) ; et ce ne sont pas là paroles en l'air. Mais cette obéissance n'est pas simplement subie ; elle est aussi revendiquée. Se soumettre aux lois et aux ordres, c'est accomplir son devoir ; on peut donc en tirer orgueil, et même se considérer comme particulièrement vertueux de l'avoir fait ; se mettre en accord avec les exigences de l'État (qui sont ici les exigences suprêmes) vous donne bonne conscience. C'est pourquoi Eichmann peut prétendre qu'il a agi selon les principes de la morale, qu'il a accompli son devoir – ce qui n'est possible, comme le remarque Arendt, que s'il a substitué d'abord à l'impératif catégorique de Kant sa reformulation par Hans Frank, le gouverneur nazi de la Pologne : « Agis de telle sorte que le Führer, s'il connaissait ton action, l'aurait approuvée » (15-6). La forme de l'accomplissement du devoir est bien présente ; ce qui a changé, c'est son contenu : à la place des maximes universelles apparaît la volonté d'un seul. *« Führerworte haben Gesetzkraft »*, les paroles du Führer ont force de loi : tel est le principe d'Eichmann et des autres citoyens obéissants.

Cette soumission ne s'étend pas aux seuls comportements publics, mais concerne aussi les croyances. Cela va de soi dans les camps, où l'absence de toute autonomie est patente ; dans le reste de l'État totalitaire la chose surprend davantage, car elle concerne toute la population (mais en dehors des camps l'opposition gardiens-détenus n'est plus aussi nette : tout un chacun alors, ne serait-ce qu'à un degré minime, est à la fois l'un et l'autre, il subit le système et l'impose aux autres). Lorsque les accusations pleuvent sur les citoyens ordinaires, dans les années trente en URSS, leurs voisins découvrent avec stupeur que des personnes qu'ils croyaient irréprochables étaient en fait des ennemis perfides. Difficile à croire ? « C'était la *Pravda* même qui l'annonçait : aucun doute n'était donc permis » (Guinzbourg, I, 13). Si quelqu'un a été arrêté, c'est qu'il est coupable. La punition précède ici l'établissement du crime, plus même : elle en tient lieu. Dans certains cas, les époux cessent de se faire confiance : si l'un a été accusé, l'autre croit le témoignage de l'accusation plutôt que celui de ses propres sens. Guinzbourg raconte la pathétique histoire d'une ancienne communiste qui refuse de défendre son mari depuis que celui-ci est devenu « ennemi du Parti » et qui, malgré les souffrances qu'elle-même endure, adresse à Staline une lettre « débordante d'amour et de fidélité » (I, 26) ; il est vrai qu'elle se suicide peu après. Mais le mari même de Guinzbourg réagit de manière semblable : il ne veut pas que les malheurs qui arrivent à sa femme portent atteinte à sa confiance dans le Parti.

Dans la littérature consacrée aux camps nazis, on affirme souvent que la soumission aveugle aux lois et aux ordres est, elle aussi, une qualité « typiquement allemande », ou « prussienne ». Sa présence dans les autres pays totalitaires suffit déjà pour contester la pertinence de cette relation. Mais, à vrai dire, le comportement obéissant se rencontre bien au-delà de ces pays-là. Libéré de Buchenwald, Jorge Semprun revient en France ; dès le premier jour, il entend de la bouche d'une employée la phrase que ne daignaient pas lui adresser ses gardiens du camp, mais qu'ils se disaient à eux-mêmes : « S'il fallait que j'aie des opinions personnelles, monsieur, je n'en finirais pas [...]. Je me limite à exécuter les ordres de l'Administration » (131). On connaît aussi les résultats du fameux test de Stanley Milgram, portant précisément sur la soumission à l'autorité : un échantillon représentatif de citoyens libres, éduqués et intelligents des États-Unis (et non des Allemands dociles) acceptent volontiers de pratiquer la torture sur la personne de leurs camarades, pour peu qu'ils croient se soumettre aux exigences de la science et aux ordres de leurs professeurs. Plutôt que « typiquement allemande », la soumission s'avère une attitude généralement humaine – il suffit que les circonstances s'y prêtent.

Parmi ces circonstances, l'une des plus puissantes est l'assimilation de la vie dans son ensemble à une situation de guerre (l'extension de la notion d'ennemi). Pendant la guerre en effet, vous êtes censé ne plus juger par vous-même mais exécuter aveuglément et ponctuellement les ordres de vos supérieurs, y compris lorsqu'ils vont à l'encontre de vos principes du temps de paix : la guerre est le lieu du meurtre légal, voire moral. Dans la mesure où l'esprit prussien est imprégné de l'idéal militaire, les nazis peuvent en effet se réclamer d'une tradition nationale (mais, bien entendu, ils n'en préservent que ce qui leur convient). L'armée est traditionnellement la gardienne de cet esprit de guerre en temps de paix aussi. « Quand on est dans l'armée, on ne proteste pas », dit pour se justifier Fritz Klein, médecin d'Auschwitz qui participe aux « sélections » (Langbein, 337). On peut lui répliquer d'abord que l'assimilation du camp à la guerre, celle de l'« ennemi intérieur » à l'« ennemi extérieur » est illégitime : la « guerre » que les juifs auraient déclarée à l'État nazi est une fiction commode lancée par Hitler. On doit ajouter que, même en temps de guerre, tous les principes antérieurs ne sont pas révoqués : on risquerait sinon de ne plus rester humain.

L'attitude de soumission docile, qui dépersonnalise celui-là même qui se soumet, le transformant en pur rouage d'une immense machine, le renoncement à l'exercice de son jugement et de sa volonté : ce sont là des traits de comportement quotidien qui se retrouvent bien au-delà des frontières des camps, voire des États totalitaires ; les situations extrêmes ne font qu'en illustrer les conséquences les plus pénibles. Une fois de plus, la vérité de l'individu et celle de l'humanité se retrouvent du même côté, qui n'est pas celui de la collectivité ; les lois du pays, la volonté du chef, les ordres proclamés par l'État seront contestés par l'individu réfléchissant, qui se réclame de ce qu'on a appelé, à des époques différentes, le droit naturel, la morale universelle ou les droits de l'homme. C'est là-dessus que repose aussi l'idée des « crimes contre l'humanité » : des actions qui ont été en parfaite conformité avec les lois en vigueur sont considérées un jour comme des crimes parce qu'elles contreviennent non aux lois, mais aux maximes non écrites qui sous-tendent les idées même de droit et d'humanité. Cherchant à justifier son comportement de commandant d'Auschwitz, Hoess se réclame d'un principe qui est en vigueur aussi dans l'Angleterre démocratique : « *Right or wrong – my country !* » (197). Loin de l'excuser, ce principe se trouve lui-même compromis par la révélation des actes auxquels il peut conduire. Si l'intérêt national est placé au-dessus de celui de l'humanité, Auschwitz devient possible. L'obéissance à la loi est nécessaire au bon fonctionnement de l'État, sans être pour autant source de vertu ; mais si la loi est inique, il faut lui désobéir et la dénoncer, ce qui est possible dans certains régimes et non dans d'autres : voilà un moyen pratique pour distinguer parmi eux les meilleurs des moins bons.

Portraits

Pour tenter de mieux comprendre le mal, on l'a vu, la variante nazie du totalitarisme offre une matière bien plus riche ; rien de comparable, côté communiste, aux documents produits par certains agents du pouvoir national-socialiste qui ont été plus ou moins contraints à s'expliquer. C'est pourquoi je voudrais me tourner maintenant vers quelques documents d'un intérêt particulier : l'autobiographie de Hoess, l'interrogatoire d'Eichmann, les Mémoires de Speer.

Rudolf Hoess, commandant d'Auschwitz, décrit son enfance comme un apprentissage de l'obéissance – moins à la loi qu'à la figure l'incarnant : son père d'abord, puis ses supérieurs hiérarchiques, son chef militaire. Le bien se confond pour lui avec la personne du détenteur du pouvoir : « A nos yeux, le Führer avait toujours raison, et de la même façon son suppléant direct, le Reichsführer [Himmler] » (197). Leurs ordres sont exécutés sans réflexion, et la désobéissance est inconcevable. « Je ne crois pas qu'une idée semblable ait pu effleurer l'esprit d'un seul parmi les milliers d'officiers SS » (196). Il s'entraîne donc à sa propre dépersonnalisation et devient à ses yeux mêmes le rouage d'une machine. Un jour il reçoit l'ordre concernant la « solution finale » de la question juive ; sans hésiter un instant, il le met à exécution. Il agit ainsi par devoir, non pour le plaisir de tuer. Un épisode de l'évacuation finale des camps le montre bien. Les soldats qui croisent les convois de détenus s'amusent à leur tirer dessus, et parfois ils touchent leur cible. Hoess aperçoit un tel tireur en train de tuer un détenu. « Je l'interpellai violemment en lui demandant pourquoi il avait abattu ce malheureux dont il n'avait pas la responsabilité. Il me répondit par un rire insolent et me déclara que cela ne me regardait pas. Je tenais mon revolver et je l'abattis à son tour » (237). Le même Hoess envoie à la mort des millions de détenus, mais c'est qu'on lui en avait confié la responsabilité ! Même si l'histoire n'est pas vraie, elle montre bien comment Hoess se comprend lui-même.

Le processus de dépersonnalisation est également poussé très loin. Hoess ne fait état d'aucun ami ; il déclare aimer sa femme, mais aucun geste par lui rapporté ne le confirme. Il a une maîtresse parmi les détenues d'Auschwitz : quand il veut s'en séparer, il ne se contente pas de la quitter mais essaie de la faire tuer. Les détenus sont réduits par lui à la pure fonction de travail ; ceux qui, trop faibles, ne pourraient pas avoir un bon rendement devraient être éliminés tout de suite. « Ils mouraient au bout de très peu de temps sans avoir été de la moindre utilité pour l'industrie du réarmement. [...] Ces hommes représentaient une charge pour les camps, prenaient la place et la nourriture de ceux qui étaient capables de travailler et ne servaient strictement à rien » (219). Ils étaient de toutes les façons condamnés à une mort rapide (par épuisement) : pourquoi ne pas les expédier directement dans les chambres à gaz ? Inutiles pour l'industrie, pesants pour les camps : ces hommes ne sont jamais considérés comme un but, ils peuvent seulement servir de moyen et, s'ils ne le font pas, doivent disparaître.

Cette dépersonnalisation des autres, et plus particulièrement des victimes, apparente étrangement la position de Hoess à celle d'un savant-naturaliste. Dans sa confession même, alors qu'il se sait condamné à mort, il ne peut s'empêcher d'assumer ce rôle avec quelque coquetterie et de faire part à ses lecteurs de ses observations impartiales sur le comportement de l'espèce humaine ou de la race juive. Pendant son service dans le camp de Sachsenhausen il a recueilli, nous dit-il, des « impressions variées et pittoresques » (129). A plus forte raison, à Auschwitz, laboratoire immense, il a reçu des « impressions ineffaçables et ample matière à réflexion » (209). Pourquoi les membres de la race juive meurent-ils si facilement ? Difficile question que Hoess va tenter d'élucider pour nous. Le ton qu'il prend est tout à fait professoral : « En m'inspirant de mes observations, j'affirme catégoriquement » (175). « La vie et la mort des juifs me posaient effectivement pas mal de problèmes que j'étais incapable de résoudre » (209).

(La lecture du livre de Hoess provoque chaque fois en moi un fort malaise. J'ai beau n'avoir plus de surprises, dès que je lis ou recopie de telles phrases, je sens monter en moi quelque chose comme une nausée. Aucun autre des livres dont je parle ici ne me donne cette impression aussi fortement. A quoi est-elle due ? Sans doute à la conjonction de plusieurs facteurs : l'énormité du crime ; l'absence de véritables regrets de la part de l'auteur ; et tout ce par quoi il m'incite à m'identifier à lui et à partager sa manière de voir. La première personne du singulier est importante, et l'absence de toute autre voix, comme celle de Sereny à côté de Stangl, de Less à côté d'Eichmann, ou même de Speer vieux à côté de Speer jeune. Mais aussi la complicité qu'il crée en invitant son lecteur à profiter de son expérience singulière pour observer les êtres humains comme des animaux de laboratoire, dans cette phase particulièrement intéressante de leur vie, les heures précédant la mort. En lisant, j'accepte de partager avec lui ce rôle de voyeur de la mort des autres, et je m'en sens sali.)

Pour Hoess, la catégorie abstraite s'est séparée de la réalité qu'elle était censée saisir, et elle est désormais la seule qui importe. Il est tout à fait enchanté par l'idée qu'exprime la devise *Arbeit macht frei*, le travail rend libre, et toute l'expérience macabre d'Auschwitz qu'il a sous les yeux, même si elle n'illustre aucune libération, ne peut ébranler son enthousiasme. L'ironie veut qu'il voie bien ce problème en général (et chez les autres), mais jamais chez lui-même, alors qu'il en serait la meilleure illustration. « Je suis convaincu que beaucoup de prisonniers auraient pu s'améliorer si les représentants de l'Administration s'étaient montrés plus humains et moins bureaucrates » (48) : signé Hoess.

Hoess atteint à ce degré de dépersonnalisation en cultivant systématiquement en lui la dureté et en réprimant toute pitié (« mollesse »). Il interprète lui-même ce trait de caractère comme un amour pour le métier et la vocation de soldat.

Quand il tue pour la première fois, au front, il a le sentiment de subir un rite initiatique, qu'il évoque en ces termes : « Mon premier mort ! J'avais franchi le cercle magique » (27) ; jusqu'à son dernier souffle, il croira que la guerre révèle la vérité de la vie. Ayant subi lui-même des traitements assez durs – à la maison, dans l'armée ou en prison –, il traite les autres avec dureté, encouragé en cela par les discours d'Eicke. Les premières fois où il assiste à des exécutions ou des tortures, il éprouve une « émotion intérieure », mais ne laisse rien paraître. « Je n'ai pas voulu tuer en moi les sentiments de compassion pour la misère humaine. Je les ai toujours éprouvés, mais dans la plupart des cas je n'en ai pas tenu compte parce qu'il ne m'était pas permis d'être "mou". Pour ne pas être accusé de faiblesse, je voulais avoir la réputation d'un "dur" » (92-3). Être fort, dans ce système de valeurs, c'est être dur, c'est-à-dire impitoyable. On voit la perfection du mécanisme totalitaire : Hoess est d'autant plus efficace dans son travail qu'il se console par son autre « moi », plein de commisération. « Moi aussi, j'avais un cœur... » : c'est par ces mots que se termine sa confession (257).

Ayant réussi à dépersonnaliser ses victimes, Hoess considère son travail à Auschwitz comme un technocrate : seules l'intéressent les performances de son usine, il ne se pose pas de questions sur le produit final. Ce n'est pas qu'il doute des objectifs fixés par Hitler ; il est même tellement acquis à la doctrine nazie que, en dépit de ses efforts, il ne peut s'empêcher de produire un texte qui respire l'antisémitisme. Pourtant, il tient à préciser : « Je voudrais souligner ici que personnellement je n'ai jamais éprouvé de haine contre les juifs » (174). C'est en effet quand il est accompli sans haine que le travail de la mort est particulièrement efficace, comme le remarquait Seyss-Inquart. Or Hoess fait tout pour que l'usine tourne bien, qu'il n'y ait pas de ratés, que les différentes matières premières (poison, êtres humains, combustibles) arrivent de manière synchronisée. Il représente donc une première instance de cette pratique de l'esprit répertoriée auparavant : la pensée instrumentale. Ce n'est pas la seule forme de pensée qu'il connaisse ; mais il la pratique déjà bien.

Adolf Eichmann, le responsable direct de la « solution

finale », appartient à la même espèce d'hommes. Lui-même se décrit comme un « pion sur un échiquier » (291), minuscule rouage dépourvu de toute volonté et de toute initiative : un non-sujet. A l'en croire, il n'a jamais fait qu'obéir, qu'exécuter des ordres. « Toute ma vie j'ai été habitué à obéir [...] de ma plus tendre enfance jusqu'au 8 mai 1945 [...] une obéissance devenue inconditionnelle » (422). Dans sa déclaration finale devant le tribunal de Jérusalem, il constate : « Ma culpabilité réside dans mon obéissance, dans mon respect de la discipline et de mes obligations militaires en temps de guerre, de mon serment de fidélité » – autant de caractéristiques qu'on tient habituellement en haute estime. « L'obéissance était exigée en ces temps, comme elle le sera aussi dans l'avenir, de tout subordonné. L'obéissance est rangée parmi les vertus. » Désobéir était à la fois inadmissible – et impossible. « Personne n'a eu le courage de se comporter de la sorte » (Wieviorka, 184-5).

Eichmann, on le voit, s'enorgueillit de ce qui est particulièrement accablant, sa propre dépersonnalisation. Non seulement il obéit aux ordres, mais aussi il ne *veut* jamais faire autre chose ; toute initiative personnelle l'effraie, il cherche toujours à être « couvert ». S'il y a une chose qui le choque vraiment, c'est qu'on puisse imaginer qu'il ait désobéi. « C'est le bouquet de tout ce que j'ai vécu jusqu'à présent ! » s'exclame-t-il alors (Eichmann, 317) : on sait que ce n'est pas peu dire. C'est en l'obéissance, on l'a vu, que consiste son idée du devoir et de la vertu. Pourtant, il ne cesse pas entièrement de se considérer comme une personne, puisqu'il se juge comme digne de pitié : s'il souhaite, vers la fin de la guerre, interrompre son travail, c'est uniquement pour cesser « de [se] fatiguer avec toutes ces affaires de déportations » (314).

La dépersonnalisation des autres, dans son esprit, est donc finalement plus radicale. Même au cours de son interrogatoire, vingt ans après les faits, le langage d'Eichmann en garde toutes les traces. L'action (de déportation et de mort) est désignée habituellement par un euphémisme abstrait ; de même pour son objet (les juifs) ; quant au sujet de l'action, il est la plupart du temps sous-entendu ou simplement absent. L'affirmation ne porte pas sur l'action elle-même, mais sur quelques circonstances – qui retiennent apparemment toute l'attention d'Eichmann. Voici par exemple son récit de la conférence de Wannsee, en janvier 1942, où se décident les modalités concrètes du plus grand meurtre organisé de l'histoire allemande : « Tout s'y passa fort bien, tout le monde était aimable, très poli, très gentil et très courtois [...], les ordonnances vous servaient un cognac, et l'affaire était réglée » (119). Qui pourrait deviner ce que recouvre ce mot vague, « affaire » ? Ou le compte rendu d'une autre conférence, en août 1942, consacrée aux moyens d'accélérer l'« évacuation » : « Difficultés de mise en wagon, en raison de la nuit plus longue en octobre » (272). La chose mise en wagon n'est même pas identifiée, la destination ni la raison du voyage non plus ; toute l'attention se concentre sur un problème « technique » : comment surmonter les difficultés nées de l'obscurité ?

Voici encore un de ses chefs-d'œuvre de dépersonnalisation : « Dans le cadre de la solution de la question juive en Europe, la Hongrie devait être elle aussi délivrée de quelque manière » (292). La traduction exacte de cette phrase est : « Nous devons déporter aussi les juifs hongrois pour les tuer. » Mais le « nous » est simplement omis (qui doit « délivrer » ?), les juifs ne sont plus que la question juive (les êtres sont remplacés par une abstraction, qui de plus prend la forme d'un problème ; or, dit la pensée instrumentale, là où il y a problème, il y a solution), et les actions sont désignées par des euphémismes généralisants (« délivrée », « solution »).

Eichmann lui-même considère son travail comme purement technique, on l'a vu, et il ne se lasse pas de le répéter. Recenser des moutons ou des juifs, c'est toujours « faire son travail » ; l'important, c'est de le faire bien. L'expression « secret professionnel » correspond chez lui au silence entourant l'extermination, mais il ne semble jamais réaliser que sa « profession » consiste précisément à tuer. Au moment des faits comme pendant l'interrogatoire, son attention n'est retenue que par les modalités d'exécution, jamais par les enjeux de l'action elle-même. S'il entend parler d'une déportation de dix mille juifs par jour (de Hongrie), il ne réagit pas au sens ni à la portée d'une telle action, mais seulement au « problème » technique : non, nous ne disposions pas d'une police assez nombreuse pour des opérations de cette envergure, il doit y avoir erreur quelque part...

Au point de départ, les caractéristiques d'Eichmann sont tout à fait communes : obéissance, abstraction, pensée instrumentale ; mais ces traits atteignent chez lui un degré exceptionnel, l'abstraction ne laisse plus *aucune* place pour les êtres ; Hoess lui-même est à cet égard plus humain que lui. Il n'en a pas moins raison de s'exclamer, dans sa déclaration finale : « Je ne suis pas le monstre que l'on veut faire de moi » (Wieviorka, 187). Eichmann sait qu'il s'écarte un peu de la norme, mais l'interprète positivement : j'étais un idéaliste, dit-il, et je souffre aujourd'hui à cause de mon idéalisme. Selon sa définition donc, l'idéaliste est celui qui préfère les idées aux êtres ; en ce sens du mot, il en est bien un. Une détenue comme Guinzbourg est en revanche devenue le contraire d'une idéaliste à la suite de son expérience aux camps puisqu'elle en résume ainsi la leçon : « Toute idéologie est relative ; ce qui est absolu, ce sont les tourments que les hommes s'infligent les uns aux autres » (I, 111).

Avec Albert Speer, nous changeons apparemment de registre : après tout, il ne s'agit plus d'un policier inculte, comme Hoess et Eichmann, mais d'un homme éduqué et raffiné, architecte de talent et, après sa libération de prison, écrivain à succès. Pourtant, sa personnalité révèle bien des côtés qui nous sont déjà familiers. Il s'est, lui aussi, voulu le rouage d'une machine, la « vie professionnelle », négligeant par exemple toute vie familiale, ou toute réflexion sur soi. Lui aussi a intériorisé l'idée de loi et de soumission, et a renoncé à exercer son propre jugement pour interroger le bien-fondé des ordres qu'il recevait ; il était « le type d'individu qui reçoit un ordre sans le discuter » (713). En 1947, il juge que le processus de dépersonnalisation de soi est l'effet de forces historiques générales. « L'automatisme du progrès [technique] devait conduire à un degré supérieur de dépersonnalisation de l'homme, le privant toujours plus de sa propre responsabilité » (717).

Mais ce qui semble le plus caractéristique chez Speer est le rôle qu'il accorde à la pensée instrumentale : elle occupe tout son être. Tout jeune homme déjà, se souvient-il, il aimait être placé en situation de défi : voici le problème, cherchez sa solution. Sa première notoriété dans les milieux nazis, il la doit à son efficacité : il parvient à tenir des délais impossibles dans divers travaux de construction. Beaucoup plus tard dans sa carrière (en avril 1944), il lit dans un journal anglais un portrait de lui-même, qui visiblement lui plaît sur le moment et lui plaît encore pendant qu'il écrit ses Mémoires. Il y est décrit comme l'incarnation du technocrate : « Il symbolise un type qui prend une importance croissante dans tous les États en guerre : celui du pur technicien, de l'homme brillant qui n'appartient à aucune classe et ne se rattache à aucune tradition, qui ne connaît d'autre but que de faire son chemin dans le monde à l'aide de ses seules capacités de technicien et d'organisateur. [...] Leur heure est venue. Nous pourrons être délivrés des Hitler et des Himmler, mais les Speer resteront encore longtemps parmi nous, quel que soit le sort qui sera réservé à cet homme en particulier » (487). Speer ou le triomphe de la pensée instrumentale.

Le « problème » d'Eichmann était la déportation des juifs ; sa « solution », l'organisation de leur regroupement, la « mise en wagons », le croisement des trains. Le « problème » de Speer, depuis le jour où il devient ministre de l'Armement du Troisième Reich, c'est : produire le maximum d'armes et de la meilleure qualité. Eichmann ne se demandait pas s'il fallait ou non gazer les juifs ; ce n'était pas là son « problème ». Speer ne se demande pas si cette guerre est juste ou non ; son problème, c'est « seulement » la production des armes, non leur utilisation. Pour atteindre ce but, tous les moyens sont bons : la déportation de main-d'œuvre étrangère en Allemagne, l'utilisation des prisonniers de guerre ou des détenus des camps de concentration. Si Speer veut qu'on épargne la vie des prisonniers ou qu'on augmente les rations alimentaires des détenus, ce n'est pas par souci de leur bien-être, mais pour assurer le meilleur rendement de ses usines. Dans ses conflits avec la SS, écrit-il, « par-delà toutes les considérations humanitaires, toutes les raisons de bon sens étaient de notre côté » (523), réduisant ainsi le bon sens à la pensée instrumentale. Les considérations humanitaires n'entrent en fait jamais en ligne de compte : « Cette course désespérée que je menais avec le temps, ce regard de possédé que je gardais perpétuellement fixé sur les chiffres de la production et les courbes de rendement avaient étouffé en moi toute considération et tout sentiment humains » (528). Et les « pragmatiques », parmi lesquels Speer se range lui-même, sont finalement responsables de la mort de non moins d'êtres humains que les « fanatiques ».

Alors que Speer a décidé, au moment où il écrit ses Mémoires, de condamner cette attitude, il ne peut s'empêcher d'y retomber constamment et de se plaindre de tous les bâtons que les bureaucrates incompétents ou les SS fanatiques ou les chefs indécis (Hitler !) lui mettaient dans les roues (les roues de la production militaire) : s'ils n'avaient pas été là, il aurait pu augmenter encore la production, et l'Allemagne se serait mieux battue, voire aurait gagné la guerre. « Tous mes bons arguments étaient du coup partis en fumée » (313). « Une fois encore les tergiversations de Hitler faisaient obstacle à mon intention de promouvoir une économie de guerre totale » (315). Mais cette guerre, aux dires de Speer lui-même, était un crime ; pourquoi regretter de ne pas l'avoir gagnée ? On se met à estimer les hésitations de Hitler ! Dans les camps, les ouvriers et ouvrières consciencieux, qui mettaient leur dignité dans le travail bien fait, ne pouvaient s'empêcher de travailler efficacement et de contribuer ainsi au renforcement de l'État qui les avait enfermés. Vingt ans après la guerre, et quels que soient ses jugements généraux sur elle, Speer ne peut se libérer des habitudes de la pensée instrumentale : s'il y a une tâche, il faut l'accomplir le mieux possible, même si cela doit conduire au règne de la terreur.

Dans ces conditions, les autres êtres ne sont jamais une fin : ils ne retiennent l'attention de Speer que dans la mesure où ils peuvent être des moyens appropriés. L'habituelle séparation du privé et du public complète le travail d'élimination des considérations humanitaires. « Je m'aperçois que la vue de la souffrance des hommes a eu une influence sur mes sentiments, mais non sur ma conduite. Au plan affectif, je n'eus que des réactions empreintes de sentimentalisme ; au niveau des décisions, par contre, les principes de finalité rationnelle continuaient à me dominer » (528). Tout à la fin de la guerre, Speer commence à se sentir responsable : non des vies sacrifiées des Allemands ou de leurs ennemis, mais du potentiel industriel allemand ; il se révolte pour la première fois contre Hitler et désobéit à ses ordres – pour sauver de la destruction les machines et les bâtiments. Son geste est comme l'annonce de cette nouvelle arme, la bombe à neutrons, qui tue les personnes mais épargne les équipements.

Les conclusions que Speer lui-même tire de son destin concernent précisément l'emprise de la pensée instrumentale sur l'homme, l'oubli des fins. J'ai été, dit-il, le « principal représentant d'une technocratie qui venait, sans s'embarrasser de scrupules, d'engager tous ses moyens contre l'humanité » (712). « J'avais aussi permis, par mes capacités et mon énergie, de prolonger [la guerre] de nombreux mois durant. [...] Sans jamais avoir été complètement d'accord avec Hitler, j'avais conçu des édifices et produit des armes qui servaient ses desseins » (716-7). Même si Speer a tendance à minimiser son propre engagement nazi, son explication me paraît, dans l'ensemble, juste, et elle éclaire aussi d'autres destins que le sien.

Speer, Eichmann, Hoess : autant de chaînons d'une seule et même chaîne. Leurs personnalités diffèrent, comme aussi leurs milieux sociaux ; mais leurs conduites morales apparaissent comme des variantes d'une même figure. Ils produisent des récits qui sont censés, à leurs propres yeux, les disculper et les excuser, au moins partiellement ; ils ont pour cette raison tendance à les embellir, en mettant en avant ce qu'ils jugent moins compromettant. Mais à cause de cela même, ces récits sont particulièrement révélateurs : ils disent la vérité au moment où leurs auteurs croient la dissimuler. Ceux-ci se peignent plus obéissants, dépourvus d'initiative et de convictions qu'ils n'ont dû l'être ; ce faisant, ils démontrent que, à leurs yeux mêmes, l'obéissance et la dépersonnalisation suffisent pour les transformer en instruments efficaces en vue d'atteindre des fins criminelles. Hoess est particulièrement endurci, Eichmann exceptionnellement « abstrait », Speer plus efficace que les autres. Tous trois cependant ont cessé de penser à eux-mêmes comme au sujet de leurs actions et aux autres personnes comme devant constituer leur fin ; tous trois acceptent de les voir réduites à l'état d'esclaves ou de cadavres, pourvu que cela serve les objectifs qui leur ont été assignés. En ce sens, ils pratiquent un « idéalisme » directement opposé au souci d'autrui : les idées l'emportent ici sur les êtres. Mais le journaliste anglais qui brosse le portrait de Speer avait raison : quel que soit leur destin personnel, le type qu'ils incarnent a toujours un grand avenir devant lui ; la pensée instrumentale oublieuse des fins et la dépersonnalisation des êtres ne règnent pas dans les seuls camps de concentration.

Jouissance du pouvoir

Le pouvoir sur autrui

La dépersonnalisation peut frapper aussi bien soi-même qu'autrui : à force de considérer l'autre comme simple élément d'un projet qui le transcende, on finit par oublier qu'il est humain ; mais à force de se soumettre soi-même aux exigences du système, on se transforme en pièce d'une machine. Bête ou mécanique, on quitte également la condition humaine. Il existe cependant un cas plus particulier d'instrumentalisation et de dépersonnalisation, qui mérite qu'on lui réserve une place séparée. C'est celui où je reste le but de l'action, où seul autrui est transformé en moyen ; moyen en vue de réaliser non un projet quelconque, plus ou moins abstrait, telle la victoire du communisme ou la purification de la terre de ses races inférieures, mais la satisfaction d'un être particulier : moi. Cette satisfaction se nourrit exclusivement du constat de la soumission d'autrui. Je jouis directement de mon pouvoir sur lui, sans passer par l'intermédiaire d'une rationalisation qui prend la forme d'une loi, d'un devoir ou de la parole du chef ; c'est une *libido dominandi*.

Le pouvoir que nous exerçons en général ne concerne pas les seuls êtres humains autour de nous. Jeune enfant (et parfois aussi plus tard), je jouis du pouvoir que j'ai sur mon propre corps ; cette satisfaction, bien qu'elle ne soit pas d'ordre moral, a partie liée avec la dignité, puisqu'elle provient de l'accord entre différents segments de mon être. En de tout autres circonstances, je peux jouir de mon pouvoir sur la nature : c'est le sentiment qui peut naître de ce que nous savons maîtriser les eaux d'un fleuve ou construire un bâtiment qui touche au ciel ; cette jouissance-ci est le prolongement de l'activité de l'esprit. Le pouvoir qui nous intéresse ici est encore d'une autre espèce et concerne les seules relations intersubjectives : le pouvoir d'une personne sur une autre, et la jouissance que la première tire de l'exercice même de ce pouvoir (les animaux humanisés, chien ou cheval, pouvant aussi lui servir d'objets).

L'important ici, c'est qu'autrui dépende de moi, non qu'il vive telle ou telle expérience : celle-ci peut être la joie ou la souffrance, pourvu que ce soit moi qui en sois responsable. Et il est vrai que je peux trouver du plaisir à créer le bonheur d'autrui. En réalité, cependant, il y a asymétrie entre les effets que j'obtiens dans les deux cas, le déplaisir d'autrui m'apportant une preuve plus sûre de l'efficacité de mon pouvoir. Sa joie a plus de chances d'être, au moins partiellement, l'effet de sa propre volonté ; sa souffrance n'est en général pas voulue par lui, elle ne provient que du pouvoir que j'exerce sur son être. Il ne peut pas choisir (sauf cas tout à fait exceptionnels) sa propre torture physique. Dans cette direction, il existe un absolu, qui est la mort de l'autre (alors que le bonheur ne connaît pas d'absolu). Causer la mort de quelqu'un est une preuve irréfutable de mon pouvoir sur lui.

La jouissance du pouvoir a des affinités évidentes avec le sadisme, mais ne se confond pas avec lui. D'abord parce que, si la souffrance d'autrui est la meilleure preuve de mon pouvoir, elle n'est pas la seule : son bonheur l'est aussi, même si c'est à un degré moindre. A la différence du sadisme, ce n'est pas la douleur même d'autrui qui cause mon plaisir (douleur dont je pourrais du reste, dans le sadisme, n'être pas l'auteur), mais seulement la conscience d'exercer un pouvoir sur lui. On s'accorde aujourd'hui à attribuer au sadisme une origine sexuelle ; or la jouissance du pouvoir n'est pas la transformation d'une expérience sexuelle. Freud lui-même, qui parle à ce propos de *Bemächtigungstrieb*, ou pulsion de domination, a tenu à marquer son caractère non sexuel (c'est lorsqu'elle s'unit à la sexualité qu'elle dérive vers le sadisme) et l'a vue à l'œuvre, notamment, dans la cruauté infantile. A l'origine de cette pulsion ne se trouve pas autre chose qu'elle-même, on n'a pas intérêt à la « traduire » dans un vocabulaire différent. L'individu aspire à réaliser sa souveraineté totale parce qu'il affirme ainsi son soi ; le moyen le plus radical de le faire, c'est de nier autrui en lui infligeant la souffrance et, à la limite, la mort. Comme le dit Jean Améry, réfléchissant sur les séances de torture auxquelles il a été soumis (et se souvenant des réinterprétations du sadisme proposées par Bataille) : « Dans le monde de la torture, l'homme n'existe qu'en anéantissant l'autre personne qui se tient devant lui [...]. Cela s'appelait le pouvoir, la domination de l'esprit et de la chair, l'orgie d'une mégalomanie sans frein [...]. La personne torturée découvrait qu'en ce monde l'autre pouvait exister comme souverain absolu, et la souveraineté se révélait comme le pouvoir d'infliger la souffrance et la destruction » (*Mind*, 35, 36, 39).

C'est cette jouissance du pouvoir qui est abondamment présente dans les camps, et non le sadisme, tel qu'on l'entend d'habitude : la jouissance de ce que l'autre soit à votre merci, ce que vous prouvez en lui infligeant des peines ou, plus exceptionnellement, des joies (c'est pourquoi j'évite de parler ici d'un « plaisir homicide », comme on le fait parfois). J'en trouve cependant peu de traces dans les confessions des gardiens, sans doute parce que ces confessions ont toujours un but plus ou moins apologétique, et que la jouissance du pouvoir peut être confondue avec le sadisme, lequel n'a pas bonne presse. Elle est en revanche régulièrement mentionnée dans les récits des détenus. Fania Fénelon raconte la visite d'une inspectrice dans sa baraque : celle-ci fait refaire tous les lits et confisque les maigres propriétés des détenues. « Elle jouit d'être la plus forte. N'est-elle pas, par la grâce du Führer, qui, semblable à Dieu le Père, règne sur les petits et les grands, la plus intelligente, alors que dans sa Souabe natale elle serait fille de salle ? » (201-2). Un des surveillants en chef s'ennuie ; il fait sortir mille femmes, les met par groupes de cent, envoie les unes à la mort, garde les autres vivantes. « Quelle jouissance, cette puissance ! » (253). Une autre détenue du même camp, Anna Pawelczynska, conclut : « L'idée d'accepter un travail à Auschwitz était particulièrement séduisante parce que le travail répondait au besoin qu'on avait d'éprouver au jour le jour sa propre maîtrise et sa propre force, le droit de décider de la vie et de la mort, le droit d'infliger la mort, personnellement et au hasard, et le droit d'abuser de son pouvoir sur les autres détenus » (19).

Les gardiens sont particulièrement furieux contre les détenus qui ne montrent pas assez vite leur soumission, qui ne baissent pas le regard, à plus forte raison qui n'exécutent pas un ordre. Mais ce que les camps ont d'exceptionnel, c'est que le désir de souveraineté chez les gardiens ne rencontre aucune limite, légale ou morale ; chacun d'entre eux est donc tenté de pousser la soumission d'autrui encore plus loin (la seule limite étant la soumission absolue : la mort). Les gardiens n'ont de comptes à rendre à personne, ils sont entièrement libres et souverains, ils s'enivrent de leur propre pouvoir : ils se sentent appartenir à la race des surhommes. C'est ce que les détenus appellent la « corruption par le pouvoir ». Vladimir Pétrov, un rescapé de Kolyma, constate : « Le fait de disposer d'un pouvoir pour ainsi dire illimité sur d'autres êtres vivants, dépouillés, eux, de presque tous leurs droits, ne peut manquer d'éveiller les instincts spécifiques de la tyrannie arbitraire, l'intolérance absolue de toute opposition de la part de ces “créatures inférieures”, et une irresponsabilité totale à leur endroit » (Conquest, 73).

Entre ceux qui ne sont que gardiens et ceux qui ne sont que détenus se tiennent une masse d'intermédiaires : c'est la « zone grise » de Primo Levi (une zone qui couvre la population tout entière des États totalitaires, même si le gris peut être plus ou moins épais). Ces détenus-responsables, souvent recrutés parmi les criminels de droit commun (les kapos des camps nazis, qui ont aussi leur équivalent soviétique), tiennent d'autant plus à exercer leur pouvoir sur les autres qu'ils se savent en même temps soumis au pouvoir des vrais gardiens, miliciens ou SS. Ils sont eux-mêmes esclaves vers le haut, tyrans vers le bas ; leur souveraineté dans l'une des directions doit compenser l'absence de liberté dans l'autre. Ils sont donc souvent les plus avides de faire une démonstration de leur pouvoir sur autrui : les récits là-dessus sont innombrables.

Une jouissance du pouvoir exigeant la torture physique ou la mort d'autrui n'existe que dans des circonstances extrêmes, dans les camps ou encore au cours des conquêtes coloniales, où les conquérants disposent d'une semblable « liberté d'action ». De ce fait, on peut se demander s'il s'agit de la même chose lorsqu'on rencontre, dans la vie quotidienne, la même aspiration au pouvoir, mais privée de cette limite absolue qu'est la mort. Jean Améry a jugé que non : « La domination de la victime par son bourreau n'a rien à voir avec le pouvoir exercé à partir du contrat social tel que nous le connaissons. Ce n'est ni le pouvoir de l'agent de la circulation sur le piéton, ni celui du percepteur des impôts sur le contribuable, ni celui du premier lieutenant sur le second » (*Mind*, 39). Je ne me sens pas convaincu par cette affirmation : les exemples d'Améry sont en effet différents, mais c'est qu'ils illustrent des relations de hiérarchie, non de pouvoir. Les deux sont compatibles mais distincts ; et l'on percevra comme une transformation perverse de la relation hiérarchique en relation de pouvoir les cas où les officiers supérieurs exigent des marques de soumission pour en tirer une jouissance personnelle, où l'inspecteur des impôts cause la torture mentale du contribuable au lieu de se contenter de collecter l'impôt, où l'agent de circulation humilie les piétons au lieu de leur demander de se conformer aux règles de circulation.

La pratique de la vie politique dans les États totalitaires a l'avantage de constituer un terrain intermédiaire entre le monde qui nous est familier et celui de la torture et de la mort qui règnent dans les camps. On connaît l'histoire de Chaïm Rumkowski, président du Conseil juif de Lodz, qui se prend pour un roi et produit, à l'intérieur du ghetto, une caricature de l'État totalitaire allemand. Puissamment attiré par le pouvoir, puis intoxiqué et corrompu par lui, Rumkowski se laisse aller à des pratiques dignes des camps ; en même temps, il nous offre un miroir grossissant de nous-mêmes. Comme lui, écrit Primo Levi, « nous aussi sommes tellement éblouis par le pouvoir et par le prestige que nous en oublions notre fragilité essentielle : nous pactisons avec le pouvoir, de bon ou de mauvais gré » (*Naufragés*, 68).

Albert Speer, qui était un politicien plutôt qu'un gardien subalterne, trouve le courage de voir le rôle qu'a joué en lui son désir de pouvoir. « Parmi toutes les motivations qui m'avaient replongé d'une manière si surprenante dans ce cercle [des intimes de Hitler], le désir de conserver la position de force que j'avais acquise constitua certainement un mobile important » (483). « J'avais pris goût à la griserie que procure l'exercice du pouvoir. Introniser des hommes dans leurs fonctions, disposer de milliards, décider de questions importantes, tout cela me procurait une satisfaction profonde à laquelle j'aurais eu de la peine à renoncer » (484). Le pouvoir est ici un but en lui-même. C'est de la même façon que Grossman interprète le destin de Lénine : « Tous ses dons, sa volonté, sa passion étaient subordonnés à un seul but : prendre le pouvoir. Pour prendre le pouvoir il a tout sacrifié. » Pourtant, il n'en a tiré aucun profit. « Il n'a pas cherché à conquérir le pouvoir pour lui personnellement » (*Tout passe*, 209). Le but du pouvoir n'est pas l'argent, ou la belle vie, ou les flatteries qu'on vous adresse ; le but du pouvoir, c'est le pouvoir, et la jouissance qu'il procure est immatérielle.

Il serait faux de dire que toute vie politique, et notamment celle des États démocratiques, n'est qu'un jeu de pouvoirs, à moins qu'on n'étende à l'infini le sens de ce terme ; mais il est certain que l'ambition décrite par Speer est familière à tout homme politique contemporain. Quant au plaisir qu'on prend à faire sentir à autrui le pouvoir qu'on a sur lui, il ne se rencontre pas dans la seule vie politique, prise au sens étroit. Dans toutes les relations sociales, le détenteur d'un pouvoir, si minime soit-il, peut en profiter pour le faire sentir à celui sur qui il l'exerce : qui n'a pas subi des brimades de la part de concierges (une espèce en voie d'extinction), de gardiens de parkings ou d'agents de police, brimades qui leur faisaient si visiblement plaisir ? Mais les relations intimes, de parenté ou d'affection, ne sont pas non plus épargnées : la jouissance du pouvoir se retrouve partout, même si personne ne confondra le meurtre accompli au camp avec telle vexation subie au cours d'un dîner.

Les personnes qui, dans les camps, jouissent de leur pouvoir sur les autres en leur infligeant des souffrances n'ont aucune caractéristique distinctive. Plusieurs détenus ont même remarqué qu'elles ignoraient au début ces pratiques, mais les acquéraient avec une rapidité surprenante. « C'était, pour certaines d'entre nous, un petit jeu assez amer, de chronométrer le temps que mettait une nouvelle *Aufseherin* avant d'atteindre ses chevrons de brutalité » (Tillion, 2e éd., 94).

Une jeune fille qui dit à tout le monde « pardon » le jour de son arrivée à Ravensbrück commence à prendre plaisir à la soumission des autres au bout de quatre jours seulement. Une autre, qui pleure au commencement de son travail comme surveillante à Birkenau, devient exactement comme ses collègues en quelques jours aussi (Langbein, 397). Ce n'est pas que ces filles soient d'une espèce particulière : en d'autres circonstances, elles n'auraient même pas su qu'elles pouvaient goûter à ces formes-là de la jouissance du pouvoir.

Vices et vertus quotidiens

Je suis parvenu à une liste des vices quotidiens de la même manière qu'à celle des vertus : à l'aide d'un recensement intuitif ; rien ne me garantit donc qu'elle soit exhaustive. Ce sont, simplement, les traits les plus fréquents que j'ai rencontrés dans les récits sur la vie des camps. A la différence des vertus quotidiennes, les vices ne forment pas entre eux une hiérarchie complexe. Il est vrai que la dépersonnalisation de soi et la jouissance du pouvoir sur autrui vont en sens inverse : on ne peut à la fois se considérer comme inexistant et être le bénéficiaire de la soumission de l'autre ; mais si l'on n'a pas conscience de ses propres gestes, ou si l'on a fragmenté sa personnalité, on peut parfaitement combiner les deux dans la pratique. C'était très probablement le cas d'individus comme Eichmann et Hoess, qui aimaient se voir comme simples exécutants d'ordres, rouages de machine, mais ne devaient pas moins trouver du plaisir à disposer de la vie de millions de personnes. L'harmonie de la dépersonnalisation et de la fragmentation est même ce qui produit le parfait technocrate : il a autant besoin de séparer ses réactions privées de son comportement public que d'oublier qu'il a affaire à des êtres humains.

Dans ce recensement des vices quotidiens qui ont préparé la voie à l'une des plus extrêmes manifestations du mal que la Terre ait connues, aucune place ne semble réservée à Satan ni aux instincts meurtriers des hommes... C'est que la nouveauté des crimes totalitaires réside moins en ce que des chefs d'État aient pu concevoir de tels projets – il y a sûrement eu d'autres individus dans l'Histoire qui ont imaginé supprimer des fractions substantielles de l'humanité – que dans le fait qu'ils ont pu les mener à bien, ce qui a exigé la collaboration de très nombreux agents de l'État. La question essentielle concerne moins le projet que les conditions de sa réalisation. Or, de ce point de vue, le rôle principal est joué par les transformations que subissent ces agents et qui leur font suspendre les réactions habituelles qu'ils ont face à d'autres êtres humains. Ces transformations procèdent de deux sources : l'endoctrinement idéologique et le besoin d'efficacité. Les gardiens agissent comme ils le font parce qu'on leur a dit que tel était leur devoir, que c'est ainsi qu'ils contribuaient à l'avènement du bien ; même s'ils n'y ont pas cru, ils ont eu tout intérêt à se conduire comme s'ils y croyaient. Ils le font aussi parce que, la tâche une fois acceptée, ils se réfèrent à des schémas de pensée habituels, qui les aident à mener à bien toutes leurs autres tâches de travail : compartimentation du monde, donc professionnalisme, donc fragmentation intérieure ; et mise en œuvre de la pensée instrumentale, qui ne reconnaît pas de différences entre personnes et non-personnes.

Nos sociétés démocratiques connaissent la pluralité d'idéologies (et aussi de sources d'information), c'est pourquoi le danger d'endoctrinement fanatique est moindre, encore qu'il ne soit pas inexistant, comme le prouve l'épanouissement de l'extrême gauche, il y a quelques années, de l'extrême droite aujourd'hui. Mais quant au professionnalisme et à la pensée instrumentale, nous faisons plus que les connaître : nous les admirons. Telle est la raison pour laquelle je me suis arrêté beaucoup plus longuement sur ce point que sur les techniques d'endoctrinement. Dans les sociétés démocratiques, la fragmentation et la dépersonnalisation ne tuent certes pas ; mais elles n'en menacent pas moins notre humanité.

Je dois en même temps admettre ici qu'il reste quelque chose d'énigmatique dans le surgissement d'un mal aussi extrême que celui des camps totalitaires. Mais cette obscurité n'est pas propre aux seules situations totalitaires ; on la retrouve dans notre vie à nous. Pour la formuler d'une manière un peu provocante : pourquoi, alors que nous pouvons tous comprendre de l'intérieur une pulsion homicide ou le plaisir éprouvé devant la torture, y a-t-il si peu d'assassins et de tortionnaires ? A supposer que la jouissance du pouvoir sur autrui soit bien le moyen le plus efficace pour exercer la souveraineté et nous confirmer dans notre être, comment se fait-il que quelques-uns seulement parmi nous franchissent la limite et tuent ou torturent ? Faut-il supposer qu'il y a, malgré tout, deux catégories d'êtres humains ? Je n'ai pas de réponse précise à cette question. Or c'est cette même énigme qu'on retrouve dans les crimes totalitaires : on peut comprendre comment les vices quotidiens et le régime politique facilitent la prolifération du mal, non pourquoi ni comment un individu décide un jour, de son propre gré, de frapper un bébé jusqu'à la mort.

Les vices quotidiens sont, dans une certaine mesure, une inversion des vertus quotidiennes. La dignité est, avant tout, une cohérence interne ; la fragmentation, son absence ; les deux ont trait à l'individu pris isolément. Le souci nous fait prendre autrui comme fin de nos actions ; la dépersonnalisation transforme tout sujet, soi-même comme l'autre, en moyen. La jouissance du pouvoir sur autrui est, à cet égard, un cas particulier (mais crucial) de la dépersonnalisation et une inversion rigoureuse du souci : *je* est moyen ici, et *tu*, but ; *je* est but là, et *tu*, moyen. L'activité de l'esprit n'a donc pas de contrepartie négative ; mais on a vu qu'elle pouvait se tourner facilement contre elle-même et contre le monde qu'elle était censée comprendre et embellir. C'est le thème bien connu de l'apprenti sorcier, que nous sommes tentés d'appliquer de nos jours aux savants, physiciens ou biologistes, lorsqu'ils perdent de vue l'humanité qu'ils devaient servir.

Héroïsme totalitaire ?

Nous savons maintenant que les vertus quotidiennes entrent aussi en opposition avec les vertus héroïques ; cela incite à une comparaison de ces dernières avec les vices quotidiens : les deux contraires d'une seule et même chose ne devraient-ils pas être sinon identiques, du moins apparentés ? Il est certain que les États totalitaires ont voulu spéculer sur le respect traditionnel des valeurs héroïques en s'en réclamant ; et nombreux sont les témoignages qui attestent l'assimilation entre les deux ordres. La propagande communiste a été particulièrement efficace dans son culte des héros. Ce sont, d'abord, tous ceux qui sont tombés dans le combat pour la victoire du régime, et dont le nom, en récompense posthume, est attribué aux villes, aux rues ou aux écoles. Viennent ensuite tous les personnages que le régime veut distinguer, et que l'on classe, en URSS, en deux séries : les Héros de l'Union soviétique, pour les exploits militaires ou politiques, et les Héros du Travail socialiste, pour ceux qui accomplissent bien la norme. Il y a bien sûr, aussi, le chef de l'État : le mort, momifié, est vénéré au mausolée ; le vivant est encensé à travers des millions d'images, de chansons, de poèmes, de romans ; il est l'incarnation tangible de la perfection dans tous les domaines. Ce culte des héros se pratique à l'école, sur le lieu du travail, dans tous les lieux publics ; l'ensemble des médias y participe.

Le nazisme n'a pas atteint la même perfection, mais l'idéologie des héros y est également présente. « Hitler m'apparaissait alors comme un héros des légendes antiques qui, sans la moindre hésitation, conscient de sa force, se lançait dans les entreprises les plus aventureuses et en sortait victorieux », se souvient Speer (233), et il ajoute en note : « De fait, j'avais fait mettre neuf mois auparavant sur le bâtiment de la Chancellerie des bas-reliefs illustrant la légende d'Hercule » (729). Hercule-Hitler, l'amalgame est-il légitime ?

Relevons d'abord les points de similitude. Il est vrai que Hitler voue un culte au courage, et que ses actions politiques sont souvent audacieuses. La vie n'est pas pour lui la valeur la plus haute et, au cours de sa dernière rencontre avec Speer, quelques jours avant l'effondrement total, il lui déclare : « Croyez-moi, Speer, il m'est facile de mettre fin à ma vie » (663). Le SS ordinaire aime proclamer son accointance avec la mort, jusque dans son uniforme. Le serviteur fidèle de l'idéal communiste est également prêt, à en croire la littérature de propagande, à sacrifier sa vie si nécessaire. La lutte contre l'ennemi est implacable : les fidèles commissaires, ou secrétaires de cellule, ou tchékistes, meurent pour la victoire de leur idéal, que ce soit dans la guerre civile ou dans la guerre avec l'Allemagne, au cours de la collectivisation (attaqués par de perfides koulaks – alors que cette même littérature ne dit rien des millions de paysans assassinés par les bolcheviks) ou au cours des chantiers « socialistes » (attaqués par de mystérieux ennemis). D'innombrables romans brodent sur ce thème, avec plus ou moins d'habileté, offrant ainsi un idéal héroïque aux adolescents.

(Enfant, j'ai dû lire au moins douze fois Virilité *de Vera Ketlinskaïa, roman dont je me souviens seulement qu'il parlait de jeunes komsomols enthousiastes qui bâtissaient une ville nouvelle en Sibérie et qui étaient entourés d'abominables ennemis, espions chinois ou japonais. Heureusement, les bons tchékistes veillaient.)*

On a vu que le héros classique avait un idéal abstrait, et qu'au nom de cet idéal il pratiquait la fidélité à l'égard de son souverain et la loyauté à l'égard de ses camarades ou de sa communauté. La même configuration se retrouve dans l'idéal moral en vigueur dans les États totalitaires. Les serviteurs du régime combattent pour la réalisation de buts abstraits (la victoire du communisme ou de l'État soviétique, la suprématie de la race aryenne ou de l'État allemand), non pour le bien-être d'individus qui leur seraient familiers ; par conséquent, le destin des personnes est soumis à la promotion de ces buts : la fin justifie tous les moyens (c'est l'« idéalisme » d'Eichmann et d'autres). Ce n'est pas un hasard si ces buts sont, bien qu'abstraits, particuliers : la victoire d'un pays, d'une classe ; l'universalité (celle de la religion chrétienne, par exemple) pourrait conduire à la pitié pour les individus, tous également humains, tous représentants de l'humanité.

La soumission au chef, la loyauté à son égard sont fondamentales dans l'éthique totalitaire. Le culte de Staline comme celui de Hitler sont notoires. Himmler choisit comme devise des SS une phrase extraite d'un discours de Hitler : *« Meine Ehre heisst Treue »*, mon honneur s'appelle fidélité, qui montre bien la place particulière de cette dernière qualité.

Mais peut-on parler encore d'une continuité avec la tradition héroïque ? Les nazis aiment se réclamer de la *Nibelungentreue*, et dans une de ses versions traditionnelles le héros doit bien fidélité au souverain ; mais c'est que celui-ci est lui-même l'incarnation d'un idéal, la personnification de l'honneur : dans l'héroïsme classique, c'est, à l'inverse, la fidélité qui signifie honneur et s'y soumet.

Par rapport aux vertus quotidiennes, en tous les cas, le renversement est complet. En celles-ci les buts sont des êtres humains, mais l'on continue d'obéir à quelques grands principes : quels que soient les actes dans lesquels on est engagé, on respecte la justice, on défend la liberté individuelle, on opte pour la non-violence. Dans l'idéal SS, au contraire, les buts sont des abstractions, mais la fidélité va à des individus : le chef-guide, les camarades. C'est là peut-être l'une des raisons de la dépréciation systématique des femmes dans le discours nazi : leurs valeurs, proches des vertus quotidiennes, sont perçues comme particulièrement étrangères à l'idéologie régnante. Au cours du procès de Nuremberg, Goering se réfère avec mépris aux « valeurs humanitaires efféminées » (Gilbert, *Diary*, 199) et considère que l'héroïsme est une affaire strictement masculine ; le rôle des femmes serait, à la rigueur, d'admirer les héros et de les récompenser par leurs faveurs pour les exploits qu'ils accomplissent (il reste en cela fidèle à la tradition). Hitler n'est pas non plus attiré par le monde du quotidien et ne cherche pas à valoriser les vertus féminines. « Les hommes très intelligents [comme lui-même] doivent prendre une femme primitive et bête. […] Je ne pourrais jamais me marier. Quels problèmes si j'avais des enfants ! » (Speer, 133).

La soumission aveugle au chef va de pair avec la loyauté à l'égard des autres personnes engagées dans le même combat. Les membres du Parti, en URSS, se protègent mutuellement, car ils jouissent des mêmes privilèges. Décrivant les « corps francs », préfiguration des unités SS, Hoess se souvient : « Chacun d'entre [nous] devait prêter serment de fidélité au chef de son corps franc. Il personnifiait l'unité ; sans lui le corps cessait d'exister. C'est ainsi que se créait un esprit de corps, un sentiment de solidarité que rien ne pouvait briser » (35-6). Cette certitude de pouvoir compter sur les autres en cas de coup dur, cette capacité aussi de se sacrifier pour eux font partie des qualités dont s'enorgueillissent les futurs nazis : des qualités hautement estimées pendant toute guerre, mais transposées et étendues ici à la totalité de l'existence. La forte solidarité entre membres d'un groupe, on l'a vu, facilite l'exclusion de tous ceux qui n'en font pas partie, ennemis extérieurs ou intérieurs.

Les généraux polonais voulaient suppléer à l'absence d'armement approprié par le sang des combattants et leur esprit de sacrifice. Comme les héros de l'insurrection de Varsovie, les dirigeants de l'État totalitaire pensent que la volonté – en quantité suffisante – peut l'emporter sur la réalité. Au cours de l'offensive initiale allemande, Staline cherche à enrayer l'avancée ennemie en offrant du sang russe ; et il donne des ordres qui obligent pratiquement les soldats de l'Armée rouge au sacrifice de leur vie : pour eux, à cette époque, mieux vaut être mort que vaincu. Ce faisant, il leur fait payer ses propres erreurs : la confiance aveugle dans le Pacte germano-soviétique, la méfiance à l'égard de ses propres militaires, qui a provoqué des purges massives, l'incompétence. Pendant toute la dernière phase de la guerre, les nazis, à leur tour, refusent de voir la défaite qui s'approche, car cela contredit leurs désirs. Hoess décrit ainsi ses collègues au printemps 1945 : « Ils ne voulaient pas admettre la légitimité de leurs doutes. Il était impossible que notre monde fût destiné à périr, il nous fallait donc vaincre » (234). Mais c'est déjà en septembre 1943 que Goering témoigne du même syndrome : quand on lui rapporte que des avions de combat américains ont été abattus à l'intérieur du territoire du Reich, il proteste de l'impossibilité de la chose, se fâche et enfin explose en s'adressant au porteur de mauvaises nouvelles : « Je vous ordonne formellement d'admettre que les chasseurs américains ne sont pas arrivés jusqu'à Aix-la-Chapelle ! » (Speer, 412).

Hitler lui-même ne capitule jamais devant la réalité et déclare, au printemps 1942 : « Des soi-disant experts, des hommes qui auraient dû être des chefs me disaient sans cesse : "Ce n'est pas possible, cela n'ira pas !" Eh bien, moi, je ne peux pas accepter cette réponse. Il y a des problèmes qu'il faut résoudre à tout prix. Avec des chefs dignes de ce nom, ils ont toujours été et seront toujours résolus » (316). « Je le répète : pour moi le mot “impossible” n’existe pas » (317). La volonté du vrai héros l’emporte toujours sur la réalité, proclame Hitler devant l’avancée des Alliés : « Il avait affirmé dans le passé que notre infériorité serait compensée par des miracles de bravoure, à partir du moment où le soldat allemand combattrait sur le sol allemand » (591).

Enfin, comme les héros classiques, leurs contreparties dans le monde totalitaire ont besoin de récits qui immortalisent leur gloire. D’où le goût bien connu, caractéristique de ces régimes, pour les monuments de granit ou d’acier ; d’où aussi le besoin des chefs de s’entourer de poètes. Les poèmes, les romans, les tableaux, les symphonies à la gloire de Staline sont innombrables. Quand Goering déclare (Gilbert, *Psychology*, 89) que pour lui les exigences de la grandeur historique doivent toujours l’emporter sur des considérations éthiques immédiates, il a encore en vue la nécessité de récits de glorification : d’où, sans cela, viendrait l’impression de grandeur ? C’est pour cette raison aussi que Hitler souhaite qu’on érige des plaques de bronze pour commémorer l’extermination des juifs.

Dans le célèbre discours tenu à Poznan devant des dignitaires nazis, Himmler brosse le portrait du SS idéal. Sur une dizaine de qualités requises, deux seulement n’ont pas de rapport direct avec les vertus héroïques classiques, mais plutôt avec l’efficacité du *manager*, avatar moderne du héros : il doit être bon travailleur et aimer prendre des initiatives. Toutes les autres apparentent le SS au héros ou au saint : il doit être courageux, ascétique (éviter la corruption comme l’alcool) et, par-dessus tout, loyal, fidèle ; et bien sûr bon camarade. Comment les SS pouvaient-ils ne pas se sentir les héritiers de la tradition héroïque ?

A y regarder de plus près, cependant, il faut bien constater qu’il s’agit, dans la pratique des régimes totalitaires, d’un détournement de l’héroïsme, non de sa continuation. Tout se passe comme si les pseudo-héros totalitaires imitaient la forme des actes héroïques, voulaient en capter l’image, mais pour mieux dissimuler une réalité tout autre. Il y a d’abord le brutal contraste entre le contenu de la propagande officielle et les pratiques caractéristiques des régimes totalitaires. A en croire les romans et les films, le gardien est, tel un saint, un être incorruptible ; en fait la corruption règne aussi bien dans les camps de concentration que dans la vie au-dehors. Ceux qu'on présente comme des ascètes jouissent de nombreux avantages matériels. Adossés à un pouvoir immense, ils n'ont jamais l'occasion de faire preuve de leur courage. Leur loyauté même ne vaut pas cher, puisqu'elle s'adresse à des chefs que le Parti peut déclarer, du jour au lendemain, des ennemis enfin démasqués.

En deuxième lieu, la revendication du prestige héroïque repose sur une supercherie logique. Ayant étendu l'idée de guerre à tout conflit, voire à tout désaccord (ou simplement à l'absence d'une soumission assez rapide), le régime totalitaire assimile les actes de répression et d'extermination à la défense de la patrie. Mais n'est-ce pas une perversion complète de cette conception de l'héroïsme que de confondre le soldat mort pour la défense de son pays avec l'agent de la Sécurité d'État qui torture dans une cave les supposés ennemis du régime ? Le héros est une incarnation de la puissance mise au service d'un idéal ; mais dans le monde totalitaire (comme aussi dans celui des affaires) on aspire au pouvoir pour le pouvoir, et non en vue d'un objectif extérieur.

La transformation la plus subtile est peut-être celle qui consiste à déplacer sur les autres la dureté et le sacrifice exigés de soi. Le héros comme le saint sont prêts à affronter les intempéries et l'inconfort, ils ne s'apitoient pas sur leurs propres souffrances et acceptent de se sacrifier pour atteindre leur but. Les pseudo-héros totalitaires ne connaissent, comble du détournement, qu'un seul sacrifice : celui qui consiste à faire tuer les autres, à leur faire subir toutes les duretés ; et ils s'enorgueillissent de ce qu'ils observent l'épreuve des autres sans trembler ! Le discours de Himmler à Poznan est parfaitement explicite : la chose difficile n'est plus selon lui l'acte de mourir, mais celui de tuer ; et ce sont ses agents seulement que l'on doit plaindre. L'extermination des juifs, « c'est ce qu'il y a de plus dur et de plus difficile au monde. [...] Ce fut pour l'organisation qui dut accomplir cette tâche la chose la plus dure qu'elle ait connue » (167-8). Les SS se sacrifient en tuant les juifs, ils acceptent – pour le bien de leur peuple – d'accomplir cette tâche particulièrement difficile, dont seuls les plus durs sont capables ; ils sont d'autant plus dignes d'admiration qu'ils ne peuvent en tirer de gloire immédiate, cette récompense habituelle des héros ; ils se sacrifient en secret pour que les futures générations puissent vivre dans le bonheur.

Le résultat final de ces détournements est que les pratiques nazies sont à l'opposé de la tradition chevaleresque ou même prussienne ; il en va de même des régimes communistes, où, une fois le pouvoir acquis, l'on a tôt fait de se débarrasser des figures héroïques des années révolutionnaires. Hitler ne manque pas de le relever et de se référer avec mépris aux traditions chevaleresques : ce n'est pas lui qui épargnera un ennemi trop faible ou qui mettra un point d'honneur à sauver les femmes et les enfants ; ce ne sont pas non plus ses gardiens. Si l'on est moins impitoyable en URSS, ce n'est pas grâce au communisme, mais à la tradition charitable russe. L'idée d'un code d'honneur est incompatible avec celle de la guerre totale ; or, c'est à cette dernière qu'aspirent les empires totalitaires. Le pseudo-héroïsme qu'on y cultive entretient un rapport d'homonymie avec l'héroïsme classique : des formes semblables renvoient à des sens différents. Les vertus héroïques ne méritent peut-être pas toujours le respect, mais on ne saurait les confondre avec les pratiques totalitaires ; et on ne peut imaginer Okulicki en gardien dans un camp de concentration.

Devant le mal

Non-violence et résignation

Imiter ou refuser

Dans son commentaire du livre de Kogon sur « l'État SS », Germaine Tillion se trouve amenée à formuler une alternative concernant la conduite des détenus, ou des anciens détenus, face au modèle que leur offrent les gardiens : faut-il l'imiter ou le refuser ? « Faut-il composer avec le crime, pour sauver des vies et des valeurs qui, sans cela, seront sacrifiées ? Autrement dit, faut-il *se salir les mains ?...* Ou faut-il, au contraire, lutter de toutes ses forces pour ne pas se laisser contaminer par l'indignité d'un ennemi indigne ? (A quoi bon détruire les ennemis si, pour les détruire, nous devons devenir les horribles brutes que nous haïssons en eux) » (2e éd., 259). Tillion refuse pourtant de s'engager dans une réflexion là-dessus, pour la raison que les acteurs du drame ont sûrement déjà fait leur choix pour l'une ou l'autre branche de l'alternative, et que c'est donc là une question purement académique. Mais s'il est trop tard pour se poser cette question dans le feu de l'action, il n'en est que plus utile de la méditer en dehors des moments de crise, en lui donnant une forme suffisamment générale. Faut-il combattre l'ennemi avec ses propres moyens, ne risquons-nous pas, tout en triomphant de lui, de lui offrir cette sombre victoire souterraine : que nous sommes devenus ses semblables ? Est-il juste le combat de ces hommes, pour reprendre une formule de Borowski, « qui conspirent pour qu'il n'y ait plus de conspirations, qui volent pour qu'il n'y ait plus de vols sur la terre, qui assassinent pour qu'on n'assassine plus les hommes ? » (*Le Monde*, 144-5). Cette question se prolonge en une autre : le refus de se servir des mêmes moyens que l'ennemi pour le combattre ne risque-t-elle pas de modifier aussi notre but, et de nous faire renoncer au combat lui-même ?

Pour explorer la première voie qui s'ouvre devant nous, celle du refus d'imiter d'une quelconque manière les traits de l'ennemi, je voudrais partir d'une histoire exceptionnelle, celle d'Etty Hillesum. Je dois dire d'abord que je trahis un peu son image en cherchant à extraire de ses textes quelque chose comme une doctrine et des préceptes de conduite. Ce n'est pas que ses écrits manquent d'acuité ou de profondeur ; mais c'est l'être humain écrivant qui nous y frappe et attire avant tout, plutôt que l'auteur de la doctrine. Cette jeune femme (elle a vingt-sept ans au moment de l'occupation et meurt deux ans plus tard), qui vit de leçons particulières et rêve de devenir écrivain, n'a rien d'une philosophe professionnelle. Mais elle offre l'exemple rare d'une personne qui atteint la qualité morale au moment même où le monde s'effondre autour d'elle ; au sein du plus profond désespoir sa vie éclate comme un joyau. Elle fait tout ce qui est en son pouvoir pour rétablir l'harmonie dans son environnement immédiat : d'abord en s'occupant des êtres qui lui sont proches, ensuite en allant travailler à Westerbork, le Drancy hollandais. Pourtant, on ne l'entend jamais prêcher, car elle tourne d'abord ses exigences vers elle-même ; elle a fait sien le précepte de Marc Aurèle, et écrit dans son journal : « Je ferais mieux d'apprendre à me taire, provisoirement, et à "être" » (I, 158).

On pourrait imaginer que sa perfection intérieure s'accompagne d'un mépris pour la vie concrète, matérielle, quotidienne ; or il n'en est rien, et c'est sans doute là le trait le plus attachant de sa personnalité. A lire les pages qu'elle a laissées, nous avons l'impression de faire la connaissance d'un être qu'on voudrait fréquenter, compter parmi ses amis, aimer. Elle a su trouver les mots pour exprimer son attachement aux gestes les plus simples : donner une leçon, repriser des bas, boire une tasse de cacao ; et aussi aux êtres qui l'entourent, ses amis. Cette combinaison de la vertu avec l'amour de la vie, voire la sensualité, fait d'Etty un être exceptionnel. Pourtant, elle a besoin aussi de rationaliser sa propre conduite ; et elle recourt, pour le faire, à des arguments qu'elle tire des livres ou des conversations. C'est cette rationalisation que je voudrais examiner ici, tout en sachant qu'elle n'épuise pas son destin ; mais c'est précisément parce qu'elle ne lui est pas propre qu'elle m'intéresse.

On trouve dans son journal la transcription d'une conversation qui a eu lieu dans les rues d'Amsterdam, en septembre 1942 ; Etty est en désaccord avec son ami Klaas. Le credo de la jeune femme est le suivant : « Je ne crois pas que nous puissions corriger quoi que ce soit dans le monde extérieur que nous n'ayons d'abord corrigé en nous » (I, 102). Or, explique-t-elle, « nous avons tant à changer en nous-même que nous ne devrions même pas nous préoccuper de haïr ceux que nous appelons nos ennemis » (I, 204). Les hommes qu'elle rencontre autour d'elle défendent une position tout autre. En voici un, au camp de Westerbork. « Il voue à nos persécuteurs une haine que je suppose fondée. Mais lui-même est un bourreau. [...] Il débordait de haine pour ceux que nous pourrions appeler nos bourreaux, mais lui-même eût fait un parfait bourreau et un persécuteur modèle » (I, 203). Klaas l'écoute mais ne se sent pas d'accord avec elle. « Klaas eut un geste de lassitude et de découragement, et dit : "Mais ce que tu veux faire est bien trop long, nous n'avons pas tant de temps !" Je répliquai : "Mais ce que tu veux, toi, on s'en préoccupe déjà depuis le début de l'ère chrétienne, et même, depuis des millénaires, depuis les débuts de l'humanité. Et que penses-tu du résultat, si je puis me permettre ?" » (I, 204). Remarque que retrouve Soljenitsyne, dans un autre contexte : « Matraquer son ennemi, l'homme des cavernes savait déjà le faire » (II, 459).

Le programme d'Etty Hillesum, si on peut l'appeler ainsi, comporte donc deux volets : s'interdire la haine de l'ennemi ; et combattre le mal en soi plutôt qu'en autrui, donc par une attitude purement morale. « C'est la seule solution, vraiment la seule, Klaas, je ne vois pas d'autre issue : que chacun de nous fasse un retour sur lui-même et extirpe et anéantisse en lui tout ce qu'il croit devoir anéantir chez les autres » (I, 204-5). Un matin, elle est convoquée à la Gestapo : attente, interrogatoire, brutalités voulues. Mais elle parvient à surmonter sa réaction première : « C'était cela qui donnait à cette matinée sa valeur historique : non pas de subir les rugissements d'un misérable gestapiste, mais bien d'avoir pitié de lui au lieu de m'indigner » (I, 104). La victoire ne doit pas être remportée sur l'ennemi mais sur la haine même : « Si la paix s'installe un jour, elle ne pourra être authentique que si chaque individu fait d'abord la paix en soi-même, extirpe tout sentiment de haine pour quelque race ou quelque peuple que ce soit, ou bien domine cette haine et la change en autre chose » (I, 128).

Si on hait l'ennemi comme il vous hait, on ne fait que renforcer le mal dans le monde. L'un des pires effets de cette occupation, de cette guerre, pense Etty, c'est que les victimes des nazis commencent à devenir comme eux. « Quand la haine aura fait de nous des bêtes féroces comme eux, il sera trop tard » (I, 155). Celui qui n'aperçoit aucune ressemblance entre soi et autrui, qui voit tout le mal chez lui et aucun chez soi, celui-là est (tragiquement) condamné à imiter cet ennemi. Celui en revanche qui se découvre semblable à l'ennemi, car il reconnaît le mal en soi aussi, celui-là est vraiment différent. Qui refuse de voir la ressemblance est amené à la renforcer ; qui l'admet la diminue déjà d'autant. Si je me crois autre, je suis le même ; si même, autre...

Dans une de ses saisissantes lettres écrites de Westerbork, Hillesum décrit l'expérience du camp ; puis elle se rend compte que, comme Marek Edelman, elle n'a peut-être pas produit le récit qu'on attendait d'elle : « Je conçois qu'on puisse en faire un autre plus habité par la haine, l'amertume et la révolte. » Mais c'est que, même si elle ne cesse de combattre les iniquités du camp, la haine reste son ennemi principal : « L'absence de haine n'implique pas nécessairement l'absence d'une élémentaire indignation morale. Je sais que ceux qui haïssent ont à cela de bonnes raisons. Mais pourquoi devrions-nous choisir toujours la voie la plus facile, la plus rebattue ? Au camp, j'ai senti de tout mon être que le moindre atome de haine ajouté à ce monde le rend plus inhospitalier encore » (II, 43).

C'est pourquoi Hillesum se rend d'elle-même à Westerbork, d'abord comme employée, ensuite comme détenue, mais toujours animée par le même désir, ajouter à ce monde un peu de bonté plutôt que de la haine, et donc se soucier des autres autour d'elle. Jusqu'à ce que, un jour, vienne son tour :

elle est embarquée dans le train pour Auschwitz où elle mourra trois mois plus tard, en novembre 1943. Quand elle pense à la vie après la guerre, elle se rend bien compte que ce contre quoi elle lutte n'aura pas nécessairement disparu. « "Après la guerre [lui dit quelqu'un] un flot de haine déferlera sur le monde." En entendant ces mots, j'en ai eu encore une fois la certitude : je partirai en guerre contre cette haine » (I, 200). Voilà bien la seule guerre qu'Etty Hillesum ait accepté de faire. Elle est morte avant que ce jour n'arrive ; mais ses écrits continuent, aujourd'hui, le combat à sa place. Elle n'est pas la seule à avoir choisi le second terme de l'alternative envisagée par Germaine Tillion : des camps russes lui fait écho Guinzbourg ou, plus tard, Ratouchinskaïa. « La violence n'engendre que la violence, dans un mouvement pendulaire qui grandit avec le temps au lieu de s'amortir », écrit à son tour Primo Levi (*Naufragés*, 197).

Nous restons d'habitude sceptiques devant des conseils de ce genre, que nous assimilons d'ailleurs volontiers à l'idée de la non-résistance au mal. Il nous semble toujours, comme à Klaas, qu'il est déjà trop tard : lorsque le danger est en face de nous, on ne peut le prévenir par des gestes de bonté. Nous n'avons pas forcément tort. Si les armées de Hitler déferlent à travers les frontières, il ne sert à rien de leur proposer la paix. Si Staline a décidé de mettre à mort les paysans de l'Ukraine, ceux-ci ne peuvent s'en protéger en ayant pitié de lui. Il est des moments où la prise des armes constitue la seule réponse appropriée ; toutes les phases de l'Histoire ne sont pas également propices à l'action morale (qui ne se confond pas avec l'action politique ou militaire) : la paix lui convient mieux que la guerre. Il ne reste pas moins que cette action a peut-être un potentiel d'efficacité plus grand que nous ne le soupçonnons. Pour illustrer cet espoir, je voudrais rappeler deux petites histoires vraies, où le mouvement pendulaire dont parlait Levi a pu être diminué par un simple acte de bonté.

Un SS d'Auschwitz, Viktor Pestek, approche divers détenus pour leur proposer de les aider à s'évader. Il a un plan : il procurera au candidat un uniforme d'officier, et les deux quitteront ensemble le camp, comme si de rien n'était. Les détenus se méfient de cette offre, craignant un piège ; finalement l'un d'eux, Lederer, l'accepte, et l'évasion réussit. Plus tard, Pestek revient à Auschwitz pour préparer de nouvelles évasions ; cette fois-ci il est pris et exécuté. Pourquoi s'engage-t-il dans ces actions risquées ? Voici son histoire : combattant sur le front russe, il participe à une action punitive contre un village où l'on soupçonne la présence de partisans. Pestek est blessé au cours de l'opération, et abandonné par ses camarades. Le lendemain, une famille de Russes le découvre dans la grange où il se cache. Il a soif ; plutôt que de l'achever, on l'amène près du ruisseau. « Il n'oublia jamais que ces gens lui avaient sauvé la vie alors qu'ils n'avaient aucune raison d'épargner un SS en uniforme, dont l'unité venait de massacrer tous les habitants du village » (Langbein, 417).

Un autre SS, Karl, s'engage après la guerre dans la Légion étrangère, et se retrouve en Algérie. Il travaille à l'infirmerie de la prison ; les prisonnières ont la grande surprise de découvrir en sa personne un être tout en discrétion et délicatesse. Il s'arrange pour que les soins durent le plus longtemps possible, et il gâte ses pensionnaires en leur préparant de petits plats. Cette gentillesse a elle aussi une explication. Fait prisonnier sur le front russe, il est envoyé au cachot, puis en Sibérie ; il y tombe malade et veut se laisser mourir. « Il y avait eu alors une doctoresse russe qui s'était mise à le soigner, et qui l'avait obligé à s'accrocher à la vie. Et tout en faisant son boulot d'infirmier, ou en surveillant un chocolat, en se dandinant d'un pied sur l'autre, il disait dans son charabia : “Moi, je veux faire la même chose avec vous” » (Tillion, 2e éd., 268-9).

L'acceptation du monde

Même si je ne puis m'empêcher d'admirer de tels actes et que je suis prêt à leur reconnaître une efficacité plus grande qu'on ne leur attribue habituellement, je ne me sens pas toujours convaincu par le raisonnement d'Etty Hillesum. L'homme qui haïssait les nazis, au camp de Westerbork, était-il vraiment devenu semblable aux nazis eux-mêmes ? Le supposer implique non seulement qu'on assimile le réel et le virtuel, mais aussi qu'on ne perçoive aucune différence entre attaque et défense, ni de degrés dans la nature du mal ou dans la puissance des moyens dont on dispose. En combattant Hitler (en luttant pour la justice), on ne l'imite pas : lui combat pour l'injustice ; il est des haines qui sont non seulement justifiées mais nécessaires. Il est vrai que, au moment même de l'action, on ne dispose pas du recul ni de l'information nécessaires pour savoir si l'ennemi est votre double inversé ou une incarnation du mal. Mais peut-on mettre sur le même plan les insurgés du ghetto et les membres des divisions SS, sous prétexte que les uns et les autres lancent des bombes ? Est-il vraiment juste de s'empêcher de haïr les bâtisseurs des camps totalitaires, commissaires communistes ou fonctionnaires nazis, faut-il être tolérant envers le mal ? Si l'on doit se guérir de la haine après la victoire, faut-il pour autant cesser d'exécrer ceux qui sont responsables de la mort et de la souffrance de millions d'êtres humains ? Ne risque-t-on pas, en combattant la haine en soi, d'oublier le combat contre la haine incarnée par les puissances totalitaires ? Tout se passe comme si, pour Hillesum, la lutte contre le mal intérieur venait *à la place* de celle contre le mal extérieur, au lieu que l'une serve de préparation à l'autre. Son double « programme », ne pas haïr l'ennemi et commencer par lutter contre le mal qui est en soi, n'épuise pas le champ des possibles : il n'est rien dit d'un combat qui serait intransigeant sans pour autant conduire à la diabolisation de l'ennemi, à l'idée de culpabilité collective ou au manichéisme. On peut même s'interroger : une telle attitude ne risque-t-elle pas, en fin de compte, de faciliter la progression du mal ? L'« élémentaire indignation morale » dont parle Hillesum aurait-elle suffi à enrayer l'avancée du nazisme ? Question pressante, car elle ne concerne pas le seul auteur de ces mots, mais toute résistance au mal.

Etty Hillesum ne manifeste aucune sympathie pour le combat militaire contre Hitler. « Je ne crois guère à un secours extérieur, cela n'entre pas dans mes prévisions », écrit-elle dans son journal (I, 179). Il ne s'agit pas de pessimisme, mais d'un scepticisme devant ce genre de solutions. Si elle ne met pas ses espoirs dans le débarquement des

Anglais, ce n'est pas qu'elle n'y croit pas, c'est qu'elle n'attend rien d'une telle action. Elle ne partage pas « l'avis de ceux qui portent encore en eux un espoir politique. Je crois qu'on doit se départir de tout espoir fondé sur le monde extérieur » (I, 165). Et cela ne concerne pas seulement le cours des événements en général, mais aussi celui de son existence ; elle refuse de se joindre à tout mouvement de résistance et ne veut même rien faire pour protéger sa propre vie : se cacher ou s'enfuir. « Je suis incapable d'intervenir activement pour me "sauver", cela me paraît absurde, m'agite et me rend malheureuse » (I, 167-8). Ce n'est pas du tout qu'elle se leurre sur son sort ou celui de ses semblables : « Ce qui est en jeu, écrit-elle à la date du 3 juillet 1942, c'est notre perte et notre extermination, aucune illusion à se faire là-dessus. "On" veut notre extermination totale, il faut accepter cette vérité. » Et pourtant, au lieu de chercher à empêcher l'accomplissement de l'horreur, elle se contente de cette règle : « S'il nous faut crever, qu'au moins ce soit avec grâce » (I, 137 ; cf. I, 221). Pourquoi ?

Les arguments employés par Hillesum peuvent être répartis sur trois degrés ascendants. Le premier est celui de l'*indifférence* pour tout ce qui est extérieur, car seul compte le monde que l'on porte en soi ; la souffrance causée par des facteurs externes n'importe donc pas. « Ce ne sont jamais les choses du monde extérieur qui m'attristent, c'est toujours ce sentiment en moi, abattement, incertitude ou autre, qui donne aux choses extérieures leur coloration triste ou menaçante » (I, 122). Il suffit de maîtriser le danger intérieur pour que la sérénité acquise serve ensuite « comme un mur protecteur plein d'ombre propice » (I, 113), contre lequel viennent se briser les menaces du dehors. « Cette vie s'accomplit sur un théâtre intérieur : le décor a de moins en moins d'importance » (I, 186). Il a même si peu d'importance que Hillesum choisit volontairement d'entrer au camp de Westerbork, comme elle s'y était préparée dès mars 1942 : « Quand on a une vie intérieure, peu importe, sans doute, de quel côté des grilles d'un camp on se trouve » (I, 106). Extraordinaire déclaration qui, sans nier que la réalité des camps soit un mal, fonde une attitude selon laquelle la différence entre bien et mal dans le monde extérieur est sans importance.

Mais cet argument est parfois rejeté au nom de l'équilibre nécessaire entre intérieur et extérieur. Etty Hillesum en choisit alors un autre, et c'est le second degré de sa réponse, le plus amplement représenté dans son journal : le mal est, plutôt qu'indifférent, *acceptable*. Comme elle le souligne à plusieurs reprises, cela ne veut pas du tout dire qu'elle y soit résignée, c'est-à-dire plongée dans un désespoir impuissant; son comportement extrêmement actif (souci pour les autres et activité de l'esprit dans l'écriture) le confirmerait, si besoin était. « Il n'est pas vrai que je veuille aller au-devant de mon anéantissement, un sourire de soumission aux lèvres » (I, 164). « Pour moi cet abandon n'équivaut pas à la résignation, à une mort lente, il consiste à continuer à apporter tout le soutien que je pourrai là où il plaira à Dieu de me placer » (I, 153). Mais, d'un autre côté, il n'équivaut pas non plus à la résistance, à la révolte, associée toujours chez Hillesum à la seule haine de l'ennemi. « Je ne suis ni amère ni révoltée, j'ai triomphé de mon abattement, et j'ignore la résignation » (I, 139). « Je suis surtout reconnaissante de n'éprouver ni rancœur ni haine, mais de sentir en moi un grand acquiescement qui est bien autre chose que de la résignation » (I, 177). Que signifie cet acquiescement, cette capacité de tout accepter, dans la douceur et la sérénité ?

Hillesum a recours ici à une argumentation qu'elle croit puiser dans la tradition chrétienne, mais qui serait rattachée avec plus de justesse encore au stoïcisme, au quiétisme ou, dans la tradition orientale (à laquelle elle se réfère également), au taoïsme. Il faut accepter le monde tel qu'il est, avec ses joies et ses souffrances (ce qui ne veut pas dire qu'on ne les distingue pas les unes des autres), car c'est cela qui forme sa totalité et sa beauté. « La vie et la mort, la souffrance et la joie, les ampoules des pieds meurtris, le jasmin derrière la maison, les persécutions, les atrocités sans nombre, tout, tout est en moi et forme un ensemble puissant, je l'accepte comme une totalité indivisible » (I, 138). Tout ce qui est est bon. « Ce qui adviendra sera bon » (I, 179). « J'accepte tout comme cela vient » (I, 189). La seule chose inacceptable (mais cette exception ne remet-elle pas en cause la cohérence de la doctrine ?), c'est la volonté humaine, le désir de modifier l'ordre universel, d'écarter le mal et de ne préserver que le bien. « Dès qu'on refuse, on veut éliminer certains éléments, dès que l'on suit son bon plaisir et son caprice pour admettre tel aspect de la vie et en rejeter tel autre, alors la vie devient en effet absurde : dès lors que l'ensemble est perdu, tout devient arbitraire » (I, 142). Et Hillesum n'éprouve pas de sympathie particulière pour les réformateurs de toute obédience : « Je ressens toujours une profonde satisfaction lorsque je vois les plans humains les plus ingénieux s'écrouler comme châteaux de cartes » (I, 218). Mais n'est-il pas concevable de vouloir éliminer « tel aspect de la vie », par exemple les camps et l'extermination des juifs, au nom d'autre chose que « son bon plaisir et son caprice » ?

A Amsterdam, les signes de malheur se multiplient : les privations, les dénonciations, les arrestations. Hillesum réagit à cette montée de la violence et du mal non en la rejetant mais en l'absorbant dans l'harmonie préétablie de l'univers ; elle la laisse croître au-dehors, mais la surmonte dans son for intérieur, en lui trouvant un sens. Plus la situation s'aggrave et plus se répètent dans son journal les notations du genre : oui, la vie a un sens, oui, la vie est belle. « J'ai déjà subi mille morts dans mille camps de concentration. [...] Et pourtant je trouve cette vie belle et riche de sens. A chaque instant » (I, 134). « Mais oui, belle et riche de sens, au moment même où je me tiens au chevet de mon ami mort – mort beaucoup trop jeune – et où je me prépare à être déportée d'un jour à l'autre vers des régions inconnues » (I, 194). « Je suis une femme heureuse et je chante les louanges de cette vie, oui, vous l'avez bien lu, en l'an de grâce 1942, la énième année de guerre » (I, 128). Rien ne peut plus l'ébranler dans cette décision : « Tel est une fois pour toutes mon sentiment de la vie, et je crois qu'aucune guerre au monde, aucune cruauté humaine, si absurde soit-elle, n'y pourra rien changer » (I, 116).

Le secret d'Etty Hillesum, c'est peut-être qu'elle est parvenue à dépasser l'idée de sa propre personne, l'habitude de s'en servir comme d'un centre d'observation ou comme de la mesure de toute chose ; sa personne a commencé à se diluer dans l'univers, et du coup elle peut penser au nom de cet univers même. « Il faut oser faire le grand bond dans le cosmos : alors la vie devient infiniment riche » (I, 156). Elle se voit comme « le cœur pensant de la baraque » (I, 190), voire de tout un camp de concentration : elle se perçoit de l'extérieur, telle une parcelle de l'univers, bien utile mais nullement centrale. C'est pourquoi elle peut écrire des phrases aussi étonnantes que celle-ci : « Que ce soit moi ou un autre qui parte, peu importe » (I, 164), ne faisant plus de différence entre soi et les autres, alors qu'il s'agit de partir à la mort (et elle semble négliger la possibilité qu'il y avait d'échapper au départ – pour elle-même comme pour les autres).

Ce n'est pas seulement avec les autres humains qu'elle veut se confondre, c'est avec toute forme de vie : « Il faut devenir aussi simple et aussi muet que le blé qui pousse ou la pluie qui tombe. Il faut se contenter d'être » (I, 158). Cette universalisation affecte aussi ce qui l'entoure ; elle se reprochera de se donner à quelques-uns seulement, plutôt qu'à tous. Chaque journée, après tout, est un condensé de la vie entière, et chaque lieu en vaut un autre : « En tout lieu de cette terre on est chez soi, lorsqu'on porte tout en soi » (I, 199). C'est ainsi qu'elle peut aspirer à ce but : non pas attendre que Dieu l'aide, à la manière des humbles croyants, ni chercher à s'aider soi-même, comme les athées entreprenants, mais aspirer à aider Dieu, chercher à le préserver en soi – et donc dans le monde. « C'est tout ce qu'il nous est possible de sauver à cette époque et c'est aussi la seule chose qui compte : un peu de toi en nous, mon Dieu » (I, 166).

A la suite de cette acceptation globale du monde, Hillesum peut (à certains moments seulement, il est vrai) franchir un troisième degré et déclarer finalement sa *préférence* pour la souffrance. Ce sont, lui semble-t-il, les Occidentaux qui ont été particulièrement rétifs à accepter la souffrance et à chercher à y puiser des forces positives ; à accepter la mort comme partie intégrante de la vie. Peu importe, à cet égard, la source de la souffrance : que ce soit l'Inquisition ou les pogroms, Ivan le Terrible ou Hitler, les guerres ou les tremblements de terre, « ce qui compte, c'est la façon de la supporter, savoir lui assigner sa place dans la vie, tout en continuant à accepter cette vie » (I, 136). Hillesum, elle, accepte l'élément de souffrance dans la vie humaine et considère que son rôle personnel est de la faire accepter aussi par les autres en les assistant, en les soignant (mais non en cherchant à éliminer les causes de cette souffrance) ; et puisqu'en ces temps de détresse c'est le camp qui est l'incarnation la plus pure de la souffrance, elle décide, de son propre chef, de s'y rendre.

A Westerbork, elle est plus heureuse que jamais ; elle souffre seulement lorsqu'elle doit s'en absenter, comme si elle était alors privée d'un privilège. « J'aimerais tant retourner au camp dès mercredi, fût-ce pour deux semaines seulement » (I, 216). Les premiers mois qu'elle y passe sont pour elle « les plus intenses et les plus riches de ma vie et [ils] m'ont apporté la confirmation éclatante des valeurs les plus graves, les plus élevées de ma vie. J'ai appris à aimer Westerbork, et j'en ai la nostalgie » (I, 196). Tant de bonheur finit par nous rendre Etty Hillesum étrangère, même si on peut comprendre son exaltation devant les difficultés à vaincre ; c'est comme si elle aspirait à ce que le malheur autour d'elle s'accroisse pour faciliter son épanouissement personnel. « Comment se fait-il que ce petit bout de lande enclos de barbelés, traversé de destinées et de souffrances humaines qui viennent s'y échouer en vagues successives, ait laissé dans ma mémoire une image presque suave ? » (I, 201). Il y a là, en effet, une part de mystère, et l'on se met à souhaiter qu'elle sache aussi souffrir de la souffrance, et non seulement la transmuer en beauté ou en source de bonheur.

J'ai tenu à citer longuement les écrits d'Etty Hillesum car ils me fascinent ; elle était, sans conteste, un être humain extraordinaire. Mais je ne crois pas que la voie qu'ils définissent soit recommandable pour tous. Il y a quelque chose de surhumain en Etty, dans ses moments les plus exaltés, et pour cette raison même d'inhumain ; elle n'appartient pas tout à fait à ce monde. Certes, elle préfère les vertus quotidiennes (le souci) aux vertus héroïques (la guerre). Mais elle va beaucoup plus loin : au lieu de chercher à agir sur les causes du mal, elle se contente de panser les blessures, d'« être un baume versé sur tant de plaies » (I, 229). Elle ne vit pas dans la résignation, mais dans l'acceptation joyeuse du monde, et donc aussi du mal.

Or, même si je ne crois pas qu'un monde sans mal ni souffrance soit possible, je ne veux pas admettre qu'on accueille tout mal et toute souffrance comme une fatalité ou comme l'élément d'une harmonie cosmique, dessein de la Providence ou ruse de la raison. Il faut ménager une place à la mort dans la vie, c'est vrai ; mais je me refuse à croire que les morts des camps appartiennent à la même catégorie que celles qui sont dues à la vieillesse ou aux maladies incurables. Hitler n'avait rien d'une calamité naturelle. L'idée d'un monde sans souffrance est une utopie dangereuse, mais je sais gré à ceux qui ont inventé des moyens (artificiels et non naturels) pour que les êtres humains souffrent moins, et à ceux qui luttent pour éliminer les causes de certains maux qui n'ont rien d'inéluctable. Sans verser dans l'utopie, on peut être contre certaines morts et pour la diminution de certaines souffrances. Je n'admettrai jamais que le totalitarisme et les camps aient été, dans un sens cosmique ou historique, « nécessaires ». Le mal n'est pas seulement douloureux ; très souvent, il est absurde aussi et, en cela même, inacceptable.

L'attitude définie par Etty Hillesum n'est pas de la résignation, mais le résultat est semblable : ce fatalisme et cette passivité amènent finalement à se prêter au projet meurtrier des nazis. C'est pourquoi, malgré son incontestable noblesse, je m'abstiendrai de la recommander à tous les opprimés de cette terre.

Politique ou morale

Et pourtant, considérer l'inefficacité politique de la non-résistance au mal ne suffit pas non plus.

Résistance ou résignation : comment être sûr du moment à partir duquel la seconde est préférable à la première, ou tout au moins aussi justifiée qu'elle ? Dans ses Mémoires d'Auschwitz, Rudolf Vrba, exemple parfait du résistant, raconte sa bouleversante confrontation avec Fredy Hirsch, un juif allemand qui s'est occupé, à Auschwitz, des enfants déportés de Teresin. Vrba sait, par l'organisation clandestine du camp, que l'extermination des enfants (et de leurs familles) est imminente ; il pense que les adultes de ce groupe, en bonne condition physique, devraient se révolter : ils n'ont rien à perdre, et ils pourraient infliger des pertes aux gardiens. Hirsch jouit du plus grand prestige dans ce groupe ; s'il se met à la tête de la révolte, elle aura lieu et portera ses fruits. C'est alors que se déroule le redoutable dialogue entre Vrba et Hirsch : le premier essaie de convaincre le second de prendre la tête des opérations ; le second objecte que s'il le faisait, il participerait au sacrifice des enfants dont il a la charge. « Mais ils mourront de toutes les façons. – Oui, mais moi, je ne les aurai pas trahis. »

Fredy Hirsch est un sioniste, professeur d'éducation physique, déjà très populaire à Teresin ; après le transfert à Auschwitz, il devient *Lagerkapo* au « camp des familles » et s'occupe en particulier de l'éducation des enfants. Il annonce aux autorités du camp que les enfants pourraient apprendre l'allemand, chose éminemment désirable ; sous ce prétexte, il obtient qu'une baraque soit mise à leur disposition, pour servir d'école. On y étudie en effet un peu d'allemand, mais aussi toutes sortes d'autres choses, les enfants font des dessins, fabriquent des jouets et montent même, sous la direction de Hirsch, un spectacle : *Blanche-Neige* ; les SS présents applaudissent chaleureusement. Ensuite une deuxième baraque est mise à leur disposition, pour les plus petits ; Hirsch veille à tout, et les enfants l'adorent.

(On peut bien imaginer à quoi ressemblaient les dessins de ces enfants. Avant de partir pour Auschwitz, encore à Teresin, ils dessinaient beaucoup aussi ; plusieurs milliers de ces images ont été préservées. Je les ai vues à Prague, dans la synagogue convertie en Musée juif, étroite, perchée au-dessus du vieux cimetière ; la grande majorité des enfants qui les ont dessinées ont péri à Auschwitz. Certains dessins ressemblent à ceux que font les enfants du monde entier : des papillons, un chat noir, des fleurs, une maison. D'autres sont plus inquiétants. Ici on voit des châlits sur trois étages, leurs habitants entassés les uns sur les autres ; là, une scène d'enterrement ; là encore, des squelettes. Un autre montre une pendaison ; on voit l'étoile à six branches sur la poitrine du pendu. Les enfants qui les ont faits, avec des crayons de fortune, étaient les petits protégés de Fredy Hirsch.)

Hirsch demande une heure de réflexion. Quand Vrba revient, il le trouve effondré, l'écume à la bouche : il s'est suicidé en avalant du luminal. Vrba pense un moment à le

« sauver », puis y renonce. Il se résigne donc à l'extermination du « camp des familles », sans tentative de révolte – d'autant plus douloureusement que, parmi les condamnés, se trouve Alice Munk, son premier amour, qui lui a été présentée par le même Hirsch. La suite est connue par le récit de Filip Müller, le survivant du *Sonderkommando* : il n'y a pas de révolte, mais devant les portes de la mort les condamnés se mettent à chanter.

Le suicide de Hirsch rappelle celui de Czerniakow, le président du Conseil juif de Varsovie. Lui aussi se tue quand il comprend qu'il ne peut empêcher l'extermination des enfants à Treblinka. Il y a pourtant aussi une différence : Czerniakow se suicide à un moment où tout n'est pas encore décidé. Les habitants du ghetto ont encore une (infime) possibilité de choix ; en mourant sans leur dire ce qui les attend, Czerniakow ne contribue pas à réveiller la résistance sans laquelle ils ne peuvent survivre ; on a vu que c'est ce que lui reprochaient Edelman ou Ringelblum. Hirsch, lui, se tue alors que sa survie n'aurait en rien aidé les enfants ; s'il avait accepté la proposition de Vrba, les révoltés auraient pu, dans le meilleur des cas, tuer quelques SS avant d'être eux-mêmes abattus. Hirsch savait qu'il devrait accepter la proposition s'il restait en vie, car il était le seul à pouvoir conduire la révolte ; mais, s'il l'avait fait, non seulement il n'aurait sauvé la vie d'aucun de ces enfants auxquels il s'était dévoué, mais il aurait *choisi* de les abandonner à leur sort, pour s'engager dans un projet autre. Il a donc, lucidement, préféré se donner la mort.

Dans les rues du ghetto de Varsovie, Pola Lifszyc et Mordehaï Anielewicz prennent deux chemins différents : Pola monte, de son plein gré, dans le train qui part pour Treblinka, pour ne pas laisser sa mère seule ; Mordehaï attaque les patrouilles allemandes et se lance dans l'aventure de l'insurrection. Elle réagit au mal dans la sphère purement privée ; lui choisit de se placer sur le terrain de l'action publique. Il est le seul à avoir hâté, ne serait-ce que faiblement, la défaite du nazisme ; Pola, par sa soumission, a contribué à l'efficacité de l'extermination. Doit-on blâmer celle-ci pour sa résignation et glorifier la résistance de celui-là ? Je pense qu'on ne peut répondre à cette question qu'après avoir séparé les plans moral et politique. D'un point de vue politique, l'attitude de Mordehaï est incontestablement préférable : il faut combattre le nazisme, et dans les conditions extrêmes du ghetto, cela veut dire qu'on doit tirer sur les soldats allemands. Une fois évadé d'Auschwitz, Rudolf Vrba comprend ce qu'il a à faire : il s'enrôle chez les partisans et participe aux actions militaires contre les SS. Ce faisant, il éprouve cette excitation juvénile dont parlait Edelman : de tirer sur l'ennemi. « Je courais et des larmes de joie inondaient mes joues, j'étais enfin devenu un combattant » (329). Il a raison de contribuer ainsi à l'effondrement d'un régime haïssable et de faire appel à toutes ses vertus héroïques. Pourtant, moralement parlant, la vertu quotidienne de Pola me semble l'emporter sur le courage de Mordehaï ; son geste de souci pour autrui ne le cède à aucun autre. Dans certains cas extrêmes, il n'est pas de réconciliation possible entre morale et politique.

Je ne veux pas dire par là qu'il suffit d'avoir une belle âme pour triompher du mal. La barrière la plus efficace contre le totalitarisme, qui est un fait politique, est elle aussi politique : c'est la démocratie active, soucieuse à la fois de la liberté des individus et de la promotion du bien commun ; une démocratie qui accepte d'être critiquée et transformée de l'intérieur, mais en même temps se montre intransigeante avec ses véritables ennemis. Les actions morales ne se situent pas sur le même plan, même si dans certaines conditions (comme chez les « dissidents » dans les pays communistes) elles peuvent avoir aussi une portée politique. Elles ne conduisent pas à un meilleur régime, chose pourtant éminemment désirable. Mais elles incarnent une dimension de l'existence qui n'est pas moins essentielle. Elles rendent l'individu meilleur, et contribuent au bonheur de tous d'une manière finalement plus positive que la seule élimination des menaces extérieures. Elles apportent ce que le meilleur régime politique ne peut que rendre possible mais jamais engendrer : un surplus d'humanité.

Les formes de combat

Accepter ou résister

Si le personnage d'Etty Hillesum est exceptionnel, tel n'est pas le cas, je l'ai dit, de l'attitude qu'elle choisit. C'est d'une manière comparable que réagissent, à l'intérieur des ghettos, les membres du groupe orthodoxe Agudah, qui refusent de s'armer ou de résister ; ils feront partie des premières victimes. D'autres essaient de trouver un sens à l'absurde, et, du coup, de le rendre acceptable : la Providence exige davantage des juifs, en ce moment comme précédemment ; ou encore, ces souffrances exceptionnelles annoncent l'arrivée d'un nouveau messie. Nombreux sont ceux qui préfèrent se rendre plutôt que de se cacher ou résister, pour se mettre en règle avec la loi humaine sinon avec celle du cosmos. « On n'échappe pas à son destin » : c'est la réponse fataliste qu'entendent souvent les animateurs de la résistance. Séparée d'Etty Hillesum par des milliers de kilomètres, Evguénia Guinzbourg aboutit à des conclusions proches des siennes : « Je suis profondément convaincue, en ce milieu des années cinquante, que le monde est rationnel, que toute chose a une signification supérieure et que "Dieu voit la vérité, même s'il ne la dit pas vite" » (II, 472). Ces différentes formes d'acceptation et de rationalisation des détresses survenues ne laissent pas de place pour une quelconque résistance.

De ce constat, on a souvent tiré des conséquences qui me paraissent illégitimes. Il a déjà été question de l'une d'entre elles, qui attribue cette passivité aux juifs exclusivement, et en cherche l'explication dans leurs traditions ou leur caractère national ; on a vu pourquoi elle était inadmissible. Une autre consiste à attirer particulièrement l'attention sur la passivité des victimes au seuil même de la mort, dans les camps d'extermination nazis. Gradowski, le membre du *Sonderkommando* de Birkenau, qui a enterré son manuscrit, est obsédé par cette pensée. « Au lieu de lutter comme des bêtes sauvages, la plupart des victimes sont descendues paisiblement et passivement des camions » (Roskies, 460). Avec tout le respect qu'on doit à un tel témoin, je pense qu'il a tort. Une fois arrêtées et « sélectionnées », les victimes n'avaient plus aucune chance de s'en sortir ; le rapport de forces était par trop inégal, même si les chiffres semblaient dire le contraire (elles se comptaient par centaines de milliers, alors que les gardiens n'étaient que des centaines). Dans ces conditions, il me paraît aussi digne de mourir dans le calme que de se battre comme une bête sauvage, et je ne vois pas ce qu'il y a à reprocher au rabbin qui dit aux autres devant la porte des chambres à gaz : « Mes frères, soyons résignés » (Müller, 226) ; ce geste est aussi respectable que les quelques rares cas de résistance efficace accomplie dans ces circonstances. C'est pourquoi il est admis dans les camps de la mort qu'il ne faut pas révéler la vérité aux prochaines victimes : cela ne les aidera en rien, et rendra seulement leur mort plus cruelle.

Mais la question prend un tout autre sens si elle concerne la période antérieure à l'arrestation, lorsque la liberté d'action des futures victimes est, certes, limitée, mais non nulle. On connaît les cruels reproches adressés aux Conseils juifs, de n'avoir rien fait pour prévenir la catastrophe imminente. Nous en jugeons, bien sûr, avec une lucidité rétrospective, à laquelle leurs membres n'avaient pas accès. Mais sans même formuler quelque reproche que ce soit, il paraît évident que si les persécutés avaient essayé de se sauver plutôt que, à la manière de Hillesum, de se soumettre avec empressement aux convocations qu'ils recevaient, ils avaient une meilleure chance de s'en sortir. Quand il est encore temps, il est impératif d'agir : telle est la leçon minimale de la résistance au nazisme. C'est pour cette raison que le pacifisme des années trente, face à Hitler, est coupable ; c'est pourquoi aussi, on ne peut que sympathiser avec l'« oncle Micha », futur partisan en Ukraine, qui se révolte contre ses aînés préoccupés de la seule prière à dire pour les morts : « Une voix en moi s'écria :

“Ce n’est pas par la prière que tu apaiseras notre deuil pour les fleuves de sang innocent qui ont été versés – mais par la vengeance !” Dès que le Kaddish fut terminé, je tapai sur la table et criai : “Écoutez-moi, juifs malheureux et destinés à mourir !... Sachez que nous sommes tous condamnés, à plus ou moins courte échéance. Mais je n’irai pas, moi, comme un mouton à l’abattoir !” » (Suhl, 260). Dans ce contexte, assurer sa propre survie est déjà un premier acte de résistance.

(Du temps où j’étais le sujet d’un pays totalitaire, l’idée de résistance ne m’a pas effleurée, je dois bien l’admettre. D’abord parce qu’une telle entreprise nous paraissait, à moi et à mes camarades, de toute évidence vouée à l’échec : la disproportion était trop grande entre la puissance d’un État policier et les individus isolés que nous étions ; se révolter eût été la preuve d’une grande naïveté ou alors d’un penchant masochiste prononcé. Les conditions qui, plus tard, ont rendu possible l’action des dissidents – la dépendance du régime par rapport à l’opinion publique occidentale – n’étaient pas encore réunies. Mais il y avait une raison plus forte encore à notre passivité. Le régime totalitaire vous donne l’illusion de ne contrôler « que » la vie publique, et de vous laisser maître de votre vie privée. Nous pouvions donc goûter sans entraves – ou c’est ainsi que nous nous l’imaginions – aux joies de l’amitié et de l’amour, des sens et de l’esprit ; des conversations passionnées se poursuivant bien au-delà de minuit sur les sujets les plus élevés nous permettaient de vivre avec l’illusion de la liberté. Nous étions sans doute trop jeunes encore pour savoir que la frontière entre privé et public n’était ni définitivement arrêtée, ni imperméable, et que, croyant échapper au contrôle totalitaire dans une partie de notre vie, nous lui laissions en réalité les mains libres pour régler à sa guise toute la vie sociale – donc toute la vie. En assurant notre survie et notre bien-être relatif, nous consolidions le régime totalitaire lui-même.)

Parmi les témoins et historiens de cette période, personne peut-être n’a autant insisté sur la nécessité de résistance que Bruno Bettelheim. Il regrette que, une fois condamnés, les prisonniers n’aient pas choisi de mourir « en hommes », en combattant, et il monte en épingle l'histoire célèbre d'une danseuse qui tue l'officier SS devant la chambre à gaz (*Cœur*, 338-40) ; ce jugement me paraît à la fois irréaliste et injuste. Mais ses analyses retrouvent leur pertinence lorsque Bettelheim se tourne vers la période précédant les arrestations. Ceux qui refusent d'admettre le danger du nazisme, qui se consolent en se disant que les hommes sont fondamentalement bons et le monde, harmonieux, aident involontairement la progression du mal. La persécution n'a pas pris d'emblée ses formes extrêmes, elle a progressé dans la mesure où elle ne rencontrait aucune résistance. Bettelheim s'attaque avec une violence particulière à ce qu'il appelle le « mythe d'Anne Frank », c'est-à-dire l'admiration, voire le culte pour une famille de juifs hollandais qui a cherché à se dissimuler la gravité de la situation et à continuer son existence d'avant le désastre, dans le confort de l'amour familial et de l'intimité. « Son destin n'était pas inéluctable », affirme Bettelheim (*Survivre*, 309). « Anne, sa sœur et sa mère sont sans doute mortes parce que les parents n'ont pas pu se résigner à croire à Auschwitz » (312) ; une attitude plus active eût permis de les sauver. Et Bettelheim déclare son admiration aux insurgés du ghetto de Varsovie : eux au moins ont su mourir en hommes, « l'arme à la main » (320).

(Mars 1990 : Bettelheim vient de se donner la mort. De nombreux survivants, certains célèbres, d'autres pas, l'ont précédé dans ce choix ; mais je ne suis pas sûr que celui-ci ait toujours la même signification. Dans son cas à lui, je vois surtout une illustration brutale des préceptes qu'il avait systématiquement adressés aux autres : éloge de l'autonomie et de la volonté, nécessité de prendre son destin en main, de ne pas se laisser devenir le jouet de forces sur lesquelles on n'a aucune prise, de choisir sa vie et donc aussi sa mort. Agé de quatre-vingt-sept ans, il devait craindre le moment où il ne serait plus capable de ce geste, même s'il le désirait. Alors, il s'est assuré que sa volonté soit accomplie, en se donnant une double mort, se droguant et s'asphyxiant en même temps. Personne ne pourra lui reprocher de ne pas avoir pris ses idées au sérieux ; il est la preuve si je puis dire vivante que l'individu peut décider de tout.)

Jean Améry, qui avait choisi la mort une douzaine d'années plus tôt pour des raisons sans doute apparentées, croit aussi voir dans l'insurrection du ghetto le commencement d'une nouvelle ère de l'histoire de l'humanité. Mais de plus il ne craint pas de reprendre à son compte l'idée de vengeance : la révolte de Varsovie était peut-être absurde sur le plan militaire, écrit-il ; elle « ne peut se justifier que sur le plan moral, en tant que réalisation de la vengeance humaine [...]. Il fut donné à quelques-uns seulement de découvrir leur authenticité dans la bataille et dans la vengeance véritable » (*Humanism*, 26-7). « C'était l'instauration vengeresse de la justice, l'espoir de créer un nouveau royaume de l'homme sur terre » (35).

La tentation de vengeance

Le combat est, certes, nécessaire. Il ne faudrait pas pour autant se cacher les dangers qu'il recèle pour ceux-là même qui se réclament d'une juste cause, et on peut se demander si la vengeance mérite d'être mise à la place de la justice. Si tout le changement consiste en ce que, comme le dit Améry, l'ancienne proie devienne chasseur, on peut craindre que le royaume créé ne soit pas si neuf que cela. On connaît bien les histoires des résistants qui deviennent aussi endurcis que leurs ennemis (et qui ont du reste le plus grand mal, une fois la guerre terminée, à réintégrer la vie civile).

Après la victoire sur l'ennemi, la question continue de se poser pour ceux qui l'ont combattu ou qui en ont souffert : quelle attitude vont-ils choisir à son égard, alors que le rapport de forces est inversé ? Frankl raconte un épisode caractéristique. Au lendemain de la libération, il marche auprès d'un champ d'avoine avec l'un de ses camarades. Celui-ci commence à piétiner avec rage les tiges de la plante ; Frankl essaie de le retenir, mais l'ami s'indigne : « A moi, on m'a gazé ma femme et mon enfant – en plus de tout le reste ! Et toi, tu voudrais m'empêcher d'écraser quelques brins d'avoine ? » (155). Cette colère inutile – et d'ailleurs inoffensive – illustre le choix d'une attitude comparable à celle dont on a souffert : j'ai été victime de la violence, j'ai *donc* maintenant le droit de l'infliger. « D'*objets* de la puissance, de la violence, de l'arbitraire et de l'injustice, ils sont alors devenus *sujets* » (154). Or, remarque Frankl, « personne n'a le droit de "faire injustice", pas même celui qui a eu à souffrir de l'injustice » (155).

Souvent, on ne se contente pas des brins d'avoine, et on rêve à un renversement complet et symétrique des rôles. Que fera-t-on après la libération s'il y en a jamais une ? « Moi je vais m'acheter une mitrailleuse, je tuerai tous les Allemands que je rencontrerai », s'exclame une détenue d'Auschwitz (Fénelon, 308) ; elle n'en fera rien, bien entendu. D'autres rêvent à une extermination immédiate de cette « vermine » (terme nazi) par les Alliés, « au lance-flammes par exemple ! » (373). Lorsque les soldats anglais arrivent à Bergen-Belsen et arrêtent les SS, les anciennes prisonnières crient : « Il faut les faire souffrir, il faut les tuer tous ! » (19). De telles réactions – purement fantasmatiques – sont parfaitement compréhensibles, plus même : saines ; en rêvant à la vengeance, on se maintient en vie. Comme l'explique Borowski, « pour les hommes qui souffrent de l'injustice, la justice n'est pas suffisante. Ils veulent que les coupables souffrent eux aussi injustement. Voilà ce qu'ils croient juste » (*Le Monde*, 181).

Vrba, rescapé des camps, a soutenu à l'époque du procès d'Auschwitz à Francfort le point de vue suivant : il faut rétablir exceptionnellement la peine de mort pour pouvoir punir de façon appropriée des crimes aussi graves. Sa raison, dit-il, n'est pas le désir de vengeance (qui serait compréhensible pour quelqu'un avec son expérience ; mais c'est bien pourquoi on ne demande pas aux anciennes victimes d'exercer elles-mêmes la justice) ; mais celui d'aider l'Allemagne à retrouver sa dignité. « Il ne s'agit pas simplement de punir des criminels – quelle punition serait à la hauteur d'un tel crime ? – mais de purger la conscience d'une nation publiquement » (339). Mais n'est-ce pas un projet dangereux que celui de vouloir purger une nation de ses éléments indésirables par la mort – même s'il n'y a aucune comparaison possible entre la « culpabilité » des juifs et celle de leurs bourreaux ? Je ne crois pas qu'aucun de nous ait le droit de faire aux survivants le reproche de trop haïr leurs anciens bourreaux ; mais cela ne signifie pas que nous devons reprendre cette vengeance à notre propre compte.

A propos de la peine de mort, on retrouve une attitude semblable à celle de Vrba chez Hannah Arendt. Elle critique bien des aspects du procès d'Eichmann, mais approuve à fond la condamnation à mort, et la justifie à son tour dans le jugement qu'elle propose à la place de celui qui a été rendu : « Parce que vous avez soutenu et exécuté une politique qui consistait à refuser de partager la terre avec le peuple juif et les peuples d'un certain nombre d'autres nations [...] nous estimons que personne, qu'aucun être humain, ne peut avoir envie de partager cette planète avec vous. C'est pour cette raison, et pour cette raison seule, que vous devez être pendu » (305). Si c'est vraiment la seule raison, Eichmann aurait dû à mon avis rester en vie. Je ne comprends pas cet argument : parce qu'il a exclu certains êtres de l'humanité, nous devons l'en exclure à notre tour ? Pourquoi répéter son geste ? En quoi est-ce un progrès par rapport à la loi de l'« œil pour œil » ? D'autres expriment leur satisfaction de savoir que les cendres d'Eichmann, après son exécution, aient été dispersées dans la mer, pour qu'il n'en reste aucune trace ; mais tel était déjà le destin de ses victimes, dont les cendres étaient jetées dans l'eau, et avec la même intention.

Bien sûr, il n'est pas indifférent de savoir si le rêve de vengeance est porté par un ancien détenu ou par un homme d'État, disposant d'un grand pouvoir. On sait par exemple que Henry Morgenthau, le secrétaire d'État américain au Trésor pendant la guerre, avait préparé un plan prévoyant que les anciens nazis, les fonctionnaires et les soldats allemands devaient être déportés et astreints au travail dans les pays vainqueurs ; que les nazis devaient être définitivement expulsés d'Europe (à Madagascar ?), avec leurs familles (les enfants de moins de six ans faisant un peu problème...) ; quant aux principaux dirigeants, Morgenthau voulait qu'ils soient immédiatement fusillés, au fur et à mesure de l'avancée des forces alliées, sans aucun jugement (Smith, 23-4). Les Anglais avaient un plan semblable. C'étaient les Soviétiques qui, paradoxalement, tenaient le plus au procès : avec leur expérience, ils ne devaient avoir aucun doute quant à son résultat.

(En 1968-1969, la nouvelle université de Vincennes était le principal lieu d'implantation d'un groupe maoïste, rescapé des événements de la saison précédente. Ses animateurs étaient deux personnes que j'avais connues auparavant, de brillants intellectuels parisiens. En sortant un jour du cours j'ai été cloué sur place par une étrange procession : un homme entièrement nu, mais barbu et poilu, se frayait un chemin au milieu d'une petite foule hostile, conduite par mes anciens amis ; on avait visiblement répandu sur lui, avant de le lâcher, de la purée de tomates ou d'autres liquides colorés : c'était un lynchage symbolique. Il s'agissait, je l'ai appris ensuite, de François Duprat, militant et idéologue d'extrême droite, qui allait trouver la mort quelques années plus tard dans une explosion qui ne fut jamais élucidée, et qui était venu à Vincennes, dans ce bastion de l'extrême gauche, pour des raisons que j'ignore : espionner ? chercher la confrontation ? La vue de cet adulte nu, conspué par la foule, m'a fait ressentir une humiliation intense. « Mais, A., vous êtes des fascistes ! » dis-je d'une voix blanche à celui des deux que je connaissais le mieux. Il m'a souri tranquillement : « Mais c'est lui le fasciste ! » Les effets dévastateurs de la « vengeance » (d'une offense probablement inexistante, mais supposée possible) sur celui qui l'accomplit ne m'étaient jamais apparu aussi clairement avant ce jour.)

Primo Levi s'est penché sur l'ensemble de ces questions, avec la scrupuleuse honnêteté qui le caractérise, dans le récit à la fois historique et fictif qu'il a intitulé *Maintenant ou jamais*. Ce livre raconte le parcours d'un groupe de partisans juifs, de la Biélorussie à l'Italie, en passant par la Pologne et l'Allemagne, pendant la Seconde Guerre mondiale. Mendel, le personnage principal, participe à une action punitive dans une ville allemande, à la suite du meurtre d'une de ses camarades. « Cette vengeance était-elle juste ? Y a-t-il des vengeances qui le soient ? Non, il n'y en a pas ; mais nous sommes des hommes, et tout en nous crie vengeance, alors on se précipite, on détruit, on tue. Comme eux, comme les Allemands » (329).

Mendel est donc bien entraîné dans une action de vengeance, et il l'accepte. Mais il ne lui suffit pas de se dire : nous sommes des hommes, donc tout est permis. Il a beau se sentir mieux, soulagé d'avoir vengé une mort que rien ne justifiait, la facilité même de cet acte ne laisse pas sa conscience en repos. « Le sang, dit-il, ne se paie pas avec le sang. Le sang se paie avec la justice. Celui qui a tiré sur la Noire est une bête humaine, et je ne veux pas devenir une bête. Si les Allemands ont tué par le gaz, devrons-nous aussi tuer tous les Allemands par le gaz ? Si les Allemands tuaient dix hommes pour un et qu'on faisait comme eux, on deviendrait comme eux, et il n'y aurait plus jamais de paix » (331). Que les persécuteurs soient à leur tour persécutés ne fait pas effacer la dette ; au contraire, cela l'augmente.

Mendel (ou Levi) est donc capable de tenir le raisonnement d'Etty Hillesum : la vengeance est répréhensible car elle nous fait ressembler à celui dont nous voulons nous venger. Mais cette prise de conscience ne le conduit pas à la passivité et à l'acceptation du monde quel qu'il soit, encore moins à un désir niais de reconciliation avec les anciens tortionnaires, à une fraternisation nauséabonde entre victimes et bourreaux, ni même à un pardon chrétien. Le refus de la vengeance ne signifie ni pardon ni oubli : la justice serait indûment exclue de cette alternative. Malgré son renoncement à la vengeance, malgré sa fatigue de toute guerre, malgré sa profonde répugnance de tuer, il a décidé de combattre et donc de tuer : « Nous combattrons jusqu'à la fin de la guerre, dit son supérieur Gédal, parce que nous croyons que la guerre est une chose affreuse, mais que tuer les nazis est la chose la plus juste qu'on puisse faire aujourd'hui à la surface de la terre » (229). Mendel a choisi d'agir ainsi non par goût pour les armes mais par un fond de respect pour lui-même : par honnêteté ; c'est qu'il respecte la justice plus encore que la vie. La haine du mal est donc légitime, et, à ce moment précis de l'histoire, le nazisme incarne le mal ; donc le font aussi tous ceux qui sont enrôlés dans l'appareil hitlérien et qui n'ont pas donné la preuve qu'ils s'en désolidarisaient. Combattre le nazisme n'est pas répondre au mal par le mal, mais œuvrer à l'éradication du mal.

La vertu des sauveteurs

Il n'est donc pas vrai qu'on n'ait que ce seul choix : se venger du mal qu'on a subi, et se laisser contaminer par ce qu'on réprouve chez l'ennemi ; ou bien renoncer à résister au mal, en préférant accepter le monde tel qu'il est. En dehors de ces deux extrêmes, l'imitation de l'ennemi et la résignation au mal, la voie reste ouverte à la résistance et au combat animés par l'appel de la justice ; nombreux ont été ceux qui ont agi dans cet esprit, soldats, partisans, résistants ; et c'est grâce à eux que le nazisme a été vaincu.

Le choix de la non-violence lui-même n'entraîne pas nécessairement celui de la non-résistance au mal. Les actions non violentes de ceux qu'on a appelés les dissidents, refus du mensonge et divulgation de la vérité, se sont révélées parmi les moyens les plus efficaces destinés à combattre le totalitarisme communiste (il est vrai dans une autre phase de son évolution). Une autre forme de combat non violent, visant cette fois-ci le nazisme, est illustrée par les conduites des sauveteurs – les individus qui se sont dévoués, au cours de la Seconde Guerre mondiale, au sauvetage de personnes menacées, surtout des juifs, en les recueillant et cachant dans leur maison. Ces comportements sont particulièrement instructifs dans notre perspective, car ils se situent à mi-chemin entre les actes quotidiens et les actes héroïques. Je m'appuierai sur l'exemple de trois groupes de sauveteurs, en France, en Pologne et aux Pays-Bas, qui ont fait l'objet d'études détaillées.

D'un côté, donc, les sauveteurs ne se reconnaissent pas dans le modèle héroïque. Lorsque, longtemps après la guerre, on vient les féliciter et leur dire qu'ils se sont conduits en héros, ils s'en défendent farouchement. Pourquoi ? D'abord parce que, contrairement aux héros, ils tiennent la vie de l'individu pour une valeur indépassable et qu'ils ne vouent aucun culte à la mort. Du reste, un héros est en principe mort, alors qu'eux ont souvent survécu : ils ne cherchent jamais à se sacrifier, et les risques qu'ils prennent sont calculés. Sauver des vies humaines est la définition même de leur travail ; en conséquence, ils renoncent à prendre celle des uns pour défendre celle des autres, et échappent ainsi au paradoxe formulé par Borowski. Les sauveteurs ne sont pas armés et ne savent pas tirer, même s'ils reconnaissent leurs ennemis ; ils refusent de faire la guerre et ne s'entendent que partiellement avec les autres résistants, maquisards ou saboteurs. Magda Trocmé, la femme du pasteur qui organise le sauvetage des juifs dans le village cévenol du Chambon-sur-Lignon, explique des années plus tard : « Aider les juifs était plus important que s'opposer à Vichy ou aux nazis » (Hallie, 178). C'est pourquoi lorsqu'un soldat dit à son sauveteur, pour le féliciter : « Sans avoir jamais tiré un seul coup de feu, vous avez donné une dimension nouvelle au terme "héros de guerre" », celui-ci réplique : « Je n'aime pas trop ce terme. On a beau le tordre dans tous les sens, il glorifie quand même la guerre » (Stein, 91-2).

Une deuxième grande différence entre héros et sauveteurs est que ceux-ci ne combattent pas pour des abstractions, mais pour des individus. Dans leur action, ils ont peu affaire à des idéaux ou à des devoirs, qu'ils seraient du reste incapables de formuler la plupart du temps, mais toujours à des personnes concrètes qu'il faut aider par les gestes les plus quotidiens. Magda Trocmé déclare : « Non seulement je ne suis aucunement une héroïne, mais je ne suis même pas une bonne chrétienne ; tout ce que j'ai fait, c'est ouvrir ma porte quand on a frappé, partager mon repas quand l'autre avait faim » (Hallie, 208-9). Sa fille explique son attitude : « Son dévouement ne venait pas de la religion, il venait des gens... » (212).

Du coup, les sauveteurs ne se voient pas, à la différence des héros, comme des êtres exceptionnels. Ils n'aiment pas qu'on les loue ; ils ont fait ce qu'ils ont fait car c'était pour eux la chose la plus naturelle du monde. Le surprenant (mais c'est une surprise vite émoussée par sa fréquence), c'est que les autres n'en aient pas fait autant. Ils n'ont pas le sentiment d'avoir accompli un exploit ; du reste, il ne s'agit jamais d'un geste unique – tuer le dragon, faire sauter la mitraillette ennemie – mais d'une multitude d'actes banals, répétés quotidiennement, parfois pendant plusieurs années, et qui du coup se prêtent mal au récit : arracher les pommes de terre, mettre la table, vider la tinette. Ils ont du mal à comprendre l'intérêt que leur portent quelques historiens ; ils refusent la gloire au point de ne pas vouloir figurer sous leur vrai nom dans les livres qui leur sont consacrés. Il faut dire que ce rejet du récit et de la gloire a été couronné de succès : chaque pays connaît et fête ses grands héros guerriers, responsables de nombreuses morts, mais personne n'élève des monuments à la gloire des sauveteurs, et les villes françaises ne connaissent pas d'avenue Magda-Trocmé.

Mais, d'un autre côté, l'attitude des sauveteurs ne peut être assimilée à celle qu'on a observée concernant les vertus quotidiennes, et plus particulièrement le souci. Il y a une différence, et tous les sauveteurs la connaissent, entre risquer sa vie pour une famille juive inconnue et préparer le repas de ses enfants. L'opposition, on le voit, est double : la première action est toujours dangereuse, et elle s'adresse à des personnes qui, même si elles sont identifiées individuellement, restent des inconnus (elle ressemble en cela à la charité) ; le souci, lui, ne comporte qu'exceptionnellement des risques et concerne les proches, non les lointains. Le beau-père d'un des sauveteurs lui reproche ses activités : son beau-fils a femme et enfant, il doit d'abord se soucier d'eux, pourvoir à leurs besoins en ces temps difficiles et non risquer leur vie pour sauver des inconnus. « Je ne risquerai rien pour un étranger », ajoute de son côté le beau-père (Stein, 65). Mais être étranger est, évidemment, une catégorie transitoire : une fois installé dans la maison, l'étranger cesse de l'être ; il peut du reste développer la même réaction que le beau-père. Ainsi le premier juif caché met en garde son sauveteur contre l'accueil de nouveaux réfugiés : « Où cela s'arrêtera-t-il, Tinus, je te le demande, où cela s'arrêtera-t-il ? Ta maison deviendra-t-elle un club privé pour juifs clandestins ? » (268). Or le sauveteur ouvre sa porte aux inconnus. Même si cette ouverture a des limites (on sauve les juifs français en France, hollandais en Hollande ; les juifs étrangers ont plus de difficultés), la différence avec les vertus quotidiennes est nette.

Ou, pour dire les choses de manière plus positive : l'action du sauveteur exige à la fois le courage et la générosité du héros (ou du saint) et la concentration exclusive sur le bien des personnes, comme le veut la logique du souci. Les sauveteurs n'arrêtent pas la guerre, ni même le génocide des juifs, ils parviennent tout juste à sauver une, deux, dix familles; mais ce seront les seules à survivre. Les sauveteurs risquent leur vie et leur bien-être pour des inconnus, mais ils se méfient des grands projets, de l'« idéalisme », qui peuvent se transformer en pratiques meurtrières : le mal-moyen s'accommode trop facilement avec le bien-but. Leur action est finalement celle dont le résultat est le moins contestable : des vies humaines épargnées. L'un d'entre eux conclut : « On ne peut raisonnablement s'attendre à mettre fin à la guerre, tout simplement comme ça, parce que c'est irrationnel de tuer [...]. Mais si vous vous dites : “Je vais sauver la vie d'une personne en plus de la mienne propre”, ou bien : “Je vais cacher une famille” [...], alors là, vous avez la possibilité d'une victoire qui fait sens » (69). Cette leçon de modestie mérite qu'on l'écoute.

L'action des sauveteurs échappe aussi bien à la résignation qu'à la haine. En effet, pour s'engager dans une action de sauvetage, il ne suffit pas d'être pourvu de rectitude morale, de ne pas trahir, de ne pas accepter de se salir les mains; si en même temps on décide qu'il ne faut pas chercher à modifier le cours du monde, on ne devient pas sauveteur. La résignation équivaut, en fin de compte, à l'indifférence au sort des autres. Le sauveteur est un interventionniste, un activiste, quelqu'un qui croit en l'effet de la volonté. Mais, d'un autre côté, il refuse de mener ce combat en imitant l'ennemi dans sa haine. « Nous ne leur appliquerons pas leurs propres lois » (94). Il sait que les « ennemis » sont des êtres humains comme lui, ni bêtes ni monstres : l'être bon n'ignore pas le mal; il hait le système, non les individus. Du coup les sauveteurs, qui luttent contre les Allemands, ne les haïssent pas. « Juifs ou Allemands, ça m'était égal, du moment que je pouvais les voir comme des êtres humains, dit l'un d'entre eux. Je ne suis pas tombé dans le piège qui consiste à voir en chaque Allemand un ennemi » (184). « J'ai toujours fait la distinction entre nazis et Allemands », ajoute un autre (227). Et un troisième conclut : « Si on fermait nos yeux devant tous les Allemands, les traitant comme s'ils avaient une maladie honteuse, en quoi serait-on différent des nazis ? » (298). Ce sont les mêmes qui sauvent des juifs et qui connaissent des

Allemands estimables : la chose n'est paradoxale qu'à première vue. Ce sont les mêmes qui, pendant la guerre, au milieu d'une population généralement soumise, prennent des risques pour les autres ; et qui, au lendemain de la guerre, au milieu d'une population prise du désir de vengeance et d'un espoir de purification, interviennent pour empêcher que les filles soient tondues ou les soldats allemands lynchés.

Les sauveteurs ne sont pas une catégorie abondamment représentée, chez aucun peuple. Et pourtant, ce ne sont pas des êtres exceptionnels ; comment s'expliquer leur rareté ? Quels sont les traits de caractère, les convictions politiques ou religieuses, les milieux socioprofessionnels qui prédisposent à cette activité louable ? Nechama Tec a voulu trouver la réponse à ces questions, et elle a étudié pour cela un échantillon relativement important de sauveteurs polonais, qui représentent le groupe numériquement le plus fort. Les résultats sont en grande partie négatifs : aucun paramètre ne permet de prédire avec certitude l'accomplissement de cet acte qui consiste à sauver un individu menacé. On entrevoit pourtant les raisons de la rareté des sauveteurs : c'est que cette pratique exige la possession de qualités qui, dans une certaine mesure, s'opposent entre elles. Les sauveteurs, en règle générale, ne sont pas des conformistes, c'est-à-dire des êtres qui règlent leur conduite sur l'opinion des voisins ou même sur les lois ; ce sont plutôt des personnes qui se perçoivent comme des marginaux et des esprits rétifs à l'obéissance. Cependant, ils sont loin de rejeter toute loi ; bien au contraire, ils portent en eux le moyen de distinguer entre bien et mal, ils sont pourvus d'une conscience vive – et agissent en accord avec elle. En même temps, ce ne sont pas des amoureux des principes, qui se contenteraient de chérir les abstractions. Ce sont des êtres à la fois portés à l'universalisation, puisqu'ils sont prêts à aider des inconnus, leur accordant ainsi d'emblée l'appartenance à la commune espèce humaine ; et à l'individualisation, dans la mesure où ils ne défendent pas des idéaux mais des personnes concrètes.

Telle est probablement la raison pour laquelle les sauveteurs sont habituellement des *couples* : un seul être peut difficilement combiner toutes ces qualités. L'un des partenaires sera plutôt porteur de la morale de principes : il décidera qu'il convient d'aider tous ceux qui sont dans le besoin, et non seulement les proches ; il prendra l'initiative d'intervenir activement, plutôt que de se résigner à attendre. L'autre sera mû par la morale de sympathie : il ne pensera pas aux nobles principes mais ressentira l'humanité de ceux qui sont dans le besoin et assurera quotidiennement, et sans avoir besoin de se forcer, le gîte et le couvert de ceux qu'il faut aider. Sans le second, l'action même de sauvetage n'aurait pas eu lieu ; sans le premier, son bénéficiaire n'aurait pas été là. Les deux membres du couple sont nécessaires car leur action est complémentaire. Dans un grand nombre de cas, mais pas dans tous, le premier rôle est joué par l'homme, le second par la femme. Les hommes, plus à l'aise dans la sphère publique, prennent l'initiative de l'accueil et se chargent de l'organisation de l'entraide, mais du coup ils sont souvent absents de la maison et ne s'occupent pas de leurs pensionnaires. Les femmes, qui dominent souvent la sphère privée, protestent au début contre cette invasion de leur intimité, mais assurent ensuite la vie au jour le jour, avec patience et ingéniosité. Je ne reviendrai pas sur les raisons qui expliquent cette répartition ; quoi qu'il en soit, c'est bien la combinaison de ces deux ordres de qualités qui rend les actes de sauvetage plus probables et incite donc à voir dans le couple, non dans l'individu, l'être moral complet.

Le couple de Magda et André Trocmé, le pasteur du Chambon, illustre aussi cette règle. Lorsqu'ils se rencontrent, chacun d'eux ne se connaît qu'une forme d'aspiration morale : lui a tendance à pratiquer un amour ascétique de Dieu, elle, à s'en tenir à une préoccupation tendre pour les êtres qui lui sont proches. Mais leur rencontre les influence mutuellement. « Magda comprit que s'il [André] s'y laissait aller, sa vie serait faite d'extase et non d'action ; au lieu d'aider les autres, il les embrasserait dans une étreinte vaine » (Hallie, 100) ; en même temps Magda elle-même décide de ne plus se contenter de l'interaction directe mais de croire en cet homme animé par de hauts idéaux. Jusqu'à la fin pourtant, ils restent complémentaires plutôt que semblables. André pense à Dieu, Magda au prochain, André conçoit de vastes projets, Magda les met en œuvre : sans cette collaboration, le havre du Chambon n'aurait pas existé et quelques milliers de juifs supplémentaires auraient trouvé la mort.

A vrai dire, l'action des sauveteurs a un double bénéficiaire : elle protège la vie des victimes potentielles et, en même temps, empêche les bourreaux éventuels de commettre le mal, voire les incite à se transformer de l'intérieur, en répondant au bien par le bien. L'action des Trocmé pousse à l'évidence certains membres de la police de Vichy à collaborer avec eux plutôt qu'avec la Gestapo : on est régulièrement informé au Chambon des rafles imminentes. Le commandant même de la garnison allemande dans la ville voisine du Puy est visiblement ébranlé par cette lutte non violente pour sauver des vies humaines et s'oppose efficacement à l'officier SS qui souhaite le démantèlement de toute l'organisation. Des années plus tard, il raconte à Trocmé : « Je dis à Metzger que ce genre de résistance n'avait rien à voir avec la violence, qu'on peut réprimer par la violence. De tout mon pouvoir personnel et militaire, je m'opposai à l'envoi de sa légion au Chambon » (331). Est-ce à dire que la guerre contre Hitler aurait pu être gagnée par ces moyens ? Je ne le crois pas, pas plus que les sauveteurs du Chambon ne le croyaient : ces moyens ne sont efficaces que dans certaines circonstances, là où on peut être sûr d'atteindre la personne de l'« ennemi » ; quand les tanks grondent et que les avions vident leurs soutes à bombes, ce type de résistance n'a aucun sens : la non-violence devient alors suicide.

C'est là, dans ses résultats, que réside la récompense de l'action du sauveteur. En dehors de cela, il ne reçoit pas beaucoup de gratifications. La présence d'étrangers dans sa maison pendant des mois, parfois des années, n'est pas toujours agréable, d'autant plus que les sauveteurs sont habituellement des gens de condition modeste : sans même parler des risques encourus par la famille hôtesse, il y a tous les inconvénients de la promiscuité quotidienne, les inévitables jalousies et envies, la multiplication des tâches ménagères, qu'il faut de plus accomplir en cachette. Les personnes qu'on sauve ne vous sont pas forcément sympathiques (on ne le leur demande pas, du reste, sinon il s'agirait de l'habituel souci) : telle jeune fille de bonne famille réclame qu'on lui serve le petit déjeuner au lit, tel jeune homme exige que sa petite amie puisse le rejoindre, tel autre ne veut manger que de la nourriture cacher. Une fois la guerre finie, les sauveteurs ne sont pas comblés par des expressions de gratitude de la part des sauvés : d'abord ceux-ci se trouvent toujours dans une situation précaire, ayant perdu famille et biens, ne se sentant plus appartenir à leur ancienne patrie et n'en ayant pas encore trouvé de nouvelle; ensuite, les bénéficiaires de services, de tout temps, n'aiment pas beaucoup se souvenir de ces anciennes situations dans lesquelles ils étaient réduits à l'impuissance et à la dépendance; cette évocation ravive un souvenir d'humiliation.

On pourrait être surpris d'apprendre que, après la fin des hostilités, le destin des anciens sauveteurs a rarement été heureux. Bien sûr, ils ont le sentiment d'avoir agi justement; mais nombreux sont ceux qui tombent en dépression et rares les individus capables de reprendre leur existence d'avant la guerre, comme si de rien n'était. Personnes d'une sensibilité morale plus aiguë que la moyenne, ils développent des réactions semblables à celles des survivants, de culpabilité et de honte. Le mal qu'ils ont côtoyé a été trop grand pour qu'ils ne se sentent pas menacés de l'intérieur : si les autres ont pu agir ainsi, pourquoi ne le pourrais-je pas à mon tour, ne sont-ils pas des humains comme moi ? Si d'autres sont morts mais pas moi, n'est-ce pas que je me suis quand même conduit en égoïste ? Cela ne les rend pas pour autant indulgents envers leurs compatriotes, au milieu desquels ils se retrouvent, et dont ils ont observé la lâcheté et l'indifférence pendant les années d'occupation; ceux-ci, de leur côté, les regardent avec hostilité, puisqu'ils sont pour eux un reproche vivant, la preuve qu'eux-mêmes auraient pu se conduire autrement. Aussi les anciens sauveteurs choisissent-ils souvent l'émigration vers des terres lointaines qui n'ont pas connu le même degré du mal : le Canada, l'Argentine, l'Australie; ils se sont conduits différemment de leurs compatriotes dans les moments de détresse, et cela rend difficile, ces moments passés, leur réintégration dans la communauté. Mais une fois ailleurs, ils s'aperçoivent que les pays comme les individus se ressemblent, mélange inégal de bien et de mal, que la majorité est toujours conformiste et les êtres justes peu nombreux.

Les histoires de sauvetage, si positives soient-elles, ne sont en effet pas une source d'optimisme – précisément parce qu'elles démontrent que les êtres capables d'accomplir ces actes sont très rares, presque aussi rares que les grands héros et saints (mais plus sympathiques qu'eux) ; et personne ne peut garantir sa conduite dans l'avenir. Tous les survivants souffrent de cette certitude : si les persécutions devaient reprendre demain, malgré toutes les démonstrations officielles de sympathie pour les victimes et de réprobation pour les bourreaux, les sauveteurs seraient aussi rares que la fois précédente, et les braves voisins qui les saluent maintenant tous les matins détourneraient de nouveau le regard. « Devant tous ceux que je rencontre, je me demande : M'aurait-il aidé à marcher, celui-là ? M'aurait-il donné un peu de son eau, celui-là ? J'interroge tous ceux que je vois [...]. Ceux dont je sais au premier regard qu'ils m'auraient aidé à marcher sont si peu... » (Delbo, *Auschwitz*, III, 42-3). Les Justes sont, et resteront, exceptionnels. Les vertus quotidiennes ne sont pourtant pas rares, et tout un chacun, passé un certain âge, découvre le sentiment moral au fond de lui-même ; mais peu nombreux sont ceux qui seraient prêts à risquer leur vie pour en sauver une autre, ou celle de leurs enfants pour protéger les fils et les filles d'un étranger. Comme le dit une femme sauveteur : « Il n'y a pas de bonnes nouvelles de l'holocauste » (Stein, 85).

Dire, juger, comprendre

Sagesse des survivants

Dans les camps totalitaires s'est réalisé ce qui, à l'époque moderne, ressemble le plus à une incarnation du mal. Pourtant, nous l'avons vu, ses agents ne sont ni des monstres ni des bêtes, mais des gens ordinaires – des gens qui nous ressemblent. Notre réaction à ce mal, aujourd'hui, doit tenir compte de ces deux constats. D'une part, il ne faut pas renoncer aux principes de la justice : les coupables doivent être jugés (la chose n'est quasiment plus d'actualité pour l'Allemagne, mais le devient au plus haut degré pour les anciens pays communistes), chacun selon la nature exacte de ses actes et de ses responsabilités ; et nous pouvons continuer à nous servir de ce qui s'est produit dans les camps comme d'un étalon pratique du bien et du mal. D'autre part, il faut refuser la tentation d'établir une discontinuité radicale entre « eux » et « nous », de diaboliser les coupables, de considérer les individus ou les groupes comme parfaitement homogènes et cohérents.

Ce refus, je voudrais le préciser d'avance, n'a pas besoin de prendre la forme d'un quelconque « pardon ». Simon Wiesenthal a écrit un livre, *Le Tournesol*, pour nous inviter à réfléchir sur notre attitude devant le mal : faut-il ou non le pardonner ? Je ne me sens pas, pour ma part, concerné par une question ainsi formulée. Je suis, une fois de plus, acquis au raisonnement de Primo Levi, qui refuse le qualificatif de « pardonneur » et l'idée qu'il faille absoudre les péchés parce que les coupables ont eu aussi leurs moments de bonté ou de repentir ; mais qui n'a pourtant pas cessé de croire en notre commune humanité.

L'attitude des anciens détenus après la libération est instructive à cet égard. Un certain nombre d'entre eux, on l'a vu, n'ont pu s'empêcher de raisonner en termes de vengeance, ce qui est bien compréhensible. Il est d'autant plus remarquable que la majorité de ceux qui se sont exprimés là-dessus, par écrit ou oralement, ont refusé explicitement les jugements sommaires et les attitudes manichéennes. Il est vrai que certains actes sont monstrueux ; mais leurs auteurs ne sont pas des monstres, et il serait regrettable que, au profit d'une indignation facile, on ignore leur complexité, voire leur incohérence. C'est en ce sens que même les gardiens des camps appartiennent à ce que Levi appelle la « zone grise ». Les braves ont leurs jours de lâcheté ; les bourreaux savent ce qu'est un acte miséricordieux. « Il me semble juste de ne pas passer sous silence tous ces petits gestes de bonté », conclut Ella Lingens-Reiner (16).

Ce qui est vrai des individus l'est plus encore des groupes : aucun n'est parfaitement bon ni entièrement méchant (ce qui ne veut pas dire qu'ils se valent). Joe Siedlicki, survivant de Treblinka, en juge ainsi : « A Treblinka, il y avait des vraies brutes, mais certains étaient bons quand même. [...] Bien sûr, il y en avait d'abominables [...] ; des bêtes féroces, des sadiques. Mais il y avait des gens comme ça chez les juifs aussi » (Sereny, 201). Langbein, survivant et historien d'Auschwitz, a recensé tous les cas des SS qui ont aidé des détenus – parfois même à s'enfuir (ils ne sont, certes, pas très nombreux). Levi s'est fait une règle de relever toujours les exceptions aux stéréotypes qui ont cours sur le comportement des groupes. « En racontant cette histoire au bout de quarante ans, je ne cherche pas à excuser l'Allemagne. Le fait de trouver un Allemand humain ne saurait blanchir ceux, innombrables, qui furent inhumains ou indifférents, mais cela a le mérite de casser un stéréotype » (*Moments*, 92). Voici sa manière de procéder habituelle : « Afin de montrer combien les jugements globaux me sont étrangers, je voudrais raconter une anecdote : ce fut un fait exceptionnel, mais il a tout de même eu lieu » (*Naufragés*, 166).

Ces mêmes survivants ne se sont pas contentés de déclarer qu'il ne fallait pas exclure de l'humanité des êtres dont on condamnait les actes, ou transposer sur le groupe le jugement porté sur des individus ; ils ont accompli des gestes concrets qui montrent que, de ces décisions, ils ont fait des principes régissant leur propre vie. Gitta Sereny a relevé plusieurs exemples de ce genre dans son livre d'entretiens. Richard Glazar, survivant de Treblinka, envoie après la guerre son fils étudier en Allemagne ; tous ses camarades de détention n'approuvent pas ce geste. Stanislaw Szmajzner, survivant de Sobibor, qui a témoigné pour l'accusation au procès de Stangl, « a permis aux photographes de presse de le prendre avec Frau Stangl à la fin de l'audience à Düsseldorf. [...] "J'ai accepté parce que je n'avais rien contre la famille Stangl et je savais combien tout cela était pénible pour eux" » (138). Joe Siedlicki s'est marié avec une Allemande qui s'est convertie au judaïsme pour pouvoir l'épouser ; là encore, tous ne comprennent pas bien. C'est pourtant clair : ces trois survivants refusent d'imiter les nazis qui ont voulu juger les individus en fonction de leur appartenance à un groupe, et le groupe, en fonction de quelques individus qui en font partie.

On retrouve les mêmes dilemmes lorsque s'ouvrent les portes des camps communistes. En 1953, au lendemain de la mort de Staline, Evguénia Guinzbourg habite encore à Magadan, la « capitale » de Kolyma ; elle a déjà purgé sa peine de camp, mais on l'a reléguée à vie dans cette ville. Un jour, on lui propose d'enseigner la langue et la littérature russe aux officiers du KGB local. Après une longue lutte intérieure elle accepte, et commence à travailler avec eux. Tous ses anciens camarades de camp n'approuvent pas sa décision ; certains lui recommandent l'hostilité, sinon la vengeance. Guinzboug réplique, au cours d'une de ces conversations : « A ce compte-là, on n'en sortira jamais, tu comprends ? Eux contre nous, puis nous contre eux, et de nouveau eux contre nous... Jusqu'à quand, ce cercle vicieux de la haine ? » (II, 450). « Fallait-il [...] assurer encore et toujours le triomphe de la haine ? » (II, 453). Il ne s'agit pas de pardonner indistinctement à tous, ni d'aimer ses ennemis ; mais de ne pas reproduire les actes d'inhumanité dont on a été la victime, de ne pas intérioriser l'intolérance dont les ennemis ont fait preuve à votre égard. On remarquera que ce choix n'a pas la même signification que celui d'Etty Hillesum, alors même que leurs termes sont proches : le moment où il se situe est essentiel, pendant ou après l'affrontement. Il en irait encore autrement si la conversation se déroulait dans une Russie entièrement libérée du communisme.

C'est donc en nous inspirant de ces attitudes caractéristiques des victimes mêmes que nous pourrions approcher la question de notre réaction, aujourd'hui, devant le mal des camps.

En parler aujourd'hui

Il n'y a plus de camps de nos jours en Allemagne ni, semble-t-il, en Union soviétique (mais ils se maintiennent en Chine et peut-être ailleurs). Ce n'est plus le même combat qu'il faut continuer ; et pourtant le combat n'est pas terminé. Il se joue ailleurs : dans le maintien de la mémoire, dans le jugement que nous portons sur le passé, dans les leçons que nous en tirons.

Jean Améry suggérait qu'on inscrive au programme des classes terminales, au lycée, quelques témoignages d'anciens détenus pour que tous prennent connaissance de cette épreuve. Le degré de souffrances atteint dans les camps, dépassant tout ce qu'offrent les souvenirs récents de l'humanité, a révélé le malaise profond du monde antérieur, responsable du surgissement de ces institutions. Si l'on ne veut pas qu'Auschwitz et Kolyma reviennent un jour, on doit scruter les leçons des camps et essayer de comprendre quelles sont les raisons profondes de leur existence.

En même temps, ressusciter aujourd'hui les histoires des camps, c'est continuer un combat qui était engagé au moment où ceux-ci étaient encore en service. Le bon fonctionnement des camps, en effet, implique que ni les détenus, ni les témoins, ni même les gardiens n'aient une connaissance précise de ce qui s'y déroule ; réciproquement, la première arme contre les camps est justement la collecte et la diffusion d'informations. On sait à quel point les nazis ont été méticuleux dans le maintien du secret concernant la

« solution finale », combien systématiquement ils ont cherché à détruire les traces de leurs actes. Les régimes communistes, de leur côté, fondent toute leur existence sur l'impossibilité pour la population d'avoir accès à une information libre, sur l'omniprésence de la propagande (l'affaire du bateau *Déesse de la démocratie*, qui a été empêché d'émettre vers la Chine, en est un exemple récent).

Que Staline et Hitler aient conduit, en même temps que leurs guerres de conquête, cette autre guerre, celle de l'information, n'est nullement le fruit du hasard. C'est le propre du totalitarisme que d'aspirer à contrôler la totalité de la vie sociale, de faire dépendre tout de la volonté de ceux qui détiennent le pouvoir. La force doit toujours l'emporter sur le droit et l'interprétation sur le fait ; l'existence d'une vérité autonome, incarnée soit dans des principes universels soit dans un savoir sur les faits, est inadmissible en régime totalitaire : elle représenterait un îlot d'indépendance sur lequel le pouvoir n'aurait pas prise. L'idée que c'est la volonté de puissance et non la connaissance de l'objet ou l'accord universel des hommes qui contrôle et oriente les interprétations est indispensable à la philosophie totalitaire ; la vérité n'est plus alors que la conséquence de cette volonté. C'est pourquoi une information échappant au contrôle du pouvoir ne peut y être tolérée. Les pays totalitaires disposent bien d'une constitution et de lois, mais on a souvent le plus grand mal à y avoir accès ; à l'adage « Nul n'est censé ignorer la loi » se substitue celui-ci : « Nul n'est censé la connaître. » Quant à l'information factuelle, données ou statistiques, elle est inaccessible (je me souviens que l'annuaire du téléphone était à Sofia un des livres les plus introuvables). Les actes de silence ou de parole ne sont donc pas neutres par rapport aux camps. « En gardant le silence, dit Bettelheim, nous agissons exactement comme le désiraient les nazis : comme s'il ne s'était rien passé » (*Survivre*, 125). « Le silence est le véritable crime contre l'humanité », ajoute Sarah Berkowitz, une survivante d'Auschwitz (43).

Il faut dire cependant que les détenus eux-mêmes et, par la suite, bien de leurs contemporains se sont engagés dans un combat pour l'information et la vérité, et qu'ils sont parvenus en fin de compte à remporter la victoire ; il est vrai que cet

« en fin de compte » peut durer plus qu'une vie humaine – et les vies sont parfois singulièrement raccourcies, du fait même de ce combat. La victoire finale est due à ce que, la vérité une fois établie, elle est indestructible, alors que les mensonges et les dissimulations doivent toujours être recommencés. Puisque, comme l'a dit Pasternak, tout le système repose sur le mensonge, si l'on peut dire la vérité, il finira par s'écrouler (c'est ce que nous apprend aussi l'expérience récente de la glasnost).

Il est évident qu'aujourd'hui l'action qui consiste à diffuser de l'information sur les camps ne comporte plus de dangers (et peut même être commercialement rentable). Il reste que, même à notre époque, cette connaissance se heurte à des résistances. Certaines d'entre elles sont bien compréhensibles. Ainsi, les anciens gardiens (il en reste peu de l'époque nazie, mais ceux des régimes communistes sont innombrables) ont tout à gagner à ce qu'on ne rouvre plus leur dossier. Pour des raisons apparentées, cette recherche de vérité peut être combattue par les partis d'extrême droite ou par les partis communistes : ce sont les différentes écoles négationnistes, ces assassins de la mémoire, comme les appelle Pierre Vidal-Naquet. D'un autre côté, et avec des motivations toutes différentes, les anciens détenus peuvent aussi opposer une résistance : ils ont parfois l'impression, eux, qu'on banalise et rabaisse leur expérience unique en l'étudiant ; ils dénient aux autres la capacité de jamais comprendre ce qu'ils ont vécu.

Mais la résistance la plus massive et la plus sournoise vient non des survivants ni de ceux qui combattent la démocratie ; elle vient de nous tous qui, ne faisant partie d'aucun de ces deux groupes, sommes de simples personnes extérieures. Nous n'avons pas envie d'écouter les récits de ces expériences extrêmes car ils nous dérangent. Primo Levi raconte que, à Auschwitz, il refaisait régulièrement le même cauchemar : sorti du camp, il rentre chez lui et fait un récit détaillé de ses infortunes. Mais soudain il s'aperçoit que personne parmi les assistants ne l'écoute, ils parlent entre eux, ne le remarquent même pas ; pis, ils se lèvent et s'en vont sans dire un mot (*Si*, 76). Ce rêve revient après sa libération, et Levi découvre qu'il est loin d'être le seul à l'avoir fait : d'autres survivants qu'il rencontre lui en font également le récit. Malheureusement, ce rêve contient une grande part de vérité. Au moment même où les camps existent encore, les récits les concernant ne manquent pas, dans les pays neutres ou chez les adversaires de Hitler ; ils ne sont pas non plus absents du temps de Staline ou de ses successeurs. On refuse pourtant de les croire, et donc finalement de les écouter, car si on le faisait on serait obligé de repenser radicalement sa propre vie. Il est des peines qu'on préfère ignorer.

La chose reste vraie après la fermeture des camps : tout le monde a ses propres soucis, tout le monde est pressé. N'avons-nous pas l'impression de connaître déjà ces récits par cœur ? Et puis, ces situations extrêmes ne nous concernent pas, nous disons-nous. Si nous appartenons à la majorité travailleuse, notre existence, aussi fournie soit-elle en déceptions affectives et en frustrations spirituelles, reste relativement douce. Les guerres se passent ailleurs, les grandes calamités sont réservées aux autres. Notre vie à nous ne se déroule pas dans les extrêmes. Pourtant, l'une des leçons de ce passé récent est précisément qu'il n'y a pas de rupture entre extrêmes et centre, mais une série de transitions imperceptibles. Si les Allemands, en 1933, avaient vraiment compris que, dix ans plus tard, Hitler allait exterminer tous les juifs d'Europe, ils n'auraient pas voté pour lui aussi massivement qu'ils l'ont fait. Chaque concession acceptée par une population nullement extrémiste est en elle-même insignifiante ; prises ensemble elles mènent à l'horreur.

Seulement, si nous acceptions de penser que le totalitarisme fait partie de nos possibles, que Kolyma et Auschwitz sont « arrivés » à des êtres comme nous et que nous pourrions nous y trouver un jour, nous aurions du mal à mener la vie tranquille qui est la nôtre. Nous devrions transformer notre image du monde et nous transformer nous-mêmes ; or une telle opération est trop onéreuse. Il se trouve que la vérité est incompatible avec le confort intérieur et que, dans notre immense majorité, nous préférons le confort. Les manuscrits enfouis dans le sol d'Auschwitz et de Varsovie ont échappé aux gardiens, ont résisté à l'humidité et, au terme de longs efforts, ont été déchiffrés ; mais il n'est pas certain qu'ils parviennent à percer le nouveau mur d'indifférence dont nous les entourons. Je ne pense pas qu'on puisse changer cet état des choses, et je ne le souhaite même pas ; mais je crois qu'il faut, périodiquement, le perturber. On risque, sinon, de ne plus rester humain.

Mais il ne suffit pas de conclure qu'il est indispensable de dire le passé, de recouvrer la mémoire. On ne peut en rester à cette exigence, pourtant impérative, pour des raisons qui ont trait à la nature de la mémoire elle-même. Celle-ci, en effet, ne peut de toute évidence être une restitution intégrale du passé – la chose est à la fois impossible et indésirable –, mais toujours et seulement une sélection de ce qui, dans le passé, nous apparaît comme digne d'être retenu. Les défenseurs du totalitarisme choisissent certains segments du passé et occultent tous les autres ; ses ennemis combattent ce choix, et en proposent un autre à la place. S'ils le font, c'est qu'ils ne tiennent pas seulement à restituer le passé, mais aussi à s'en servir d'une certaine façon dans le présent. Or il n'y a pas de relation de nécessité entre la désignation même du passé et l'usage qu'on en fera ; de l'obligation de restituer le passé il ne découle pas que tous ses usages sont également légitimes.

Pour prendre un exemple dans l'actualité politique immédiate : les peuples de l'ancienne Yougoslavie nous donnent souvent l'impression de se battre parce qu'ils font un usage malvenu de leur propre mémoire, celle des souffrances qu'ils se sont infligés mutuellement au cour de la Seconde Guerre mondiale, ou celle de calamités plus anciennes. Les Serbes ne prétendent-ils pas se battre contre les musulmans yougoslaves parce qu'ils ne peuvent oublier leur combat contre d'autres musulmans, les Turcs, vieux de plusieurs siècles ? Du moins se servent-ils de cette justification pour ne pas entendre les raisons qui les pousseraient à arrêter le conflit. Découvrir et dire la vérité sur son passé est parfaitement licite, mais cela ne justifie pas une guerre d'agression.

Mais comment faire pour distinguer entre les bons et les mauvais usages de la mémoire recouvrée ? Devons-nous nous contenter de geindre devant la disparition d'une tradition collective contraignante, qui sélectionnait certains faits et en rejetait d'autres ? Ou bien encore nous résigner à l'infinie diversité des cas particuliers ? Certainement pas. Il y a sans doute différentes façons d'apporter une réponse positive à ces questions. On peut appliquer les critères du bien et du mal aux actes mêmes qui se fondent sur la mémoire du passé, et préférer, par exemple, la paix à la guerre. On peut aussi, et c'est l'hypothèse que je voudrais proposer ici, distinguer entre plusieurs formes de réminiscence. L'événement recouvré peut être lu soit de manière *littérale* soit de manière *exemplaire*. *Ou bien* cet événement est préservé dans sa littéralité, il m'est propre, il est unique, inimitable ; alors, les associations que je lui attache restent toujours sur le plan de la contiguïté : je relève les causes et les conséquences de cet acte, je découvre toutes les personnes qu'on peut rattacher à l'agent initial de ma souffrance et je les accable à leur tour, j'établis aussi une continuité entre l'être que j'ai été et celui que je suis maintenant, ou le passé et le présent de mon peuple, et j'étends les conséquences du traumatisme initial à tous les moments de l'existence. *Ou bien* cet événement recouvré est perçu comme une instance parmi d'autres d'une catégorie plus générale, et on s'en sert alors comme d'un modèle pour comprendre des situations nouvelles, avec des agents différents ; on en fait un *exemplum* et on en tire une leçon ; dans ce cas, les associations qu'on évoque dans son esprit relèvent de la ressemblance et non plus de la contiguïté, et la question qui se pose n'est pas d'assurer sa propre identité mais de justifier les analogies.

On peut alors dire, dans une première approximation, que la mémoire littérale, surtout poussée à l'extrême, est porteuse de risques, alors que c'est la mémoire exemplaire qui est réellement libératrice. Toute leçon n'est, bien entendu, pas bonne ; chacune se laisse cependant évaluer à l'aide des critères universels et rationnels qui sous-tendent le dialogue humain, ce qui n'est pas le cas des souvenirs littéraux, incommensurables entre eux.

J'ai parlé de deux formes de mémoire, car chaque fois on garde une part du passé. Mais l'usage commun tendrait plutôt à les désigner par deux termes distincts qui seraient, pour la mémoire littérale, mémoire tout court, et pour la mémoire exemplaire, justice. La justice naît en effet de la généralisation de l'offense particulière, et c'est pourquoi elle s'incarne dans la loi impersonnelle, appliquée par un juge anonyme et mise en œuvre par des jurés qui ignorent la personne de l'offenseur comme de l'offensé. Les victimes souffrent, bien sûr, de se voir réduites à n'être qu'une instance parmi d'autres de la même règle, alors que l'histoire qui leur est arrivée est absolument unique ; et ils peuvent, comme le font souvent les parents des enfants violés ou assassinés, regretter que les criminels échappent à la peine exceptionnelle, la peine de mort. Mais la justice est à ce prix, et ce n'est pas par hasard qu'elle n'est pas appliquée par ceux-là même qui ont subi l'offense : c'est la désindividuation, si l'on peut dire, qui permet l'avènement de la loi. Loin de rester prisonniers du passé, nous devons donc le mettre au service du présent, comme la mémoire – et l'oubli – se mettront au service de la justice.

Dire, pour établir la vérité : tel est le devoir du témoin. Juger, pour que revivent les principes de la justice : c'est la vocation du juge. Mais cela ne suffit pas encore : il faut, quoi qu'il nous en coûte, produire un ultime effort, et essayer en plus de comprendre. Pourquoi et comment le mal est-il arrivé ? Si l'on se contente de dire l'événement sans chercher à le relier à d'autres faits dans le passé ou dans le présent, on en fait un *monument* ; cela vaut mieux que de l'ignorer, certes, mais n'est pas suffisant pour autant. Car la mémoire des camps doit devenir un *instrument* informant notre capacité d'analyser le présent ; et il faut pour cela reconnaître notre image dans la caricature que nous renvoient les camps, aussi déformant que soit un tel miroir, aussi pénible que soit cette reconnaissance. On pourra se dire alors que, du point de vue de l'humanité tout au moins, l'horrible expérience des camps n'aura pas servi à rien : elle nous adressera des leçons, à nous qui croyons vivre dans un univers entièrement différent. Refuser d'en rester à cette célébration inversée de l'horreur qu'est l'acte de dire le passé sans chercher à le comprendre, et donc à le comparer à d'autres événements, passés et présents, ce n'est pas vouloir tourner cette page de l'histoire ; c'est plutôt décider, enfin, de la lire.

On pourrait objecter que comprendre et juger sont des actes mutuellement exclusifs, que celui qui comprend accepte, et que pour juger il ne faut pas s'impliquer ; un proverbe bête ne dit-il pas que « tout comprendre, c'est tout excuser » ? Or il n'en est rien. Si je cherche à comprendre un assassin, ce n'est pas pour l'absoudre, c'est pour empêcher que d'autres ne répètent son acte. Réciproquement, on juge mal si l'on n'a rien compris : l'impersonnalité de la loi ne doit pas conduire à dépersonnaliser ceux qu'elle condamne ; les déterminations objectives d'un acte comme les intentions subjectives de son agent doivent peser sur le jugement que nous portons sur lui.

Or nous sommes tous, par des facettes différentes de notre être, des témoins, des juges et des interprètes ; c'est donc de notre devoir commun à tous qu'il s'agit, et non de celui des professionnels spécialisés, narrateurs, juges ou savants. Pour nous donner une chance de ne pas revivre et répéter le passé, nous devons donc lui faire subir cette triple épreuve, ne pas hésiter à le remettre sur le métier une fois de plus.

Primo Levi

J'évoquerai maintenant quelques-unes parmi les très nombreuses œuvres décrivant l'expérience des camps, pour chercher à savoir quels problèmes se posent à ceux qui, aujourd'hui et non au moment de leur existence, parlent des camps et cherchent à en tirer une leçon pour nous.

Le premier auteur sur qui je m'arrêterai est sans doute aussi le plus célèbre parmi les témoins des camps nazis : il s'agit de Primo Levi. Levi est un apprenti résistant lorsqu'on l'arrête, en Italie ; mais c'est en tant que juif qu'il est envoyé à Auschwitz, où il reste un peu plus d'un an, avant d'être libéré par l'armée soviétique. A son retour chez lui, il rédige son premier livre de méditations sur l'univers concentrationnaire, *Si c'est un homme* (1947), qui reste aujourd'hui encore le chef-d'œuvre de cette littérature. Il a raconté lui-même, plus tard, comment il avait abouti à ce texte. Au début, il est poussé à l'écriture par un besoin intérieur qu'il ne maîtrise pas et où se mêlent devoir de témoigner, désir de vengeance, espoir d'évacuer les souvenirs insupportables et appel à la sympathie des contemporains. Il écrit dans la fièvre mais ces pages ne forment pas encore le livre qu'on connaît ; il veut « redevenir un homme, un homme comme les autres »

(*Système*, 182), mais n'y parvient pas tout à fait. Puis un événement se produit, dans son présent même : il rencontre la femme qui deviendra son épouse. Le fait d'être aimé le transforme et le libère de l'emprise du passé : reconnu par le regard et le désir d'autrui, il est confirmé dans son humanité ; il peut enfin se distinguer de son ancien personnage et le voir aussi de l'extérieur. « Mon écriture même devint une aventure différente, non plus l'itinéraire douloureux d'un convalescent, d'un homme qui mendie de la pitié et des visages amis, mais une construction lucide, qui avait cessé d'être solitaire » (184). Les atrocités du passé ne sont pas oubliées ; mais elles forment maintenant la matière d'une réflexion communicable, à laquelle sont conviés des non-survivants comme nous. L'écrivain Primo Levi est né. « A ma brève et tragique expérience de déporté s'est superposée celle d'un écrivain-témoin, bien plus longue et complexe, et le bilan est nettement positif » (265).

La position de Levi à l'égard de l'expérience des camps se caractérise par un double dépassement : il se situe d'emblée au-delà de la haine et de la résignation (ce qui explique, entre autres, pourquoi son livre est passé relativement inaperçu dans l'immédiat après-guerre, à une époque où l'on préférait se réfugier dans les attitudes tranchées et les solutions radicales ; il n'est pas sûr, du reste, que cette époque soit bien terminée...). Jean Améry pense qu'il est un « pardonneur », ce qui est injuste et nous renseigne plus sur la pensée d'Améry que sur celle de Levi : qui n'est pas dans la vengeance doit avoir choisi le pardon. « Je n'ai jamais pardonné à aucun de mes ennemis d'alors », répond Levi, « je demande justice, mais je ne suis pas capable, personnellement, de me battre à coups de poing ni de rendre les coups » (*Naufragés*, 134). Si l'ennemi ne s'est pas radicalement transformé, « c'est notre devoir de le juger, non de le pardonner » ; mais, ajoute Levi, en même temps « on peut (on doit !) discuter avec lui » (*Système*, 265). En acceptant la discussion avec lui, on refuse de faire suivre l'exclusion dont on avait été l'objet par une exclusion nouvelle mais comparable, frappant cette fois-ci l'ennemi. Levi se méfie d'une telle répétition : « Je ne suis pas un fasciste, je crois dans la raison et dans la discussion comme instruments suprêmes du progrès, et le désir de justice l'emporte en moi sur la haine » (235). Il n'oublie donc aucun des deux volets de son projet. « Il faut punir et exécrer l'opresseur, affirme-t-il à une autre occasion, mais si c'est possible le comprendre » (*Naufragés*, 25). Son message aux Allemands qui ont vécu la guerre est : « Je voudrais vous comprendre afin de vous juger » (171).

Le produit de cet effort de compréhension et de jugement, ce sont les livres de Levi consacrés à l'expérience concentrationnaire, avant tout le premier et le dernier, *Si c'est un homme* et *Les Naufragés et les Rescapés*, mais aussi de nombreuses pages d'autres livres écrits entre ces deux-là, comme *La Trève*, *Le Système périodique*, *Maintenant ou jamais*, *Lilith*, *Le Fabricant de miroirs*. Un effort inégalé dans la littérature contemporaine, tant par la variété des questions soulevées que par la qualité même de la réflexion ; ce n'est pas un hasard si j'ai dû m'y référer tout au long de ces pages. Ce que j'en retiens par-dessus tout, c'est son refus du manichéisme : « Le monde n'est pas fait que de blanc et de noir » (*Le Fabricant de miroirs*, 204), aussi bien en ce qui concerne les groupes entiers (les Allemands, les juifs, les kapos, les membres des *Sonderkommandos*) que les individus : tel ancien nazi n'est « ni infâme ni héros », mais un « exemplaire humain typiquement gris » (*Système*, 163) ; on a vu à quel point Levi était attentif aux exceptions brisant les stéréotypes. Ses interprétations sont prudentes, ses jugements nuancés. S'il faut chercher une explication à ces rares qualités, je proposerai pour ma part de la voir dans son intérêt pour l'expérience quotidienne : différent encore en cela d'un Jean Améry, il n'oppose pas sa propre expérience spirituelle à l'indigence intérieure de ses compagnons, mais cherche à reconnaître la vertu humaine dans les actes les plus communs ; on a vu qu'il pouvait réciter Dante même à ceux qui n'en connaissaient rien. Son humanité l'amène à ce tour de force littéraire que sont les romans dont les personnages principaux sont des éléments chimiques (*Le Système périodique*) ou des structures métalliques, tours, ponts et grues (*La Clé à molette*).

Tout serait simple et clair si Levi ne s'était pas donné la mort en 1987. Cet acte, dit Levi lui-même à propos du suicide d'Améry en 1978, « comme tous les suicides permet une nébuleuse d'explications» (*Naufragés*, 134). Tous les suicides de survivants n'ont pas la même signification, mais on ne peut s'empêcher de leur en chercher une: ainsi d'Améry, ainsi de Bettelheim, ainsi de Borowski. Certaines de ces explications sont trop particulières ou trop personnelles pour qu'il y ait un intérêt à les discuter en public; mais je ne parviens pas à croire qu'il n'y ait aucune relation entre le suicide de Levi et la position à laquelle il avait abouti sur l'expérience concentrationnaire. Cette position n'était peut-être pas la cause du suicide; mais, même si tout ce qu'on peut dire d'elle dans ce contexte est qu'elle n'a pas été un frein suffisant pour arrêter une pulsion suicidaire, il devient nécessaire de relire plus attentivement son œuvre à la lumière de cet acte. L'impression de sérénité qui se dégage de ces pages doit-elle être nuancée par des conclusions moins visibles et plus sombres, auxquelles serait parvenu Levi?

Avant de s'interroger sur la signification exacte de son œuvre, il faut rappeler que les survivants des camps sont devenus, dans leur grande majorité, des personnes dépressives et souffrantes. La proportion des suicides est anormalement élevée parmi eux, comme celle des maladies mentales ou physiques. Levi lui-même en a parlé à plusieurs reprises, en interprétant la source de cette détresse comme un sentiment de honte d'avoir vécu ce qu'on a vécu, dans une diffuse et insurmontable culpabilité. Ce sentiment est sans rapport direct avec la culpabilité que cherchent à établir les tribunaux: en règle générale, les coupables légaux se sentent innocents, et ce sont justement les innocents qui vivent dans la culpabilité. Les souvenirs des camps accablent beaucoup plus les victimes que les bourreaux, remarque Martin Walser (Langbein, 488), après avoir assisté au procès des gardiens d'Auschwitz en 1963. On peut distinguer, à l'intérieur de cette honte ou cette culpabilité, plusieurs ingrédients.

Il y a, en premier lieu, la *honte du souvenir*. Dans les camps, l'être individuel est privé de sa volonté; il est contraint d'accomplir une série d'actes qu'il réprouve, pire, qu'il juge abjects, soit qu'il doive obéir aux ordres, soit que ce soit là le seul moyen de survivre. C'est la honte de la femme violée, comme le remarque Améry: logiquement, c'est le criminel-violeur qui devrait avoir honte, en réalité c'est sa victime, car elle ne peut oublier qu'elle a été réduite à l'impuissance, à l'aliénation totale de sa volonté. Souvent, aux yeux des détenus mêmes, les gardiens ont emporté la victoire : ils ont réussi à transformer des individus normaux en êtres prêts à tout au nom de ce but unique, survivre. Levi a décrit ce sentiment dans le chapitre de *Si c'est un homme* intitulé « Le dernier » : un homme est pendu au milieu de la cour pour avoir aidé l'insurrection du *Sonderkommando* à Birkenau ; c'est le dernier homme, ceux qui assistent à son exécution ont l'esprit brisé, ils ne se révolteront plus, ils n'osent même plus exprimer leur solidarité avec lui. De même, plus tard, pendant les derniers jours avant la libération, lorsque Levi est à l'hôpital : « Les Allemands [...] avaient bel et bien fait de nous des bêtes. Celui qui tue est un homme [...]. Mais celui qui se laisse aller au point de partager son lit avec un cadavre, celui-là n'est pas un homme » (*Si*, 227). Le souvenir d'avoir été réduit à ne vivre que pour manger, à habiter au milieu de ses excréments, à craindre tout pouvoir, est insupportable, tout comme celui de n'avoir pas agi assez pour défendre sa dignité, montrer du souci pour autrui ou tenir son esprit en éveil : même si l'on a fait des efforts, il y a eu aussi, immanquablement, des défaillances. Cette honte d'avoir été l'objet d'humiliations et d'offenses est indélébile. Améry, qui a été torturé dans les geôles de la Gestapo, écrit : « Quiconque a subi la torture ne peut plus se sentir chez lui dans le monde. La honte de la destruction est ineffaçable » (*Mind*, 40). Et, à travers les anciens détenus, nous tous pouvons faire la découverte de notre propre imperfection ; il suffit de lire leurs récits pour en acquérir l'intime conviction : nous n'aurions pas su être meilleurs qu'eux.

Une deuxième forme, plus spécifique aux rescapés des camps, est celle de la *honte de survivre*. Les gardiens utilisent fréquemment cette tactique : ils fixent d'avance le nombre d'individus (à déporter ou à tuer) ; si quelqu'un s'en échappe, il sait qu'un autre sera pris à sa place. Mais c'est de façon beaucoup plus large que cette honte est partagée par les survivants : le camp est un tel lieu que chacun y lutte pour avoir une cuillerée de soupe, une gorgée d'eau de plus ; mais cela veut dire que quelqu'un d'autre en aura une de moins, et ce manque peut tuer. Si j'avais partagé avec lui, il ne serait pas mort : chaque survivant pense qu'il vit à la place des autres, de ceux qui sont morts. Ce ne sont nullement les meilleurs qui survivent, mais ceux qui s'accrochent le plus farouchement à la vie. « Les pires survivaient, c'est-à-dire les mieux adaptés, les meilleurs sont tous morts » (*Naufragés*, 81) : le survivant n'a pas de quoi être fier. Il va de soi que cette auto-accusation est, dans la grande majorité des cas, imméritée ; elle n'en est pas moins largement partagée. Je n'étais pas mieux que les autres ; pourquoi vivrais-je alors qu'ils sont morts ? « On a l'impression que les autres sont morts à votre place, d'être vivants gratis, par un privilège que nous n'avons pas mérité, par une injustice que nous avons faite aux morts. Être vivant n'est pas une faute mais nous le ressentions comme une faute » (*Maintenant ou jamais*, 319).

Il existe enfin une troisième forme de honte, la plus abstraite, la *honte d'être humain*. Nous appartenons à une espèce dont les représentants ont accompli des actes atroces, et nous savons que nous ne pouvons nous protéger contre les implications de ce fait en déclarant ces personnes folles ou monstrueuses ; non, nous sommes bien faits de la même pâte. Levi l'éprouve dès sa libération : à son retour en Italie, raconte-t-il, il se sentait « coupable d'être homme, car les hommes avaient édifié Auschwitz » (*Système*, 181) ; il en parle déjà dans *La Trève* : « La honte que [...] le juste éprouve devant la faute commise par autrui, tenaillé par l'idée qu'elle existe, qu'elle ait été introduite irrévocablement dans l'univers des choses existantes » (14). Honte, d'abord, parce qu'il n'a pas pu prévenir l'apparition de ce mal (nous sommes ici loin des thèses soutenues par Hillesum) ; ensuite parce qu'on appartient à la même espèce que ses agents, parce que nul homme n'est une île. C'est ce que Jaspers appelle la « culpabilité métaphysique » : « Que je vive encore, après que de telles choses se sont passées, pèse sur moi comme une culpabilité inexpiable » (61). Mais peuvent l'éprouver aussi des êtres qui ignorent tout de la métaphysique. C'est ainsi que meurt le silencieux maçon Lorenzo qui avait sauvé la vie de Levi et d'autres Italiens à Auschwitz : il accomplit une sorte de suicide passif en se laissant déserter par tout désir de vivre ; il a vu le mal de trop près pour croire encore à la vie, et s'y accrocher. Lorenzo n'est pourtant pas un survivant, c'est un témoin ; mais les sauveteurs, on l'a vu, sont souvent atteints par le maladie du survivant, par le « mal des déportés » (*Lilith*, 79). Et comme nous sommes tous, d'une certaine manière, des témoins, personne ne peut se considérer comme immunisé contre cette maladie. Un autre survivant, Rudolf Vrba, avait prévu cette possibilité, dans sa description des sentiments qui l'agitaient au lendemain de son évasion : « Nous nous demandions si nous serions à nouveau heureux un jour, ou bien si Auschwitz, ayant gagné la partie, vivrait en nous jusqu'à notre mort et irait ensuite hanter ceux qui auraient compris » (322).

Aux différentes formes de honte qui accablent le survivant viennent s'ajouter des déceptions plus récentes, celles que provoque la vie en liberté. De retour chez lui, il ne peut s'empêcher d'aspirer à une sorte de gratification, après les souffrances inhumaines qu'il a subies ; or il ne la trouve pas. La désolation règne aussi en dehors des camps, chacun est pressé de panser ses propres plaies et d'oublier les malheurs d'hier ; les survivants, ces revenants, symbolisent un passé que l'on veut écarter. Au-delà même de cette frustration personnelle, les survivants trouvent le monde profondément décevant par rapport à leurs espoirs qui étaient grands. Ils avaient été soumis à une pression extraordinaire, ils avaient enduré des souffrances hors du commun ; ils s'attendent, à leur retour, que le monde soit modifié par cette expérience exceptionnelle. « Nous avons connu un extrême – le mal absolu –, dit une survivante d'Auschwitz, Grete Salus, nous pensions ensuite connaître l'extrême contraire – le bien absolu » (Langbein, 452). Or, il n'en est rien. Tout continue comme avant : chacun reste enfermé dans son petit égoïsme, les arrivistes continuent d'arriver (les premiers), l'injustice règne toujours, et de nouvelles guerres menacent. Les camarades du camp sont morts pour rien ; ne parvenant pas à transformer le monde, les survivants ont trahi les morts d'antan. Etty Hillesum l'annonçait déjà en 1942, contredisant la conception quiétiste qui lui était chère : « Si toute cette souffrance n'amène pas un élargissement de l'horizon, une plus grande humanité par la chute de toutes les mesquineries et petitesses de cette vie – alors tout aura été vain » (I, 180). Les autres, la population environnante, cherchent à refouler le souvenir des camps ; quand ils acceptent de le garder, c'est pour le simplifier et le schématiser jusqu'à la caricature, jusqu'à ce qu'il entre dans l'un des stéréotypes disponibles, par exemple celui des gendarmes et des voleurs, ou celui des anges et des démons.

Ou alors, une autre réaction s'installe : tandis que dans le camp, il fallait tendre toutes ses forces, vivre au-delà de ses propres capacités, dans le monde normal se produit un affaissement général. La vie aux camps est d'une difficulté extrême ; mais, pour cette raison précisément, elle a quelque chose d'exaltant. Après l'intensité de la première expérience, tout paraît maintenant fade, futile, faux. Les leurres, les consolations habituels n'agissent plus pour celui qui revient d'un voyage en enfer. Et la sensation même de vivre s'amenuise jusqu'à disparaître. C'est à cela que pensent les survivants quand ils affirment, quelque temps après leur retour : il m'arrive, horreur, de regretter les camps ; une partie de mon être est restée là-bas ; maintenant, quelque chose en moi est mort, même si cela ne se voit pas. Charlotte Delbo a transcrit de nombreux monologues désespérés de survivantes dans *Mesure de nos jours :* « je suis morte » est le leitmotiv de la plupart d'entre eux. Écoutons « Mado » (Madeleine Doiret) : « Je ne suis pas vivante. Je me regarde, extérieure à ce moi-là qui imite la vie » (*Auschwitz*, III, 47). « Je vis sans vivre. Je fais ce qu'il faut faire » (49). « Je ne me sens pas vivre. Mon sang bat comme s'il coulait en dehors de mes veines » (57). « Je suis morte à Auschwitz et personne ne le voit » (66).

Dans l'existence que l'on mène, après la guerre, on ne rencontre pas l'absolu. Il y a quelque chose de disproportionné entre l'intensité de la vie (aux camps), même si cette vie n'est pas heureuse, et la médiocrité du bonheur (au dehors), à supposer même qu'on y accède. Une femme qui a vu massacrer son mari et ses enfants, qui a connu l'épreuve d'Auschwitz et de Ravensbrück, a survécu et s'est retrouvée à New York en 1952. Elle a refait sa vie. « Mon [nouveau] mari a travaillé tout ce temps dans une usine qui fabrique des blousons de sport, et on s'en tire pas trop mal. On a un joli trois pièces avec tout le confort moderne. On lit le *Post*, et de temps à autre on va voir un spectacle » (Trunk, 129). Comment comparer deux valeurs incommensurables ? Pourtant, il ne faudrait rien regretter : la vie humaine ne doit pas obéir aux exigences héroïques de l'absolu, il faudrait pouvoir la prendre avec ses petits malheurs et ses joies simples. Mais ce n'est pas toujours facile.

L'ancien détenu a donc de nombreuses raisons pour se sentir déprimé, et certains sont conduits jusqu'au suicide. Levi n'en a rien ignoré, et lui-même a écrit, dans son dernier livre : « L'océan de douleur, passé et présent, nous entourait, et son niveau a monté d'année en année jusqu'à nous engloutir presque » (*Naufragés*, 84). Cet aveu est terrible ; et un tel « presque » n'est-il pas bien fragile ? Je ne parviens pourtant pas à me satisfaire de ces considérations générales pour éclairer la position de Levi. Ayant su, plus et mieux que tout autre, décrire la détresse du détenu comme celle du survivant, il devient, par là même, un peu différent des autres. Les anciens détenus se divisent en deux catégories : ceux qui se taisent et cherchent à oublier, ceux qui choisissent de ne rien oublier et parlent, pour que les autres se souviennent, eux aussi. Levi appartient incontestablement au second groupe, et cette attitude, plus saine que la première, le protège dans une certaine mesure de la « maladie du survivant » : il en connaît trop bien les symptômes. Il me semble que, pour interpréter sa position, on doit se souvenir de quelques traits plus spécifiques de son histoire, et non seulement de ceux qu'il partage avec les autres survivants.

L'objet des méditations de Levi est double : les détenus et les gardiens. La proportion de ces deux préoccupations varie selon les années. Au début, on l'a vu, il écrit pour réintégrer la communauté humaine ; c'est sa propre expérience de détenu qui est au centre de son attention. Pourtant, parallèlement se maintient son intérêt pour les gardiens, comme il l'annonce dans sa préface pour l'édition allemande de *Si c'est un homme*, en 1960. « Je ne puis dire que je comprends les Allemands ; or, une chose qu'on ne peut comprendre constitue un vide douloureux, une piqûre, une irritation permanente » (*Naufragés*, 171). Cet autre objet prend une place de plus en plus importante. Le projet de Levi, d'autre part, est de comprendre et juger ; mais comme « juger » n'est guère problématique pour lui (il peut même laisser l'exécution de la justice aux autres, aux juges professionnels), la préoccupation majeure de ses dernières années devient précisément celle-ci : comprendre les Allemands.

Or un tel projet entraîne Levi sur un chemin dangereusement glissant. Nous connaissons ses conclusions : d'une part, ce ne sont pas des monstres, mais des gens ordinaires ; de l'autre, le peuple entier, et non seulement tel ou tel individu particulièrement actif, est coupable – non de l'extermination elle-même, mais de complicité silencieuse et de lâcheté : de ne pas avoir cherché à savoir et, partant, à empêcher ce qui s'accomplissait à côté d'eux. La conclusion manquante de ce syllogisme ne serait-elle pas : si les autres sont comme moi, et qu'ils sont coupables, c'est que je le suis aussi ? Une culpabilité supplémentaire ne s'abat-elle pas sur les épaules de Levi ? Conclusion absurde, bien sûr, déduction intenable ; mais notre inconscient ne favorise-t-il pas précisément ce genre d'erreur ? Levi assimile cette expérience particulière à celle d'un chien habitué « à réagir d'une certaine façon devant un cercle et d'une autre, devant un carré, lorsque le carré s'arrondissait et commençait à ressembler à un cercle » (179) : le chien tend à devenir névrotique. A force de comprendre, Levi finit par rendre sien le désir des autres de le détruire. A force de voir les côtés humains de ses assassins, il n'a plus de ressources pour lutter contre le verdict de mort qu'ils avaient fait peser sur lui. Ce faisant, il a oublié sa propre mise en garde : « Peut-être que ce qui s'est passé ne peut pas être compris, et même ne doit pas être compris, dans la mesure où comprendre, c'est presque justifier » (*Si*, 261). Je ne crois pas cette formulation parfaitement exacte : comprendre implique seulement qu'on est capable de se mettre provisoirement à la place de l'autre, non de le justifier ; mais j'admets que c'est ce que devraient se dire les survivants.

L'ancienne victime n'est peut-être pas la mieux désignée pour conduire à bien le projet de compréhension de l'ennemi, non parce qu'elle manque de connaissances (elle en a plus que n'importe qui), mais parce que ce processus risque d'être particulièrement douloureux pour elle. L'épreuve est trop dure, même pour Primo Levi, le meilleur des hommes : c'est comme s'il se sacrifiait pour notre bien. Demande-t-on aux parents qui ont vu tuer leurs enfants de se pencher sur la psychologie des assassins ? A cet égard, l'attitude incompréhensive d'autres anciens détenus est certainement, en ce qui les concerne eux-mêmes, plus saine : mieux vaut pour eux haïr l'ennemi, comme on a vu le faire Rudolf Vrba, que de le comprendre. Jorge Semprun dit brutalement : « Ça n'a aucun intérêt de comprendre les SS, il suffit de les exterminer » (85), et c'est bien, parce que c'est Semprun qui le fait, en pensant à sa réaction sur le moment. C'est nous, tous les autres, qui avons le devoir de comprendre.

Levi aurait pourtant pu se rendre compte que son projet de compréhension des anciens nazis avait quelque chose d'irréalisable : chaque fois qu'une rencontre réelle se dessine à l'horizon, il panique. Une amie allemande lui envoie le livre de Speer (« je me serais volontiers passé de cette lecture »), et, surtout, donne son livre à Speer, en lui promettant de lui transmettre les réactions de celui-ci ; Levi en est affolé. « Ces réactions, à mon grand soulagement, ne sont jamais venues : si j'avais dû [...] répondre à une lettre d'Albert Speer, j'aurais eu quelques problèmes » (*Naufragés*, 191-2). Réticence singulière ? Non. En faisant la connaissance approfondie d'un nazi, Levi aurait été amené à le reconnaître dans son humanité ; mais, du coup, il n'aurait plus eu d'armes pour se défendre contre l'intention meurtrière exprimée par les nazis à son égard. L'épisode avec le Docteur Müller, rapporté dans *Le Système périodique*, est assez semblable : Levi avait rencontré ce chimiste allemand à Auschwitz, alors que l'un appartenait à la race des seigneurs, l'autre, à celle des esclaves ; il le retrouve longtemps après, à la suite d'un contact professionnel. Il lui écrit pour lui demander « s'il acceptait les jugements » (259) contenus dans son livre ; Müller répond en lui proposant de venir le voir. Levi a peur, il ne souhaite pas le rencontrer, il évite la question ; l'annonce de la mort subite de Müller lui apporte, de nouveau, un grand soulagement. Et il a parfaitement raison : ce n'est pas à lui de jouer ce rôle.

Je ne suis pas sûr, en même temps, que le projet de Levi, en ce qui concerne « les Allemands », se limite à ce qu'il en énonce lui-même, à savoir les comprendre. Dans la même préface à la traduction allemande de son livre, il poursuit : « J'espère que ce livre aura quelque écho en Allemagne [...] parce que la nature de cet écho me permettra peut-être de mieux comprendre les Allemands, d'apaiser cette irritation » (*Naufragés*, 171). L'écho est bien venu, comme en témoigne le dernier chapitre de *Les Naufragés et les Rescapés*, mais il n'a pas apporté l'apaisement. Levi explicite un peu plus son intention dans *Le Système périodique* : « Ç'avait été mon désir le plus vif et le plus permanent dans mes années de l'après-Lager de me trouver, d'homme à homme, en train de régler des comptes avec un des "autres" » (255). Il appelle ce moment « l'heure du dialogue » (*Naufragés*, 165) ; mais ce qu'il décrit ne ressemble pas à un dialogue. Il veut que son interlocuteur soit coincé par les faits irréfutables – et qu'il avoue sa faute. C'est un consentement qu'il demande plutôt qu'un dialogue, même s'il a renoncé à toute violence ; ce qu'il recherche n'est pas la seule compréhension des autres, c'est aussi leur conversion.

Conversion à quoi ? A une humanité meilleure. Chacun doit commencer par admettre sa culpabilité, puis se transformer de l'intérieur pour qu'Auschwitz devienne impossible dans l'avenir. « Chaque Allemand, plus, chaque homme, doit répondre à Auschwitz, et [...] après Auschwitz il n'est plus permis d'être sans armes » (*Si*, 265). Il faut désormais préférer la vérité au confort, et être prêt à s'entraider. Si Levi prend à la lettre sa propre exigence, il ne peut qu'être désespéré : il a manifestement mis la barre trop haut. L'humanité (car c'est bien d'elle qu'il s'agit, et non seulement des Allemands) ne s'est pas réformée, elle distord déjà et refoule même ce passé si proche, comme Levi est le premier à l'observer. Ce sont toujours les innocents qui se sentent coupables, et les coupables, innocents. C'est pour cette raison sans doute que Levi sent l'océan de douleur monter d'année en année : il devient désespérément clair que, quel que soit le destin de tel ou tel individu, l'être humain ne s'améliore pas. L'humanité, prise comme un tout, refuse d'entendre la leçon d'Auschwitz, il n'y a pas d'illusions à se faire là-dessus.

Les livres de Levi ont contribué peut-être plus que tous les autres à nous alerter sur les dangers qui nous guettent aujourd'hui. Mais ce combat-là, celui qui consiste à aider l'humanité à s'améliorer, n'est jamais définitivement gagné ; et on le mène parce qu'il est juste, non parce qu'on en verra les résultats. Je me demande si Levi ne transpose pas parfois l'idéal politique démocratique, celui du débat rationnel et de l'intervention volontaire, à la psychologie des individus; il ne pourrait alors qu'être déçu dans ses attentes. Comme il nous l'a si bien appris, l'être humain se laisse guider par des mobiles plus obscurs et suit des chemins plus tortueux que ceux recommandés par la droite raison, et il répugne à se servir des « instruments suprêmes du progrès ». Ne pas l'admettre, voilà qui conduit au véritable désespoir.

Shoah

La deuxième œuvre vers laquelle je me tourne est le film de Claude Lanzmann *Shoah* (1985). Il est vrai qu'il s'agit là d'une œuvre de cinéma (même s'il existe une transcription de son texte sous forme de livre) et que la spécificité de l'image exige une analyse particulière; d'un autre côté, le thème exclusif de ce film sont les camps d'extermination, qu'on ne peut simplement assimiler aux autres camps totalitaires. Je crois néanmoins que le retentissement – mérité – de *Shoah* justifie sa présence dans le contexte de cette discussion.

Shoah est un film composé essentiellement d'interviews avec trois groupes de personnages : des survivants (juifs) des camps d'extermination; des témoins (polonais); et des anciens nazis (allemands). Le sujet du film (l'extermination) comme sa matière (les interviews) appartiennent donc à l'histoire. Pourtant, et c'est sa première caractéristique frappante, il ne s'agit pas d'un documentaire, au sens courant du mot, mais, disons, d'une œuvre d'art. En effet, *Shoah* ne cherche pas à établir une vérité nouvelle sur son sujet, et il part de ce qui est déjà connu des historiens (du reste, la plupart des personnes interrogées ont présenté auparavant leur témoignage ailleurs, et de façon plus détaillée : Vrba, Müller, Karski ont publié des livres, Glazar et Suchomel sont longuement interrogés dans le livre de Sereny, sans parler de Hilberg, auteur de plusieurs ouvrages); et Lanzmann lui-même n'a pas beaucoup de respect pour les documentaires purement factuels : « Les souvenirs, on en voit tous les jours à la télévision : des types cravatés derrière leur bureau, qui racontent des choses. Rien n'est plus ennuyeux » (*Au sujet*, 301).

Le projet de Lanzmann est tout autre : « Ce n'est pas un documentaire » (298) ; ce à quoi il aspire n'est pas d'atteindre à une plus grande exactitude dans la description du passé, mais de ressusciter ce passé dans le présent. Le choix d'un tel but entraîne celui des moyens appropriés. D'abord, Lanzmann retient parmi les témoins ceux qui ne se contentent pas de rapporter les faits, mais vont les revivre sous nos yeux. Pour parvenir à ce résultat, il les amène sur les lieux mêmes du crime (ou sur des lieux qui leur rappellent les sites originaux), où il guette leur réaction. Quand il le faut, il pratique une reconstruction du contexte : il loue une locomotive pour y installer l'ancien conducteur, Gawkowski ; ou un salon de coiffure pour remettre en situation l'ancien coiffeur, Abraham Bomba. A d'autres moments, il pose des questions provocantes ou insidieuses pour que se révèlent des côtés insoupçonnés de ses interlocuteurs. Il crée donc un film dans lequel les personnages d'antan retrouvent devant la caméra l'intensité de leur expérience ancienne.

La distance entre passé et présent est abolie. Lanzmann filme, non pas le passé, ce qui est impossible (il n'y a aucun matériel d'archives dans *Shoah*), mais la manière dont on s'en souvient – maintenant. L'intensité émotive augmente par l'implication du cinéaste lui-même dans le film ; il raconte : « J'ai eu besoin de souffrir en faisant ce film [...]. J'avais le sentiment qu'en souffrant moi-même, une compassion passerait dans le film, permettrait peut-être aux spectateurs de passer, eux aussi, par une sorte de souffrance » (291). Pari gagné : en nous faisant revoir les mêmes visages tendus, les mêmes paysages, les mêmes trains, Lanzmann nous oblige à partager – de façon infiniment plus légère, certes – l'angoisse des anciens voyageurs. Cette décision – de produire une œuvre plutôt qu'un témoignage de plus – est finalement responsable de l'expérience bouleversante que représente la confrontation avec le film.

Mais en disant que Lanzmann crée une œuvre d'art et non un documentaire, nous n'avons pas pour autant dénié à *Shoah* la capacité de nous dire la vérité sur une époque, et sur les événements qui s'y déroulent. D'abord parce qu'il s'agit de faits historiques et non imaginaires ; ensuite parce que les interviews, elles aussi, sont réelles et non fictives ; enfin (et surtout) parce que l'art représentatif aspire également à nous dévoiler la vérité du monde. Quand l'histoire sert de point de départ à ses fictions, le poète peut prendre des libertés par rapport au déroulement exact des faits, mais c'est pour en révéler l'essence cachée : là gît la supériorité de la poésie sur l'histoire, disaient déjà les Anciens. Lanzmann en pense autant. « Le film peut être autre chose qu'un documentaire, ce peut être une œuvre d'art – et il peut être également véridique » (243) ; cela est incontestable. En même temps, l'œuvre d'art est aussi une affirmation de valeurs, elle témoigne donc d'un engagement moral et politique, et le choix de ces valeurs ne peut être imputé qu'à l'artiste : les faits en eux-mêmes ne détiennent pas de leçons, ils ne sont pas transparents par rapport à leur signification ; c'est l'interprétation qu'en donne l'artiste qui est responsable des jugements contenus dans l'œuvre. C'est ici que *Shoah* devient problématique pour moi : non comme œuvre d'art, mais comme tentative pour dire la vérité d'un certain monde, et comme leçon qui en est tirée. Il parvient à nous *dire* avec beaucoup de force les événements du passé, mais il nous conduit à les *juger* de façon trop schématique et du coup ne nous permet pas toujours de les *comprendre*.

La plupart des réserves déjà émises à l'égard de *Shoah* ont porté sur la partie « polonaise » du film. A l'exception de Karski, un Polonais qui a fui la Pologne, Lanzmann a choisi de ne montrer que des Polonais antisémites. Ils sont restés indifférents à la souffrance des juifs, ils manient toujours les mêmes clichés les concernant, ils sont finalement contents d'en être débarrassés. Or, telle est la loi de l'art que ce qui n'est pas montré n'existe pas ; par conséquent, quelle que soit l'intention de Lanzmann, son message dit : tous les Polonais sont antisémites. Sans chercher à contester l'existence de tels sentiments dans la population polonaise, on peut trouver cette affirmation par trop simpliste et manichéenne : la situation réelle, je l'ai rappelé précédemment, est beaucoup plus nuancée. Du reste, le message est, à cet égard, si schématique, qu'à l'époque de la sortie du film le gouvernement polonais, qui voulait se défendre contre cette image de la Pologne, s'est contenté de diffuser à la télévision les séquences polonaises, et elles seulement : leur caractère partial sautait alors aux yeux. En ne montrant pas d'exception à la règle qu'il veut illustrer, Lanzmann embrasse, sans doute involontairement, la thèse de la culpabilité collective. Il n'est donc pas vrai que, comme l'affirme son auteur, *Shoah* montre « la vraie Pologne, la Pologne profonde », et que le film ne laisse de côté « rien d'essentiel » concernant ce pays (244).

Si on lit les textes de Lanzmann, contemporains ou postérieurs à l'élaboration du film, on comprend les raisons de cette partialité. La Pologne n'est pas pour lui un pays réel, mais, un peu comme pour les héros de l'insurrection de Varsovie, une abstraction ou une allégorie : le lieu de la mort des juifs, « le terrain d'abattage par excellence » (312). « Un voyage en Pologne est d'abord et surtout un voyage dans le temps », décide-t-il au lendemain de sa première visite (213) ; ou plus tard : « L'Ouest, pour moi, est humain, l'Est me fait peur » (300). Cette allégorisation de la Pologne réelle le conduit à se consacrer exclusivement à l'illustration de ce qu'il appelle « mes propres obsessions », et à accuser la différence entre les Polonais et les autres êtres humains. On a vu ainsi que, d'après Lanzmann, les paysans français n'auraient jamais admis les camps d'extermination chez eux – ce qui veut dire que les Polonais sont coupables de l'avoir fait. A défaut de pouvoir vérifier cette supposition, on peut établir un parallèle à propos d'un autre détail de la même histoire. Lanzmann reproche aux Polonais de s'être précipités sur les lieux de l'extermination, au lendemain des crimes, « pour fouiller la terre à la recherche des devises, des bijoux et des couronnes dentaires qu'ils savaient y être ensevelis » (215). Les paysans français, eux, se portèrent volontaires pour la fouille des juifs enfermés dans le Loiret ; certaines femmes arrachaient « parfois les boucles des oreilles lorsque cela n'allait pas assez vite ». D'autres « se sont distingués en ratissant le contenu des latrines, à la recherche de bagues, de bracelets et de colliers » (Conan, 66).

La représentation des Allemands, dans *Shoah*, est tout aussi schématique, même si les Allemands n'ont pas adressé publiquement des critiques à Lanzmann (ou alors je les ignore). Tous, sauf les représentants contemporains de la justice, sont invariablement nazis, tous prétendent ignorer ce qui s'est passé, tous se réjouissent secrètement du sort des juifs. Les textes de Lanzmann explicitent le message du film : « En ce qui concerne l'Allemagne, le processus de destruction n'a pu s'accomplir que sur la base d'un consensus général de la nation allemande. [...] [Il y a eu] la participation active et patiente de la totalité de l'appareil administratif » (*Au sujet*, 311). Les Allemands de l'après-guerre ne valent guère mieux que leurs aînés : « Grasse et riche, l'Allemagne était aussi sans passé, ses jeunes hommes – ceux qui ont aujourd'hui entre trente et quarante ans – étaient des zombis » (312). Non seulement Lanzmann choisit tendancieusement ses personnages, mais il écarte de leurs paroles tout ce qui brouillerait un peu cette répartition systématique : ce n'est pas dans *Shoah* (mais dans le livre de Sereny) que nous apprenons que Glazar a envoyé son fils en Allemagne pour y étudier, que Siedlicki a épousé une Allemande, et ainsi de suite ; ce n'est pas là non plus que nous pourrons avancer dans la compréhension d'un personnage comme le SS Suchomel. Lanzmann réserve toute sa sympathie pour les survivants des camps, et cela est naturel. Mais son hostilité à l'égard de tous les autres nous empêche de comprendre les mécanismes grâce auxquels tant de gens ordinaires ont pu participer à ces crimes. Il nous rassure (et se rassure) en confirmant les oppositions familières : nous et eux, amis et ennemis, bons et méchants ; sur le plan des valeurs morales au moins, tout est simple et clair.

Un autre aspect problématique du film de Lanzmann, c'est que l'auteur a décidé de ne pas tenir compte de la volonté des personnes qu'il interroge. Les interviews des anciens nazis n'auraient pu être prises sans une certaine tromperie (ils ne savent pas qu'ils sont filmés, on leur promet l'anonymat, etc). Celles des anciens détenus ou témoins se poursuivent même s'ils s'effondrent et demandent un répit ; on a du mal à ne pas les sentir un peu manipulés. Lanzmann donne l'impression que l'expérience de ces individus lui importe moins que le résultat qu'il voudrait obtenir (une grande œuvre, un impact plus puissant). L'art y gagne en émotion ;

mais les êtres humains sont utilisés comme des instruments. La leçon que Lanzmann transmet aux spectateurs, à travers ces scènes, finit par devenir celle-ci : vous n'avez pas à tenir compte de la volonté de l'individu si elle vous empêche d'atteindre votre objectif. En toutes autres circonstances, un tel procédé pourrait passer inaperçu, nous laissant éblouis par son efficacité ; mais, s'agissant de la représentation d'un univers dont l'un des traits marquants était le déni de la volonté individuelle, on se met à souhaiter que Lanzmann ait été un peu plus circonspect dans le choix de ses moyens.

Lanzmann est, bien sûr, conscient des reproches qu'on peut lui adresser ; pour les écarter, il a toujours recours au même argument : si j'avais fait autrement, l'effet obtenu eût été moindre. On lui demande, par exemple, pourquoi il n'a pas interrogé Bartoszewski, qui avait participé au sauvetage des juifs en Pologne, et en savait long là-dessus ; « il répondit qu'il avait rencontré Bartoszewski, que son discours était tout à fait ennuyeux : il se contentait de réciter, il était incapable de revivre le passé » (231). Pour faire une belle œuvre d'art, on ne doit plus respecter les règles de la bonne société, dit aussi Lanzmann. Vérité et morale sont donc soumises à cet autre objectif : frapper les cœurs, produire une œuvre d'une plus grande intensité ; Lanzmann cherche à faire revivre l'horreur plutôt qu'à nous la faire comprendre. A sa façon, *Shoah* participe de cet art que refusait Marek Edelman, l'art qui sacrifie le vrai et le juste au beau ; est-ce un hasard si Edelman lui-même, survivant de l'insurrection du ghetto, est absent du film ?

Il y a bien une dimension morale, nous l'avons vu, dans l'activité même de l'esprit, et donc dans la production d'une œuvre d'art ; il y a d'autre part une amoralité inhérente au geste créateur, puisque l'artiste ne peut réussir que s'il s'affranchit de toute tutelle dogmatique et extérieure. Mais c'est d'autre chose encore qu'il s'agit ici : au-delà de ces caractéristiques communes à toutes les grandes œuvres, chacune prend aussi position par rapport aux valeurs du monde ; et il se trouve que *Shoah* fait revivre un certain manichéisme, la thèse de la culpabilité collective, un manque de respect pour la dignité de la personne. Là gît à mes yeux le paradoxe de ce film : alors même qu'il se propose de combattre certains principes, il les mantient en vie.

A plusieurs reprises, Lanzmann se déclare hostile à toute tentative de *compréhension* de la violence qui a eu lieu ; il aspire, lui, à sa mise en scène, à sa *reproduction.* « Il y a quelque chose qui pour moi est un scandale intellectuel : la tentative de comprendre, historiquement, comme s'il y avait une sorte de genèse harmonieuse de la mort. [...] Pour moi, le meurtre, qu'il soit d'ailleurs individuel ou de masse, est un acte incompréhensible. [...] Il y a des moments où comprendre, c'est la folie même » (289). « Tout discours qui cherche à engendrer la violence [c'est-à-dire à l'expliquer] est un rêve absurde de non-violent » (315). C'est pourquoi aussi Lanzmann refuse toute comparaison de l'holocauste avec un événement passé, présent ou même futur (!), et défend la thèse de son « unique singularité » (308)... Mais, même s'il n'y a pas de genèse harmonieuse de la mort, ni de déduction logique de l'événement à partir de ses prémisses, même si dans le judéocide perpétré par les nazis il restera toujours, quels que soient nos efforts, une part obscure, il y a aussi beaucoup de choses à comprendre, et la compréhension permet de prévenir le retour de l'horreur, certainement mieux que ne le fait son refus. Renoncer à tout effort pour comprendre ces meurtres, est-ce la meilleure manière d'empêcher qu'ils recommencent ? Enfermer ainsi l'événement dans sa singularité, lui refuser toute ressemblance avec le présent ou le futur, n'est-ce pas une façon de nous priver de ses leçons pour nous ?

Dans une page que je trouve troublante, Lanzmann raconte qu'il a fait sienne la leçon donnée par un SS d'Auschwitz à Primo Levi : (« *Hier ist kein warum* », ici il n'y a pas de pourquoi). « "Pas de pourquoi" » : cette loi vaut aussi pour qui assume la charge d'une pareille transmission, celle de son film (279). Mais faut-il s'empresser de reprendre ainsi à son compte la leçon d'Auschwitz que Levi aura passé quarante ans à combattre, même si les circonstances, aujourd'hui si différentes, feront que son sens ne restera pas le même ? Ou à propos de la haine : on demande à Lanzmann, dans une interview, s'il croit qu'il y en avait chez les nazis. Il écarte impatiemment la question : ce genre de considérations psychologiques ne l'intéresse pas (282). Mais, plus tard, il y revient à propos de lui-même : pour tourner son film, il lui faut de la haine (même s'il n'y a pas seulement cela), il voulait, dit-il à propos de Suchomel, « le tuer avec la caméra » (287). Est-ce un hasard que celui qui refuse de comprendre le meurtre soit aussi celui qui voudrait « tuer » ?

On pourrait trouver déplacées mes réserves sur une œuvre aussi puissante. Quand l'horreur de l'acte a été si extrême et la douleur si vive, faut-il se poser beaucoup de questions et exiger des jugements nuancés ? Mais on pourrait plaider en sens inverse : c'est précisément chez celui qui est allé aussi loin dans la connaissance du mal qu'on voudrait trouver une plus grande sagesse. Lanzmann a bien sûr raison de haïr le mal comme il le fait, et de garder intact son « ressentiment » (pour parler comme Améry). Mais son œuvre n'est pas seulement une évocation du passé, elle est aussi un acte accompli dans le présent, qu'on doit apprécier en lui-même. Or l'énormité du mal passé ne justifie pas un mal présent, même si celui-ci est infiniment moindre.

« Au fond des ténèbres »

Je voudrais pour finir m'arrêter sur un livre qui me paraît incarner remarquablement bien l'équilibre entre « dire », « juger » et « comprendre » : c'est *Au fond des ténèbres* de Gitta Sereny (1974). Ce livre est constitué par le récit des entretiens que Sereny, journaliste anglaise, a eus à la prison de Düsseldorf avec Franz Stangl, l'ancien commandant de Sobibor et de Treblinka, et des enquêtes qu'elle a conduites, aux quatre coins de la planète, en vue de compléter et d'éclairer l'information ainsi recueillie.

Il y a donc, tout d'abord, une remarquable reconstruction des faits, en l'occurrence les deux camps d'extermination. Elle s'accompagne d'un jugement : c'est ce qui, chez Sereny, va de soi, ce sur quoi elle n'a aucun doute. Elle l'annonce à Stangl au cours de leur premier entretien. « Je lui dis aussi qu'il importait qu'il sache dès le départ que j'avais en horreur tout ce que les nazis avaient fait et représenté » (28). Mais condamner ne lui suffit pas. Alors, elle se saisit de cette occasion, interroger le seul commandant d'un camp d'extermination qui soit accessible aux questions, l'un des hommes donc qui ont participé activement au mal le plus extrême qu'ait connu notre siècle. Il s'agit d'une tentative pour comprendre le mal, avec la collaboration – bienveillante mais tortueuse – d'un de ses représentants les plus accomplis. Le but de Sereny n'est pas du tout d'amener Stangl à la conversion, mais seulement de chercher la vérité dans un domaine resté jusqu'alors incompréhensible. Le fils d'un SS ayant servi à Treblinka dit à un moment : « Je donnerais n'importe quoi pour comprendre » (88) ; Sereny en fait autant, et nous conduit à la suivre sur ce chemin.

Quand je décris le projet de Sereny à quelqu'un qui n'a pas lu son livre, il exprime habituellement une certaine méfiance : ne se serait-elle pas rendue coupable de complaisance à l'égard de l'ancien bourreau, ne lui fait-elle pas trop d'honneur en s'intéressant de si près aux explications qu'il peut fournir ? Tout comprendre n'est-ce pas tout pardonner ? Cette réaction révèle, me semble-t-il, la crainte qu'on éprouve de voir que les porteurs du mal ne sont pas radicalement différents de soi. Le livre de Sereny ne verse jamais dans la complaisance : comprendre un acte ne signifie nullement qu'on l'efface, encore moins qu'on en disculpe l'auteur. Il y a bien un danger, mais il est ailleurs : il menace l'auteur lui-même. Pour discuter avec Stangl ou d'autres nazis, elle est obligée d'admettre un cadre de référence commun ; le danger, c'est que ce cadre s'élargisse subrepticement, jusqu'à envahir entièrement le tableau lui-même (c'est encore le chien névrotique de Levi ; ou ma propre difficulté à lire Hoess). Le résultat n'est pas qu'on devienne soi-même nazi, mais qu'on se sente coupable d'avoir accepté tant de complicité. Sereny éprouve ce sentiment à plusieurs reprises : ainsi, dans ses discussions avec Allers, un haut fonctionnaire nazi, intelligent et dépourvu de tout remords, ou, à certains moments, avec Stangl lui-même ; au point qu'elle doit s'interrompre pour se demander si elle a encore la force d'écouter ses révélations. Parler *avec* quelqu'un, plutôt que *de* lui, implique que je me reconnaisse une certaine communauté avec cette personne, même si mes paroles sont, dans leur sens, incompatibles avec les siennes ; il faut être capable d'un remarquable détachement pour maintenir le cadre de communication tout en se dissociant du contenu des propos (et des actes par eux évoqués).

Mais si Sereny ne fléchit jamais dans sa condamnation, elle se refuse, d'un autre côté, de se servir de ces entretiens comme d'un moyen pour punir ses interlocuteurs, ou de leur dénier la dignité et le droit de se conduire en accord avec leur volonté : rien ne lui est plus étranger que le désir de « tuer par la caméra » dont nous fait part Lanzmann, qui a pourtant suivi de près son choix de témoins. Elle a décidé, elle, « d'interroger mais non de blesser », elle cherche, dans le meilleur des cas, « à éclairer » les coupables, non à « les faire souffrir » (17). La fille de Stangl est peu loquace ; mais, « le peu que Renate a dit, en faisant un effort énorme, elle l'a dit volontairement » (375). Oberhauser, le serveur de brasserie à Munich, refuse de parler ; elle ne cherchera pas à lui forcer la main, sous prétexte que c'est un ancien assassin. Suchomel collabore, sans qu'il soit nécessaire de le tromper.

Cette attitude n'est pas seulement plus respectable, elle est aussi plus féconde : aucun sujet ne peut progresser dans sa recherche de la vérité s'il sait qu'il sera puni pour les découvertes qui ne plaisent pas à son interlocuteur. Cela reste vrai de Stangl aussi : « Quel qu'ait pu être mon intérêt professionnel, je jugeais important de ne pas arracher à cet homme plus qu'il ne voulait me dire, à force de le fatiguer ou d'argumenter. Pour que la totalité de ce qu'il avait à dire et peut-être à nous apprendre revêtît sa pleine validité et une valeur authentique, il fallait qu'il la donnât librement et dans l'entière possession de ses facultés » (274). Par ses questions et rapprochements, Sereny fait souffrir Stangl, cela est clair, alors qu'elle veille à ne pas blesser les membres de sa famille ou les victimes ; mais elle ne se permet pas de *contraindre* Stangl à dire ceci ou cela, sachant qu'une telle parole serait sans valeur. C'est bien la raison pour laquelle ce livre nous conduit si loin dans la connaissance du mal.

En quoi consiste la méthode utilisée par Sereny pour faire progresser la compréhension ? D'emblée, elle écarte tout discours d'autojustification de la part des anciens gardiens : les rationalisations données par les uns et les autres sont devenues, depuis Nuremberg, des clichés, et ne révèlent plus rien.

A la place, Sereny demande un récit sur soi, dont elle encourage la franchise. « C'est pour tout autre chose que j'étais venue : pour l'entendre me parler vraiment de lui : de l'enfant, du petit garçon, de l'adolescent, de l'homme qu'il avait été ; de son père, de sa mère, de ses amis, de sa femme et de ses enfants ; pour apprendre non ce qu'il avait fait ou n'avait pas fait, mais ce qu'il avait aimé et ce qu'il avait détesté » (27). A cela s'ajoutent bien sûr des qualités qu'on s'attend à trouver chez tout bon historien : une parfaite connaissance des sources et une implication personnelle de l'auteur. Si Sereny ne se dépêche pas de porter des jugements péremptoires, c'est parce qu'elle se met à la place des uns et des autres et aperçoit ainsi des difficultés dans ce que nous sommes prêts à considérer comme des évidences.

Ce qui est moins commun, ce sont deux autres traits de la méthode de Sereny, le premier, pourrait-on dire, passif, le second actif. D'une part, elle essaie de suspendre, dans la mesure du possible, ses propres clichés et idées préconçues ; du coup, comme Levi, elle évite le manichéisme et la vision homogène, tant des groupes que des individus. Elle n'écarte pas les informations à première vue paradoxales, ni les gestes surprenants de ses personnages. D'autre part, et cela est particulièrement important, elle refuse de séparer l'exceptionnel du quotidien et l'individu de son milieu ; elle refuse de partager la vie des hommes en deux vases non communicants, d'un côté les choses importantes, vie politique et actes militaires, de l'autre, les détails secondaires, relations familiales ou de voisinage, habitudes et pratiques quotidiennes. Une telle séparation préjugerait déjà des résultats à trouver ; Sereny, au contraire, sait poser des questions apparemment saugrenues, hors sujet, d'où pourtant jaillit la lumière. C'est pourquoi elle s'attarde sur tous les petits faits et gestes dans la vie de Stangl, même s'ils paraissent sans pertinence. C'est pourquoi aussi elle interroge avec tant d'insistance tous ceux qui ont connu Stangl : l'individu n'existe pas en dehors d'un réseau intersubjectif. Sereny, comme plus tard Hanna Krall avec Edelman, s'intéresse à la mémoire plus qu'à l'histoire, à la psychologie plutôt qu'aux déclarations politiques. Le résultat de ce choix est que, aussi monstrueux que soient les actes de Stangl, lui-même émerge de ce livre comme un être humain. Les options méthodologiques de Sereny sont donc déjà, en elles-mêmes, porteuses de morale ; et bien que le livre ne formule pas de conclusions abstraites, il contient une pensée philosophique authentique.

Ces deux traits ne permettent pas encore de distinguer l'entreprise de Sereny de celle de Levi, lequel est également étranger au manichéisme et attentif au quotidien. La différence entre eux est ailleurs, et elle est révélatrice : Sereny n'est ni une victime de la guerre, ni une juive. Le témoignage des participants à une situation est bien entendu indispensable pour la reconstituer ; mais ces derniers ne se trouvent pas forcément dans une position de compréhension optimale : il est difficile pour l'ancienne victime (et en même temps, on l'a vu, peu souhaitable) de se libérer de toute partialité, et d'échapper à la trop grande sévérité ou à la trop grande clémence. Pendant la guerre, Sereny, jeune fille d'origine hongroise, s'occupe – en France – d'enfants abandonnés et de personnes déplacées ; après la fin des hostilités, pendant deux ans, elle poursuit le même travail en Allemagne. Elle a donc, de ces événements, une connaissance directe – mais pas d'identification trop pesante avec les victimes. Il semble bien qu'une telle distance intermédiaire doive être maintenue entre le mal et celui qui essaie de le comprendre : il faut qu'il soit « hanté par l'horreur de son sujet » (13) mais qu'il n'en soit pas totalement envahi, si l'on veut qu'il en revienne et nous fasse entendre le récit de son voyage au fond des ténèbres.

Qu'en a-t-elle apporté, précisément ? J'ai déjà mis à profit, tout au long de ces pages, les résultats de la quête de Sereny, tant pour ce qui concerne la conduite des gardiens (dont Stangl) que pour celle des détenus ; c'est pourquoi je m'abstiendrai de les reproduire ici une fois de plus. Mais cette réticence a aussi une autre source. Sereny produit un récit imprégné de réflexions et de sagesse humaine, non un ouvrage de philosophie ou un traité politique, dont il serait aisé de résumer les thèses. Ce qu'elle nous apprend, c'est comment un être humain moyen – Franz Stangl – a pu se trouver impliqué dans l'un des crimes les plus monstrueux de l'histoire humaine, puis comment il a cherché à se justifier à ses propres yeux et aux yeux de ses proches. Ce récit de vie n'illustre pas une théorie quelconque, même s'il est riche en enseignements ; il pratique la pensée narrative plutôt que l'analyse conceptuelle – et prouve par là même la possibilité de penser et d'analyser en racontant. C'est ce qui fait que le livre de Sereny, comme les œuvres d'art, se prête mal au résumé ; il n'y a qu'un moyen d'en connaître exactement le contenu : c'est de le lire.

Épilogue

Le sens de l'extrême

Dans ce livre, je m'en aperçois maintenant, j'ai poursuivi (ou été poursuivi par) un triple sujet. Les camps, russes ou allemands, les régimes totalitaires qui les ont engendrés, la Seconde Guerre mondiale qui a vu leur expansion maximale, en un mot l'Histoire, constituent sa première facette. Mes propres identité et petite histoire en forment la seconde. La troisième est une thématique morale : les questions que j'ai choisi de poser à l'une et l'autre histoires. Je laisse de côté à présent les réminiscences personnelles pour m'arrêter brièvement, dans ces dernières pages, sur les deux autres facettes ; moins pour ajouter une conclusion que pour rassembler les observations formulées à propos de cas particuliers et tenter de comprendre ce que ces observations impliquent, sur le plan conceptuel. Je n'ai pas l'intention de me faire, ici, théoricien ; seulement de rappeler quelques-unes des leçons que ces histoires m'apprennent, en ce qui me concerne – sans préjuger de celles que voudront en tirer d'autres lecteurs.

Le XXe siècle touche à sa fin, et nous sommes tous tentés de nous demander : quelle sera sa place dans l'Histoire ? Comment s'en souviendra-t-on un jour ? Pas plus qu'un autre, je ne connais la réponse complète à ces questions ; mais je suis sûr que l'une des inventions du siècle sera durablement attachée à son nom : ce sont les camps de concentration. C'est aussi le premier sujet de ce livre.

Les camps totalitaires constituent, de toute évidence, une situation extrême ; or je m'y suis intéressé moins pour eux-mêmes que parce qu'ils révèlent la vérité des situations ordinaires. On peut contester la légitimité de cette inférence et penser qu'il s'agit ici et là de substances (si je puis dire) différentes ; du coup on condamnera l'intérêt pour les cas extrêmes comme une facilité ou une concession au sensationnalisme. Ce n'est pas ainsi que je ressens les choses ; j'ai donc essayé de m'en servir comme d'un instrument, d'une sorte de loupe, permettant de voir distinctement ce qui restait flou dans la marche habituelle des affaires humaines ; j'espère ne pas avoir trahi les faits eux-mêmes.

L'idée que les camps de concentration sont une situation extrême qui peut nous renseigner sur la condition humaine a déjà été formulée par Bruno Bettelheim, dans les tout premiers articles qu'il a écrits à son arrivée aux États-Unis, en 1942, après la fin de son internement. Pour ma part, je pense que les camps, et les expériences au camp, sont une double extrémité, mais dans deux sens différents du mot : les camps sont la manifestation extrême des régimes totalitaires, lesquels sont la forme extrême de la vie politique moderne. Ce double sens demande une explication.

Pour la population européenne, l'avènement de deux régimes totalitaires, communiste et national-socialiste, est sans conteste l'événement politique majeur du XXe siècle (l'Europe n'a pas le monopole du totalitarisme, mais c'est ici qu'il a joué un rôle capital). De durées inégales (1917-1989 – soyons optimistes – et 1933-1945) mais d'intensité comparable, ces deux régimes non seulement sont responsables de plus de victimes qu'aucun autre à la même époque, mais, de plus, ils sont porteurs d'une nouvelle conception de l'État, de ses institutions et même du politique comme tel. C'est une des contributions majeures de notre continent (dont on aurait bien aimé se passer) à l'histoire universelle et au répertoire des sociétés possibles. Mais ce n'est évidemment pas la seule : en dehors des régimes totalitaires, l'Europe en a produit d'autres, notamment ceux qui incarnent, plus ou moins parfaitement, l'idéal démocratique. Le totalitarisme est l'extrême de notre vie politique au sens où Horace dit que la mort est la limite extrême des choses, et donc de la vie : une négation et un repoussoir.

C'est en un tout autre sens du mot que les camps représentent l'extrême des régimes totalitaires eux-mêmes : ils en sont la manifestation la plus intense, la plus concentrée, ils en contiennent la quintessence ; ce qui veut dire qu'ils constituent, cette fois-ci, un extrême central, et non plus périphérique. Cette affirmation demande encore à être qualifiée. Du point de vue politique ou philosophique, on peut hésiter avant de décider quels sont les traits du totalitarisme qui en définissent l'identité : est-ce l'existence d'un seul parti, ou la non-séparation entre État et idéologie, ou le projet révolutionnaire ? Mais si l'on part de l'expérience des individus, le trait pertinent est incontestablement la terreur ; et c'est elle qui se trouve à la fois condensée et amplifiée dans les camps. C'est en ce sens qu'est acceptable la thèse de Hannah Arendt selon laquelle la terreur est l'essence du gouvernement totalitaire, même si, en disant cela, on laisse dans l'ombre d'autres traits importants du totalitarisme.

J'entends ici par terreur la violence subie par l'individu de la part de l'État en vue d'éliminer sa volonté comme mobile de ses actions. L'État totalitaire poursuit des buts divers, et de plus changeants ; mais il a toujours besoin de la collaboration de ses sujets. Il commence donc par les contraindre à agir dans le sens qu'il souhaite, en exerçant aussi bien des pressions sociales que des violences physiques ; il finit par faire de cette aliénation des volontés individuelles, recherchée par tous les moyens possibles, un but en soi. Dans le totalitarisme, la terreur agit comme principe du gouvernement, au sens de Montesquieu : elle est le moteur psychologique qui se trouve derrière les actions variées des sujets du régime. Ou plutôt, en l'absence de tout principe positif, ces actions sont accomplies sous la menace, que celle-ci soit apparente ou non. Il en allait déjà ainsi de la crainte, que Montesquieu identifiait comme le principe du despotisme ; mais la terreur est une crainte étendue dans tous les sens : elle menace tout le monde et tout le temps, et non pas les seuls opposants, ni seulement en temps de révolte ; elle couvre toute la vie, ignorant la séparation en sphères publique et privée ; elle n'hésite pas à recourir aussi souvent que nécessaire au châtiment suprême, la mort.

Les camps sont la culmination du principe de terreur ; réciproquement, les pays totalitaires ne sont que des camps au régime adouci. Vassili Grossman le constate à propos de l'expérience soviétique : « Le camp était, en quelque sorte, le reflet hyperbolique, grossi, de la vie hors des barbelés. Mais la vie menée de part et d'autre, loin de s'opposer, répondait aux lois de la symétrie » (*Vie*, 795). Primo Levi découvre, en pensant au phénomène nazi, « le macrocosme de la société totalitaire reproduit dans le microcosme du *Lager* » (*Naufragés*, 47). Le camp n'est pas une extravagance, une anomalie, mais l'aboutissement logique du projet ; il est à la fois un modèle miniature de l'ensemble de la société et le moyen le plus efficace de terreur, de sorte qu'on pourrait conclure aussi que, si une société ne dispose pas de camps, elle n'est pas vraiment totalitaire. Il n'est que de comparer prisons et camps pour s'apercevoir à quel point ces derniers sont une incarnation de l'extrême. On y est jeté la plupart du temps sans jugement, il n'y a donc non plus aucune raison d'en sortir. On souffre du froid, de la faim et du travail épuisant auquel on est astreint. On est soumis au pouvoir et à l'arbitraire des kapos ou de leurs équivalents, recrutés parmi les criminels les plus brutaux. On vit constamment sous la menace (ou la réalité) des coups, à l'ombre de la mort. A côté de cela, la prison est un sanatorium.

Le camp est en même temps un modèle déformant de la société, puisqu'il ne retient du régime totalitaire que la contrainte, que la terreur, et abandonne par exemple tout souci d'idéologie (au point que, disait Soljenitsyne, les camps sont le seul lieu en Russie où l'on puisse penser librement). Cette terreur toutefois est à son tour, comme dans la société elle-même, responsable d'une série de caractéristiques plus particulières : l'interdiction de sortir du camp, sous peine de mort (comme du reste pour les autres interdictions) ; le secret maintenu au-dedans comme à l'extérieur ; la hiérarchie rigoureuse des différentes strates sociales (le totalitarisme n'est nullement égalitaire) ; l'implication de tous dans le fonctionnement de la machine ; la corruption de l'âme sous la contrainte ; la présence constante de la violence physique et de la mort.

Le double sens du mot « extrême », central et périphérique, explique pourquoi il faut manier avec précaution l'affirmation selon laquelle les camps, dans leur extrémité, révèlent la vérité de notre vie à nous. Le totalitarisme est l'opposé de la démocratie, non sa vérité. On ne peut comparer la terreur à la violence légitime de l'État de droit, qui, avec l'accord de tous, fixe une limite au-delà de laquelle certains actes sont punis : ainsi des meurtres, coups et blessures, viols, vols. Le sujet, en démocratie, peut agir en accord avec sa propre volonté, quelles que soient les pressions exercées sur lui ; il dispose de sa vie personnelle comme il l'entend et garde sa liberté d'opinion ; il jouit de garanties, autrement dit de libertés, assurées par son État même. Je ne crois pas que nous vivions tous dans un ghetto, ni que le monde entier soit un immense camp. Je ne me sens donc nullement en accord avec ceux qui voient en Auschwitz l'aboutissement inéluctable et à peine accéléré, la vérité enfin dévoilée de toute notre modernité : si ce terme de « modernité » couvre des réalités aussi éloignées que la démocratie et le totalitarisme, je me mets à douter de son utilité. Mais précisément parce qu'il en est l'extrême limite, ou l'opposé, le totalitarisme peut nous apprendre beaucoup sur la démocratie.

C'est encore Primo Levi qui a bien su se placer à ce double point de vue. D'une part, il éprouve de la répugnance devant les comparaisons du monde libre avec celui des camps. « Non, les choses ne sont pas ainsi, il n'est pas vrai que l'usine Fiat soit un camp de concentration. Chez Fiat, il n'y a pas de chambre à gaz. On peut se sentir très mal à l'hôpital psychiatrique, mais il n'y a pas de four, il existe une porte de sortie, et votre famille peut venir vous y rendre visite » (Camon, 19-20). Mais, d'autre part, il aspire lui-même à tirer d'Auschwitz une leçon pour le monde entier, et non seulement pour la partie de ce monde qui l'a engendré : même « un épisode aussi exceptionnel de la condition humaine [...] peut servir à mettre en évidence des valeurs fondamentales » (*Si*, 113). Ce livre-ci n'est donc, à son tour, qu'une tentative pour suivre le précepte de Levi. J'ai voulu mieux comprendre notre vie morale à nous, et je me suis penché pour cela sur la vie dans les camps, mais cela ne veut pas dire que ces deux mondes se confondent.

Unité ou unicité

L'inclusion des régimes communiste et national-socialiste dans une même catégorie, celle du totalitarisme, a été souvent débattue, voire combattue, et pose toujours problème. Il est évident que les deux phénomènes ont aussi bien des ressemblances que des différences, et que tout dépend de la place que nous accordons aux unes et aux autres. On a souvent insisté, par exemple, sur les abîmes idéologiques qui les séparent, à première vue infranchissables ; il est vrai qu'ils diminuent dès qu'on s'attache non aux déclarations théoriques, mais à l'idéologie qu'on peut déduire directement des comportements : des idées socialistes ne sont pas absentes du Reich hitlérien, tout comme Staline ne manque pas d'inspirations nietzschéennes. On peut au contraire être frappé par la véritable émulation qui existe entre les deux dictateurs : avant la guerre, c'est Hitler qui admire et imite Staline et cherche par exemple à organiser la Gestapo à l'image de la NKVD soviétique ; le massacre de Katyn préfigure, jusque dans les détails, les tueries accomplies par les *Einsatzkommandos*. Plus tard, Staline donnera l'ordre de traiter sans pitié les soldats qui hésitent à se battre jusqu'à la mort, en s'inspirant directement d'ordres analogues donnés par Hitler ; vers la fin de sa vie, il reprend même à son compte le projet d'élimination des juifs. L'entente des deux chefs, on le sait, aboutit au célèbre Pacte germano-soviétique, en 1939-1941 : moment de vérité plutôt que d'errement. Mais cette analyse, maintes fois conduite déjà, n'est pas mon propos ici, pour une raison particulière : ce ne sont pas les régimes eux-mêmes, mais l'expérience des individus que j'ai voulu interroger.

On peut en dire autant des camps : selon la perspective que l'on choisit, on insistera sur les contrastes ou sur les analogies. Albert Béguin a recensé un certain nombre des uns et des autres dans sa postface au témoignage de Margarete Buber-Neumann ; d'autres auteurs ont également poursuivi la comparaison. On peut constater par exemple qu'il n'y a pas d'équivalent soviétique exact aux camps d'extermination :

même si le nombre de victimes est comparable à Auschwitz et à Kolyma, la mise à mort industrielle n'existe pas en URSS (on s'en approche un peu plus au Cambodge). La mortalité y est donc plus faible ; du reste, les secours médicaux sont moins inadéquats. En URSS, gardiens et détenus proviennent du même pays et partagent (presque toujours) la même langue, ce qui est une source de soulagement ; mais d'un autre côté, les détenus politiques allemands peuvent se rassurer mentalement car ils ont toujours été les ennemis des nazis, alors que les communistes soviétiques sont enfermés par d'autres communistes, ce qui provoque l'effondrement de leur univers mental. Les gardiens soviétiques font preuve de plus de compassion mais aussi de plus d'arbitraire. Une mesure particulièrement cruelle instaure, dans les camps communistes mais non chez les nazis, une relation entre quantité de travail fourni et quantité de nourriture reçue. Dans les camps soviétiques règne une plus grande misère, mais dans les camps allemands l'application de l'ordre peut être particulièrement meurtrière.

De sorte que, différents, camps communistes et camps nazis se valent souvent du point de vue de celui qui y est enfermé, et on ne peut que partager la perplexité de Buber-Neumann qui a goûté aux deux : « Je me demande ce qui, au fond, est le pire : la cabane en torchis infestée de poux de Bourma [au Kazakhstan] ou cet ordre de cauchemar [à Ravensbrück] ? » (*Ravensbrück*, 53). Ou bien, comme elle le dit lors de son témoignage au procès David Rousset : « Il est difficile de décider ce qui est le moins humanitaire, de gazer des personnes en cinq minutes ou de les étrangler lentement par la faim dans un délai de trois mois » (Rousset *et al.*, 183). On trouve une confirmation supplémentaire, et presque comique (ne fût-ce la gravité du sujet), de ce parallélisme entre les deux groupes de camps dans les arguments présentés contre Rousset en 1950, au cours de ce même procès, par les représentants du Parti communiste français : l'ancien déporté des camps nazis qui dénonce les camps soviétiques est accusé d'usage de faux, et l'on suggère qu'il s'est servi de descriptions des premiers pour évoquer les seconds, par simple changement de noms et de dates ! N'est-ce pas là un aveu d'autant plus terrible qu'il est involontaire ?

On ne peut négliger, d'autre part, les nombreuses ressemblances entre les camps, non seulement en vertu de leur position identique dans les deux sociétés totalitaires, mais aussi à cause de l'émulation et de la contiguïté qui s'établit entre eux. Hitler s'inspire là encore de Staline ; Rudolf Hoess rapporte : « La direction de la Sécurité [RSHA] avait fait parvenir aux commandants des camps une documentation détaillée au sujet des camps de concentration russes. Sur la foi de témoignages d'évadés, les conditions qui y régnaient étaient exposées dans tous les détails. On y soulignait particulièrement que les Russes anéantissaient des populations entières en les employant au travail forcé » (224). Mais, à son tour, Staline profite de l'expérience de Hitler ; il se gêne d'ailleurs si peu qu'il rouvre les portes de Buchenwald, de Sachsenhausen et d'autres camps allemands aussitôt qu'en est parti le dernier pensionnaire, pour y mettre, de nouveau, tous les opposants au régime, des nazis mais aussi d'autres non-communistes – dont un certain nombre d'anciens détenus ! On estime à cent vingt mille le nombre de ces nouveaux habitants des anciens camps, à quarante-cinq mille celui des morts, par fusillade ou suite à l'épuisement, aux maladies et à la faim.

Ces anciens détenus allemands, libérés par les Soviétiques et aussitôt après enfermés par leurs « libérateurs », ne sont pas les seuls à avoir connu les deux régimes : on a systématiquement envoyé les prisonniers de guerre russes dans les camps de Sibérie, pour les punir de s'être rendus à l'ennemi plutôt que de mourir au combat ; à la suite du Pacte, au contraire, les Soviétiques remettent à Hitler les communistes allemands et autrichiens qu'ils avaient auparavant déportés dans leurs propres camps. Buber-Neumann en fait partie, et elle nous a laissé un récit de cette scène hautement symbolique, se déroulant à Brest-Litovsk en 1940 : « L'officier de la NKVD et celui des SS se saluèrent la main au képi » (*Sibérie*, 213). Cette continuité de fait souligne une ressemblance en profondeur, et on ne s'étonnera pas de voir, après la guerre, les détenus soviétiques faire souvent eux-mêmes la comparaison de leur condition avec celle des victimes du nazisme. Le Pacte germano-soviétique fait éclater au grand jour la collusion des deux régimes et représente en ce sens le point culminant dans l'histoire du totalitarisme au XXe siècle ; mais aussi, pour les victimes, le moment le plus désespéré. Gustaw Herling se souvient de son impression de l'époque : « C'est avec horreur et honte que je pense à cette Europe divisée en deux par le cours du Bug, avec d'un côté des millions d'esclaves soviétiques priant pour être libérés par les armées de Hitler et de l'autre des millions de victimes des camps de concentration allemands, mettant leur dernier espoir dans la victoire de l'Armée rouge » (217).

Ce qui m'a intéressé dans cette situation extrême était la conduite des individus ; or dans cette optique, et mis à part les réactions devant les tueries industrielles pratiquées dans certains camps nazis, il n'y a pas de différences significatives entre les deux séries de camps.

Le même type de conduite peut être observé à Buchenwald et à Vologda, et même dans les camps en Chine ou à Cuba. Cela pourrait suffire pour justifier la perspective choisie dans ce livre. Mais elle a aussi une autre raison, sur laquelle je me suis déjà expliqué : c'est les avantages que je vois attachés à la mémoire exemplaire, par opposition à la mémoire littérale ; au passé considéré comme instrument (pour agir dans le présent) plutôt que comme monument. Il n'y a aucun mérite à ce que l'on s'installe une fois pour toutes dans le rôle de victime, rôle devenu moralement confortable une fois que le danger est passé. Il y a en revanche un mérite incontestable qui consiste à passer de son propre malheur, ou de celui de ses proches, au malheur des autres, de ne pas réclamer pour soi le statut exclusif de l'ancienne victime. Vassili Grossman, le grand écrivain juif soviétique, avait appris la mort de sa propre mère dans les chambres à gaz et, avec les premiers bataillons de l'Armée rouge, avait vu de ses yeux les installations de Treblinka. Il avait pourtant trouvé en lui la force et la générosité de compatir avec les Arméniens, victimes d'un autre génocide, et avait reçu l'encouragement d'un vieillard d'Erevan : « Il voulait que ce fût un fils du peuple martyr arménien qui écrivît sur les juifs » (*Dobro vam !*, 270).

Or, l'une des conséquences immédiates de ce clivage entre mémoire littérale et mémoire exemplaire (ou entre mémoire et justice) est l'impossibilité de proclamer, dans le même souffle, qu'un certain événement est à la fois absolument unique, et qu'il doit nous servir de leçon pour interpréter et juger maintes autres situations. Si l'événement est unique, on peut le garder en mémoire et agir en fonction de ce souvenir, mais il ne peut être utilisé comme clé en aucune autre occasion ; réciproquement, si nous tirons d'un événement passé une leçon pour le présent, c'est que nous reconnaissons aux deux des traits communs.

Il est vrai que, une fois de plus, le privé se distingue ici du public. Pour l'individu, l'expérience est forcément singulière et du reste la plus intense de toutes. Je lis dans le récit d'un survivant des camps en Bulgarie : « Pendant des années [après la sortie du camp] j'ai lu et relu la littérature consacrée aux répressions et aux inquisitions. Les camps de la Guyane française, de Hitler et de Staline, des fascistes bulgares, ne sont pas parvenus à atteindre ce que réussirent de nombreux employés responsables de la Sécurité d'État [en Bulgarie] à cette époque » (Petrov, 3). Ce type de réaction est parfaitement compréhensible, mais il ne concerne que le point de vue de l'individu. Pour que la collectivité puisse en tirer un profit, il faut savoir reconnaître ce que cette expérience a en commun avec d'autres. Si on se dit que le judéocide nazi, pour prendre cet exemple extrême, se caractérise par son « unique singularité », et qu'il est incomparable à tout autre événement passé, présent ou futur, on est autorisé à dénoncer les amalgames pratiqués ici ou là ; mais non à s'en servir comme d'un exemple d'iniquité, dont on doit aussi combattre les autres instances. C'est naturellement animés des meilleures intentions que nous défendons pourtant, en même temps, les deux thèses ; en réalité elles se neutralisent mutuellement.

L'exemple de David Rousset, plusieurs fois évoqué dans ces pages, est à cet égard particulièrement significatif. Cet ancien prisonnier politique, déporté à Buchenwald, a eu la chance de survivre et de revenir en France. Il ne s'y est pas tenu : il a écrit deux livres dans lesquels il s'est efforcé d'analyser et de comprendre l'univers concentrationnaire ; ces livres lui ont apporté la notoriété. Mais, une fois de plus, il ne s'y est pas tenu : le 12 novembre 1949, il publie dans *Le Figaro littéraire* un appel aux anciens déportés des camps nazis pour qu'ils prennent en main l'enquête sur les camps soviétiques, toujours en activité. Cet appel produit l'effet d'une bombe : les communistes sont fortement représentés parmi les anciens déportés et le choix entre les deux loyautés mises en conflit n'est pas facile ; à la suite de cet appel, de nombreuses fédérations de déportés se trouvent scindées en deux. La presse communiste couvre Rousset d'injures, ce qui l'amène à lui intenter un procès en diffamation, qu'il gagne. Rousset consacre ensuite plusieurs années de sa vie à combattre les camps de concentration communistes, en réunissant et en publiant des informations les concernant.

S'il avait privilégié la mémoire littérale, Rousset aurait passé le reste de sa vie à s'immerger dans son passé, à panser ses propres plaies, à nourrir son ressentiment à l'égard de ceux qui lui ont infligé une offense inoubliable. En privilégiant la mémoire exemplaire, il choisit de se servir de la leçon du passé pour agir dans le présent, à l'intérieur d'une situation dont il n'est pas l'acteur, et qu'il ne connaît que par analogie ou de l'extérieur. C'est ainsi qu'il comprend son devoir d'ancien déporté, et c'est pour cela qu'il s'adresse en priorité, cela est essentiel, à d'autres anciens déportés. « Vous ne pouvez refuser ce rôle de juge, écrit-il. C'est précisément votre tâche la plus importante à vous, anciens déportés politiques. [...] Les autres, ceux qui ne furent jamais concentrationnaires, peuvent plaider la pauvreté de l'imagination, l'incompétence. Nous sommes, nous, des professionnels, des spécialistes. C'est le prix que nous devons payer le surplus de vie qui nous a été accordé » (Copfermann, 207). C'est le devoir des anciens déportés que d'enquêter sur les camps présents.

Rousset n'ignore pas les différences entre les deux systèmes concentrationnaires, mais le phénomène lui-même leur est commun, et elles ne justifient pas l'abandon de la comparaison. « Pour les déportés la différence est vaine puisque les mêmes conditions de vie conduisent immanquablement à cette mort particulière qui fut la nôtre, la mort sordide et désespérée » (207). Une deuxième question se pose alors : ne doit-on pas généraliser encore et assimiler les souffrances dans les camps à l'« universelle plainte séculaire des peuples » (200), à tout malheur, à toute injustice ? Il y a en effet danger pour la mémoire exemplaire de se diluer en universelle analogie, où tous les chats de la détresse sont uniformément gris. Ce serait non seulement se condamner à la paralysie devant l'énormité de la tâche ; ce serait, de plus, méconnaître que les camps ne représentent pas une injustice parmi d'autres, mais la plus grande déchéance à laquelle a été amené l'être humain au XXe siècle. Comme le dit Rousset à son procès : « Le malheur concentrationnaire est sans mesure avec tous les autres » (244). La mémoire exemplaire généralise, mais de manière limitée ; elle ne fait pas disparaître l'identité des faits, elle les met seulement en relation les uns avec les autres. « Sans mesure » ne veut pas dire « sans lien » : l'extrême est en germe dans le quotidien ; mais il faut aussi savoir distinguer entre germe et fruit. On ne juge pas de la même manière la propension au crime et l'acte accompli.

Il n'y a plus de nos jours de rafles de juifs ni de camps d'extermination. Nous devons pourtant maintenir vivante la mémoire du passé : non pour demander réparation pour l'offense subie, mais pour être alertés sur des situations nouvelles et pourtant analogues. Le racisme, la xénophobie, l'exclusion qui frappent les « autres » aujourd'hui ne sont pas identiques à ceux d'il y a cinquante ans ; nous ne devons pas moins, au nom de ce passé précisément, agir sur le présent.

Malgré cette préférence pour la généralisation, mes exemples ne proviennent pas de tous les camps, mais de deux groupes seulement, nazis et soviétiques. Encore ces groupes sont-ils inégalement représentés, pour une raison qui, elle, a bien trait à l'histoire. Le régime nazi a été écrasé en 1945 ; les anciens bourreaux, quand ils ne se sont pas enfuis ou cachés, ont été jugés ; les anciennes victimes, même si elles ne sont pas devenues des vainqueurs, se sont trouvées dans des pays où leur souffrance était reconnue et leur liberté, protégée. Les régimes communistes n'ont pas été vaincus de l'extérieur ; ils se sont désagrégés progressivement (quand ils l'ont fait), en maintenant en place bien des structures anciennes et, aussi, bien des personnes impliquées dans les répressions antérieures. Pour l'instant, rien de comparable à un tribunal de Nuremberg n'est envisagé pour les anciens pays communistes ; pour des raisons diverses, les procès qui ont eu lieu, contre Ceausescu, Jivkov ou Honecker, ont été decevants. L'une des conséquences de cette différence est que nous sommes infiniment mieux informés sur les camps allemands que sur les camps soviétiques, surtout pour ce qui concerne la psychologie des comportements. On dispose, de part et d'autre, de nombreux témoignages d'anciens détenus ; mais il n'y a, côté soviétique, rien de comparable aux écrits des anciens nazis, aveux ou apologies ; manquent aussi, malgré les efforts de quelques pionniers, des études détaillées et objectives, faites par des observateurs extérieurs. Pour cette raison, mes exemples, surtout en ce qui concerne les manifestations du mal, ont été empruntés plus souvent à l'histoire des camps nazis que des camps communistes. Dans quelques années la documentation sur ces derniers sera grandement enrichie, cela est certain ; mais fallait-il l'attendre pour se mettre à méditer la leçon des camps ? J'ai décidé que non.

Notes sur la morale

Entraîné par mes lectures sur les insurrections de Varsovie, j'ai annoncé sans plus de précautions que j'allais m'occuper ici de la vie morale des individus, tout en ajoutant que, plutôt que le passé lui-même, c'est l'éclairage qu'il jette sur notre présent qui m'intéressait. Or cette jonction de termes, « morale » et « présent », fait problème. Ce qui caractérise notre présent, me dira-t-on peut-être gentiment, c'est justement la disparition de la morale. Plus exactement, deux propositions distinctes semblent aller de soi dans le monde contemporain, même si elles ne vont pas bien ensemble. La première, qui peut s'accompagner de regrets ou de satisfaction, veut que l'absence de morale soit précisément la caractéristique des sociétés occidentales d'aujourd'hui : le devoir est mort, à sa place on célèbre l'authenticité. La seconde s'énonce à l'impératif : il est grand temps de nous libérer des derniers restes d'une morale oppressive ; on dit aussi : attention, la morale revient ! Avant d'en venir aux leçons morales des camps, je devrais donc me demander si je ne me suis pas complètement fourvoyé en soulevant des questions d'un autre temps ou d'un autre lieu.

Je pense pour ma part que ces deux propositions ont leur

source dans deux malentendus distincts, qui ont trait au sens et à l'extension du terme même de « morale ». Dans le premier cas (le constat d'absence), on a pris, me semble-t-il, l'espèce pour le genre : de la disparition d'une forme de morale (en gros, celle qui se cristallisait dans les traditions) on conclut à celle de la morale en général. Or, telle que je la comprends, la morale ne pourrait disparaître sans que se produise une mutation dans l'espèce humaine.

Je ne saurais me dispenser ici d'une très brève digression dans l'anthropologie générale. On peut classer les activités humaines de diverses façons ; mais l'une des distinctions les plus éclairantes me paraît être celle entre activités (pour employer d'abord deux termes savants) téléologiques et intersubjectives. D'une part, des actions qui se définissent par leur finalité, où l'on part d'un projet et l'on va vers sa réalisation en mettant en œuvre diverses stratégies ; actions que l'on évalue sur le résultat auquel elles aboutissent, succès ou échec ; mille et un gestes qui relèvent du monde de l'étude et de la recherche, du travail et des affaires, de la politique et de la guerre (ce sont elles qui profitent de la pensée instrumentale). D'autre part, des actions qui se définissent par la relation qu'elles instaurent entre deux ou plusieurs individus et qu'on pourrait dire, au sens très large, de communication, mais qui correspondent aussi bien à la compréhension qu'à l'imitation, à l'amour qu'au pouvoir, à la constitution de soi comme à celle d'autrui. On peut donner, évidemment, à ces deux ensembles des noms différents, qui engagent des concepts différents (monde des choses et monde des personnes, relations d'objets et relations de sujets, cosmos et anthropos, *je* et *tu*, et ainsi de suite). Ce qui m'importe pour l'instant, c'est seulement l'existence même de cette distinction, et le fait qu'on ne puisse concevoir la vie humaine sans la présence simultanée des *deux* séries d'activités – je pense que tout le monde serait d'accord là-dessus.

La morale, telle que je la comprends, est l'une des dimensions constitutives du monde intersubjectif ; elle l'imprègne de part en part et en constitue en même temps le sommet. Comme il est impossible d'imaginer l'humanité sans relations intersubjectives, on ne peut l'imaginer sans dimension morale. J'entends par morale ce qui nous permet de dire qu'une action est bonne ou mauvaise. Et je parle de « sommet » car ces termes de « bien » et de « mal » désignent, de façon quasiment tautologique, et quelle que soit l'école philosophique dont on se réclame, ce qu'il y a de plus (ou de moins) souhaitable dans ce monde des relations humaines. L'action la plus louable y est, par définition, l'action morale. Un monde privé de morale serait un monde où tout, dans les relations humaines, serait devenu indifférent – ce qui est presque impossible à concevoir. Les conservateurs qui regrettent la disparition de l'emprise des traditions sur nous ne contesteraient pas l'existence de jugements moraux, en ce sens du mot, dans notre monde ; et les individualistes les plus extrêmes ne sauraient nier le réseau de relations intersubjectives dans lequel se trouve pris chacun de nous. Si l'on me demandait : mais pourquoi agit-on de manière morale ? je serais amené à donner une double réponse : parce qu'on éprouve ainsi une joie profonde ; et parce qu'on se conforme par là à l'idée même d'humanité et qu'on participe de cette manière à son accomplissement.

Je ferai maintenant un prudent pas en avant à partir de ces évidences : les jugements moraux ne sont pas arbitraires (ne dépendent pas du caprice de chaque individu, c'est pourquoi il est impossible de réduire la morale à l'intensité de son expérience) mais se laissent argumenter rationnellement. Les récits des camps m'ont convaincu que les actions morales sont toujours assumées par un individu (elles sont en ce sens « subjectives ») et qu'elles sont destinées à un ou plusieurs individus (elles sont « personnelles » : je considère l'autre comme une personne, c'est-à-dire qu'il devient la fin de mon action). J'ai donné le nom de « souci » à l'action morale par excellence : une action par laquelle un *je* vise au bien-être d'un (ou de plusieurs) *tu*. Mais, on l'a vu, elle n'est pas la seule, car son destinataire peut être modifié : être le sujet lui-même, qui se dédouble pour l'occasion (et on parle alors de « dignité »), ou un ensemble indéterminé d'individus (« mon peuple », « mes contemporains », « mes lecteurs »), auxquels s'adressent les « activités de l'esprit ». La dignité et l'esprit ne deviennent des actions morales que si elles remplissent cette condition : viser au bien de certains êtres humains. Un nazi cohérent avec lui-même n'accède pas à la dignité morale, car en obéissant à ses propres exigences il ne produit aucun bien. Le savant, d'un autre côté, ne produit pas un acte moral en écrivant $E = mc^2$ (il n'y a pas encore d'intersubjectivité) mais il le fait dans la mesure où il essaie de rendre le monde plus intelligible aux yeux de l'humanité.

Je me trouve engagé par là dans plusieurs choix. D'abord, j'ai voulu comprendre la morale commune, et non celle des êtres exceptionnels, des saints ou des monstres, ou de ceux qu'on présente comme tels, et qui frappe bien plus vivement l'imagination. Ensuite, j'ai retenu comme décisive la catégorie « viser au bien d'une personne (ou de plusieurs) », de préférence à toute autre. A d'autres époques, ou dans d'autres optiques, on peut choisir un autre trait et valoriser par-dessus tout, par exemple, la puissance : physique, comme déjà chez Achille ou Hercule, ou chez nos champions sportifs ou grands explorateurs ; ou spirituelle, comme chez les génies de l'humanité universellement admirés, penseurs, savants ou artistes. Enfin, en parlant d'« action » plutôt que d'attitude, je sous-entends que la morale n'est pas une affaire d'acquiescement, d'acceptation passive du monde, mais de liberté et de choix, même si le sujet qui produit l'acte moral n'en a pas conscience au moment de son accomplissement.

Quant à la seconde proposition (l'intimation de l'ordre d'oublier toute morale), elle procède, je crois, d'un déplacement sémantique par contiguïté : on confond alors la morale avec une action apparentée mais distincte. On s'insurge, par exemple, contre les tentatives de certains contemporains pour nous « faire la morale » ; mais faire la morale n'est pas une action morale. On redoute, d'autres fois, un retour de « l'ordre moral » ; mais les rappels à l'ordre (moral) ne sont pas davantage des actions morales.

Celles-ci impliquent, je l'ai dit, qu'elles soient accomplies par le sujet même de l'action, un individu (subjectivité), et qu'elles s'adressent à d'autres individus (personnalisation). L'amputation d'un de ces éléments donne lieu à l'une de ces actions apparentées à – pourtant bien distinctes de – la morale dont il s'agit ici. Si l'action est accomplie par le sujet mais qu'elle s'adresse, plutôt qu'à d'autres individus, à une abstraction quelconque, telle que la patrie, ou la liberté, ou le communisme, ou même l'humanité, on a affaire à l'héroïsme ou à l'un de ses dérivés. Du point de vue moral, c'est-à-dire d'un point de vue qui prend en considération les intérêts des individus, les actions héroïques ne sont en elles-mêmes ni bonnes ni mauvaises et peuvent être l'un ou l'autre ; on a vu que certains héros se souciaient de l'effet de leurs actes sur leurs prochains, d'autres pas. Pour savoir si une action héroïque est moralement louable, on doit donc disposer d'éléments d'information supplémentaires ; si le destinataire humain est absent, l'héroïsme se transforme en actes de bravade, sinon de fanfaronnade.

Si l'action est bien adressée à un ou plusieurs individus, mais qu'elle n'est pas accomplie par le sujet même, qui se contente de l'énoncer (de la recommander), il s'agit du moralisme, ce parent effectivement peu attirant de la morale ; on exige alors des autres qu'ils se conduisent en conformité avec des codes réunissant un ensemble d'interdictions ou de prescriptions (que les hommes ne portent pas de pantalons étroits, ni les femmes de jupes courtes). Or, moralement, on ne peut exiger que de soi ; à autrui on ne peut que donner (dans la dignité, où *je* est à la fois source et destinataire de l'action, il y a bien aussi ces deux instances : une partie de moi donne, une autre reçoit).

On peut également confondre la morale non avec le moralisme peu sympathique, mais avec la justice, qui est, elle, souhaitable. La justice n'est ni subjective (s'y soumettre est une obligation, non un mérite) ni personnelle (elle s'adresse indifféremment à tous les citoyens, voire à tous les êtres humains) ; mais elle peut se réclamer des mêmes principes que la morale (le bonheur de l'individu, le respect de la personne, l'universalité d'application). L'action morale ne se confond donc pas non plus avec la politique, qui – dans le meilleur des cas – est une action visant à instaurer la justice (ou plus de justice) à l'intérieur d'un pays, ce que la morale ne sait pas faire ; un peu comme l'héroïsme, l'action politique peut servir ou non l'intérêt des habitants. Enfin, la morale ne s'identifie pas non plus avec la réflexion sur la morale, qui est de l'ordre de la recherche de la vérité, non du bien. Aussi ce livre même, qui parle de morale, ne constitue-t-il pas nécessairement en lui-même un acte moral ; il pourrait l'être, toutefois, au même titre que n'importe quelle activité de l'esprit.

Leçons du passé

Parvenu à ce point, je voudrais reformuler quelques-unes des leçons morales qui émanent des camps totalitaires et des activités qui les entourent, sans ignorer qu'il en est d'autres : je les laisse ici de côté. Je les sépare, pour plus de commodité, en quelques rubriques, alors même qu'elles sont interdépendantes

1. *Croissance du mal.* Il est difficile de comparer le mal d'un siècle à celui d'un autre, puisqu'on ne peut les connaître tous deux de l'intérieur; néanmoins, tout porte à croire qu'au XXe siècle, en Europe, on a assisté à un déploiement du mal qu'on n'avait jamais (ou alors très rarement) rencontré auparavant : non seulement par le nombre des morts, mais aussi à cause de la souffrance infligée aux victimes et de la dégradation subie par les bourreaux. Comment l'expliquer? Je ne crois pas que le mal lui-même ait changé de nature : il consiste toujours à dénier à quelqu'un son droit d'être pleinement humain; ni que l'espèce humaine ait subi une mutation; ni enfin qu'un fanatisme nouveau, d'une puissance jamais vue, soit soudain apparu. Ce qui a rendu possible ce mal immense, ce sont des traits tout à fait communs et quotidiens de notre vie : la fragmentation du monde, la dépersonnalisation des relations humaines. Ces traits eux-mêmes, cependant, sont l'effet d'une transformation progressive, non exactement de l'homme, mais de ses sociétés : la fragmentation intérieure est l'effet de la spécialisation croissante qui règne dans le monde du travail, donc de sa compartimentation inévitable; la dépersonnalisation provient d'un transfert de la pensée instrumentale au domaine des relations humaines. Autrement dit, ce qui est approprié aux activités téléologiques (spécialisation, efficacité) s'empare aussi des activités intersubjectives, et c'est cela qui multiplie par mille un potentiel de mal probablement pas très différent de celui des siècles passés.

C'est en ce sens qu'on peut rendre responsable des camps

notre civilisation industrielle et technologique : non parce que des moyens industriels particuliers sont nécessaires pour accomplir les tueries de masse et provoquer d'infinies souffrances (en Allemagne on n'est pas allé beaucoup plus loin que l'usage de la poudre, du poison et du feu ; la Russie, plus pauvre, a surtout tué par le froid, la faim et les maladies que ceux-ci provoquent) ; mais parce qu'une mentalité « technologique » envahit *aussi* le monde humain. Cette évolution est tragique, car on ne peut imaginer qu'elle s'arrête : la tendance à la spécialisation et à l'efficacité est inscrite dans notre histoire, or son effet néfaste sur le monde proprement humain est incontestable. Rousseau s'en était aperçu déjà, et c'est pourquoi sa vision de l'humanité est si désespérée. « Ce sont le fer et le blé qui ont civilisé les hommes et perdu le genre humain », écrivait-il (171). Comment profiter des bienfaits de la technologie sans subir ses contrecoups sur nos manières d'être ensemble est une question qui attend toujours sa réponse.

2. *Banalité du bien*. Le bien, lui, ne s'est pas accru de façon parallèle, mais je ne crois pas non plus qu'il ait diminué. Notre définition de ce qui est bon pourrait cependant changer, et du coup nous rendre un peu plus optimistes : il me semble qu'il y a beaucoup plus d'actes de bonté que ne le reconnaît la « morale traditionnelle », qui a eu tendance à valoriser l'exceptionnel, alors que c'est notre vie quotidienne qui en est tissée. Les camps confirment cette omniprésence puisque, même dans les circonstances de la plus grande adversité que l'on puisse imaginer, lorsque des hommes et des femmes se retrouvent défaillants de faim, transis de froid, épuisés de fatigue, battus et humiliés, ils continuent d'avoir des gestes simples de bonté : pas tous, pas tout le temps, mais suffisamment pour que notre foi dans le bien en sorte renforcée. A nous donc, dans nos existences tranquilles, de reconnaître ces actes (de dignité, de souci, d'esprit), de les valoriser, de les encourager plus qu'on ne le fait habituellement, car, tout en étant à la portée de chacun, ils représentent l'un des accomplissements suprêmes de l'espèce humaine ; on en a bien besoin dans un monde menacé comme le nôtre. C'est, je l'ai dit, la leçon venue des situations extrêmes qui éclaire notre condition commune : une morale quotidienne à la

mesure de notre temps pourrait se fonder dans cette reconnaissance de la facilité tant du bien que du mal. Il n'est pas nécessaire d'imiter les saints ni de craindre les monstres, les menaces comme les moyens pour les neutraliser sont tout autour de nous.

L'expérience du bien dans les camps jette aussi une certaine lumière sur une ancienne controverse à propos de la morale : dans l'accomplissement d'un acte qui en relève, s'agit-il, comme le pensent, en gros, les Anciens, de chercher à accomplir sa nature, de se conformer à sa destination première, ou bien, au contraire, comme l'affirment plutôt les Modernes, de se soumettre à un sens du devoir qui exige que l'on surmonte et réprime ses penchants naturels ? Si l'on fait le bien dans les camps, ce n'est certainement pas par sens du devoir. Toutes les obligations intériorisées, qu'elles proviennent des enseignements traditionnels ou des décisions de la raison, s'écroulent devant la pression des circonstances. Si Milena Jesenska marche en dehors du rang pour maintenir sa dignité, parvient à s'introduire dans le cachot pour encourager son amie, parle avec elle de littérature et de peinture à l'ombre des miradors, ce n'est pas parce que sa culture ou sa raison lui recommandent ces actions, mais parce qu'elle y est conduite par sa nature humaine d'être social et qu'elle y goûte une joie très pure.

Je serais donc, là aussi, enclin à donner raison à Rousseau (qui appartient pourtant aux Modernes, qui est même l'un des plus grands parmi eux et qui croit en la perfectibilité de l'homme). Il pense en effet que la *pitié*, d'où selon lui « découlent toutes les vertus sociales », « précède l'usage de toute réflexion » et ne s'apprend pas de la tradition, qu'elle est donc bien « un sentiment naturel ». « Avec toute leur morale les hommes n'eussent jamais été que des monstres, si la Nature ne leur eût donné la pitié à l'appui de la raison » (144-5). Mais si elle est naturelle, la pitié ne se retrouve pas pour autant chez tous, ni en quantité égale. Je pense même que les êtres humains la découvrent en eux assez tardivement ou en tous les cas n'en font un principe agissant que lorsqu'ils sont déjà bien avancés dans leur vie. Elle est quasiment absente chez l'enfant ; l'adolescent fait d'abord la découverte de la justice ; ce n'est que l'adulte qui accorde à la « sympathie », au sens premier, une place bien à part : sans doute parce que les circonstances de la vie peuvent l'amener à s'occuper des autres, enfants ou parents, à chérir, dans l'amour ou dans l'amitié, les êtres pour eux-mêmes et non pour le plaisir qu'ils lui donnent.

L'expérience morale dans les camps semblerait donc donner raison à la thèse « naturaliste » sur la morale ; en fait, elle se situe plutôt au-delà de cette opposition. Bien que « naturelles », les actions morales n'y sont pas l'effet automatique d'un instinct animal, mais des gestes volontaires et donc libres. Simplement, sympathie (naturelle) et devoir (volontaire) ne s'opposent pas nécessairement ; le devoir n'est pas forcément un moyen de surmonter nos penchants, il peut aussi en être la sublimation. C'est que nous en avons plus d'un. La sympathie pour les autres, qui nous amène à vouloir leur bien, et aussi pour soi, qui nous aide à nous conduire dignement, est, en un certain sens, « naturelle » ; mais le sont aussi nos tendances à la fragmentation et à la dépersonnalisation, qui se trouvent pourtant à la base des « vices quotidiens » et ont rendu possible le mal extrême de notre époque. On l'a vu aussi à propos de la dignité : il ne suffit pas qu'une action satisfasse à nos critères internes (qu'elle autorise le respect de soi) pour que nous puissions la déclarer bonne. On ne peut se contenter de dire, parce qu'un penchant est naturel, qu'il faille s'y adonner ; on doit pouvoir juger de la valeur des penchants, en quelque sorte, de l'extérieur. C'est la raison qui en est seule capable, et le critère dont elle se sert est la possibilité d'universalisation. Si nous ne voulons nous soumettre qu'à la nature, il faudrait que celle-ci soit déjà un concept normatif, un idéal ; or le meilleur idéal ici est celui qu'on peut défendre rationnellement et que tous peuvent partager. Il ne s'agit donc pas du tout de laisser chacun se conformer à ses propres dispositions : on se laisse aller à la sympathie parce qu'elle est naturelle, mais c'est la raison qui nous dit si elle est un bien.

3. *Les valeurs sexuées*. Pour rendre compte des actions et des qualités humaines dans le cadre des camps, mais aussi en dehors d'eux, j'ai dû recourir à une série d'oppositions, dont je constate maintenant qu'elles s'englobent les unes les autres. Au niveau le plus abstrait, j'ai distingué entre activi-

tés téléologiques et intersubjectives ; parmi celles-ci, j'ai été amené à séparer sphère publique et sphère privée, opposition conduisant à celle de la politique et de la morale (selon le principe de la « subjectivité » de toute action morale). Au sein même de la morale, j'ai dû opposer vertus héroïques et vertus quotidiennes (d'après le critère de « personnalisation ») ; et, pour ces dernières, j'ai eu recours à la distinction entre morale de principes et morale de sympathie. Or, à énumérer ainsi ces oppositions, plusieurs observations sautent aux yeux.

On pourrait formuler la première comme une double exigence : alors qu'il s'agit de véritables oppositions qui n'admettent pas de synthèse, les deux termes sont aussi nécessaires l'un que l'autre à la vie de l'individu comme à celle de la société. Il faut que le travail soit efficace *et* que les relations humaines ne lui soient pas sacrifiées ; il est préférable que la société soit juste *et* les individus bons ; que les vertus héroïques se fassent jour dans les circonstances exceptionnelles *et* les vertus quotidiennes, dans la vie de tous les jours ; et l'on a vu que l'action des sauveteurs exigeait à la fois une morale de principes *et* une morale de sympathie. Est-il possible de surmonter les tensions nées de ces couples d'exigences ?

La seconde observation serait que la réponse apportée par les sociétés européennes (et peut-être par les autres) à ce défi a consisté à répartir les valeurs attachées à chacun des termes des oppositions selon les sexes – non pas exclusivement, mais préférentiellement. Aux hommes le premier terme, aux femmes le second. Aux hommes le monde du travail, la politique sur la place publique, les vertus héroïques, la morale de principes ; aux femmes les relations humaines, la sphère privée, les vertus quotidiennes, la morale de sympathie. Tout comme la vie biologique a besoin pour se maintenir d'hommes *et* de femmes, la vie sociale exigerait l'interaction des valeurs « masculines » *et* « féminines » (du *yin* et du *yang*, dirait sans doute un Chinois).

Il faut ajouter aussitôt que, de manière générale, les deux séries de termes (et donc de valeurs) ne sont pas également appréciées, mais qu'une préférence est accordée aux valeurs masculines – au point que, à certains moments de l'Histoire, elles sont les seules à être reconnues comme valeurs. La vie privée, les conversations, les soins, la compassion sont « laissés » aux femmes, et du coup ignorés tant par la pensée que par la morale. De sorte que l'émancipation des femmes, on l'a vu avec Etty Hillesum, pouvait consister en l'abandon des valeurs féminines et l'adhésion aux valeurs masculines. Les choses changent depuis quelque temps, bien sûr ; mais, je le crains, plus vite dans les lois que dans les mœurs, et dans les mœurs que dans les consciences.

Quelles conclusions tirer de ce constat ? Il faut d'abord renoncer à un idéal d'unité (Rousseau, qui était arrivé à ce même constat, en était tout chagriné). Les deux termes de chaque opposition ne sont pas, à proprement parler, contradictoires ; mais, incarnés en gestes concrets, ils ne peuvent être pratiqués par la même personne en même temps. Or les deux sont nécessaires ; cela est vrai aussi bien des comportements que des valeurs : ce serait un désastre si tout le monde s'alignait sur les valeurs masculines (ou, variante moins probable, féminines). Il s'ensuit que l'individu devrait s'accepter comme un être hétéroclite, donc irrémédiablement imparfait dans les termes de chacune des deux séries de valeurs ; qu'il devrait, dans son mode de vie, accepter l'alternance (ou, si l'on préfère, l'androgynie) et la nécessité du compromis. Enfin, l'on doit constater, comme on l'a fait déjà à propos des sauveteurs, que l'être moral complet ne peut être l'individu mais seulement le couple – lequel à son tour est aussi bâti sur un compromis entre les deux espèces de valeurs, les unes servant à tempérer les autres. Devrais-je préciser que le couple dont je parle peut être formé de deux hommes ou de deux femmes et que, d'autre part, sa stabilité n'est pas en question ici ?

De plus, si les sociétés traditionnelles ont fait preuve d'une sorte de sagesse inconsciente en maintenant les deux séries, nous ne pouvons aujourd'hui accepter cette répartition qu'en lui faisant subir un double infléchissement. D'une part, si la dualité est nécessaire, la répartition traditionnelle selon les sexes ne l'est pas, à la différence de ce qui se passe en biologie (pour l'instant !). Les femmes travaillent et les hommes parlent ; *elles* jouent un rôle public, *ils* découvrent la vie privée, et ainsi de suite : la sauvegarde des deux séries est essentielle, non leur incarnation dans l'un ou l'autre sexe biologique. D'autre part, les valeurs appelées ici « féminines » ont été gravement sous-estimées par le discours dominant tout au long de l'histoire européenne, et il est nécessaire qu'elles acquièrent la place qui leur revient. Le présent livre pourrait être un pas parmi d'autres dans cette direction.

4. *Rareté des Justes.* La vertu quotidienne est omniprésente : il faut le dire tout haut et s'en réjouir. Mais il y a dans la vie des sociétés comme dans celle des individus des moments où elle s'avère insuffisante. Des moments de détresse et de désolation : en ces temps une vertu plus grande devient nécessaire. Le sujet doit alors non seulement assumer lui-même l'action qu'il prescrit, mais aussi accepter des risques pour sa propre vie ou pour ses biens, comme pour ceux de ses proches. Et il doit non seulement adresser sa conduite à un individu, mais accepter que cet individu soit un inconnu, et non plus un proche. Bref, le courage et la générosité deviennent alors également indispensables. Or – telle est la dernière leçon des camps – le nombre des Justes pourvus de ces qualités est tragiquement limité.

Je ne pense pas qu'il s'agisse là d'une nouveauté historique. Les codes moraux traditionnels prescrivent parfois l'aide aux inconnus (la charité, l'aumône), mais la générosité qui en résulte reste bien extérieure, elle n'est plus qu'une obligation parmi d'autres dont on se dépêche de s'acquitter; par ailleurs, nos ancêtres n'avaient pas plus que nous le goût du risque. Devrait-on éprouver une honte, une culpabilité métaphysique devant cette incapacité à faire pour les étrangers ce qu'on accorde volontiers à ses proches, à accepter le risque à la place de la tranquillité ? Ce serait, me semble-t-il, se révolter vainement contre la condition humaine. Ce qu'on peut espérer toutefois, c'est que soient reconnus ces moments de détresse et l'appel qui nous est alors adressé. On raconte que les juifs persécutés avaient beaucoup de mal à se faire passer pour des non-juifs, même si rien dans leurs traits ni leurs habits ne les trahissait : ils avaient dans le regard une telle tristesse qu'on les reconnaissait de loin. Puissions-nous être capables, le moment venu, de capter ce regard-là, fût-il celui d'un inconnu, et d'en être touchés ; sinon, malheur à l'étranger égaré loin des siens...

Références

Sauf indication contraire, le lieu de publication est Paris.

I. Textes liés aux camps totalitaires

Abella, I., Troper, H., *None is Too Many : Canada and the Jews of Europe, 1933-1948*, Toronto, Lester & Orfen Dennys, 1982.

L'Allemagne nazie et le génocide juif, Gallimard-Seuil, 1985.

Améry, J., *At the Mind's Limit*, Bloomington, Indiana UP, 1980.

–, « Les intellectuels à Auschwitz », *Documents, Revue des questions allemandes*, 20, 1965, 3, p. 12-33.

–, *Radical Humanism*, Bloomington, Indiana UP, 1984.

Antelme, R., *L'Espèce humaine*, Gallimard, 1957.

Arendt, H., *Eichmann à Jérusalem*, Gallimard, 1966.

Au sujet de Shoah, Belin, 1990.

Bataille, G., *L'Érotisme*, Éd. de Minuit, 1957.

Bauman, Z., *Modernity and the Holocaust*, Ithaca (N. Y.) Cornell UP, 1989.

Berkowitz, S., *Where Are My People ?*, New York, Helios, 1965.

Bettelheim, B., *Le Cœur conscient*, R. Laffont, 1972.

–, *Survivre*, R. Laffont, 1979.

Blady Szwajger, A., *Je ne me souviens de rien d'autre*, Calmann-Lévy, 1990.

Blanchot, M., « Les intellectuels en question », *Le Débat*, 29, 1984, p. 3-28.

Borowski, T., *Le Monde de pierre* (incluant *Aux douches, messieurs-dames)*, Calmann-Lévy, 1964.

–, *This Way for the Gas, Ladies and Gentlemen*, New York, Penguin, 1976.

Borwicz, M. (éd.), *L'Insurrection du ghetto de Varsovie*, Julliard, 1966.
Buber-Neumann, M., *Déportée à Ravensbrück*, Éd. du Seuil, 1988.
–, *Déportée en Sibérie*, Éd. du Seuil, 1949.
–, *Milena*, Éd. du Seuil, 1986.
Camon, F., *Conversations with Primo Levi*, Marlboro, The Marlboro Press, 1989.
Chalamov, V., *Kolyma*, Maspero, 1980.
Ciechanowski, J., *The Warsaw Rising of 1944*, Cambridge, Cambridge UP, 1974.
Cohen, E. A., *Human Behavior in the Concentration Camp*, New York, Norton, 1953.
Conan, E., « Enquête sur un crime oublié », *L'Express*, 2025, 27. 4-3. 5. 1990, p. 60-70.
–, *Sans oublier les enfants*, Grasset, 1991.
Conquest, R., *Kolyma, The Arctic Death Camps*, New York, Viking Press, 1978.
Copfermann E., *David Rousset*, Plon, 1990.
Delbo, C., *Auschwitz et après (*I. *Aucun de nous ne reviendra ;* II. *Une connaissance inutile ;* III. *Mesure de nos jours)*, Éd. de Minuit, 1970-1971.
–, *Le Convoi du 24 janvier*, Éd. de Minuit, 1965.
Des Pres, T., *The Survivor*, Oxford, Oxford UP, 1976.
Diamant, D., *Héros juifs de la Résistance française*, Éd. Renouveau, 1962.
Edelman, M., Krall, H., *Mémoires du ghetto de Varsovie* (incluant *Prendre le bon Dieu de vitesse*), Éd. du Scribe, 1983.
Eichmann par Eichmann, Grasset, 1970.
Fénelon, F., *Sursis pour l'orchestre*, Stock, 1976.
Frank, A., *Journal*, Calmann-Lévy, 1950.
Frank, H., *Die Technik des Staates*, Munich, 1942.
Frankl, V., *Un psychiatre déporté témoigne*, Lyon, Éd. du Chalet, 1967.
Gilbert, G. M., *Nuremberg Diary*, New York, Farrar, Strauss, Cudatry, 1947.
–, *The Psychology of Dictatorship*, New York, The Ronald Press, 1950.
Grey, J. G., *The Warriors*, New York, Harper & Row, 1970.
Grossman, V., *Dobro vam !*, Moscou, Sovetskij pisatel', 1967

–, « Memoria », Dangara, II, 1990.
–, *Tout passe*, Julliard-l'Age d'homme, 1984.
–, *Vie et Destin*, Julliard-l'Age d'homme, 1983.
Guinzbourg, E., I. *Le Vertige ;* II. *Le Ciel de la Kolyma*, Éd. du Seuil, 1967, 1980.
Haas, P. J., *Morality after Auschwitz*, Philadelphie, Fortress Press, 1988.
Hallie, P., *Le Sang des innocents*, Stock, 1980.
Herling, G., *Un monde à part*, Denoël, 1985.
Hilberg, R., *La Destruction des juifs d'Europe*, Fayard, 1988.
Hill, M. A. (éd.), *Hannah Arendt, Recovery of the Public World*, New York, St. Martin's Press, 1979.
Hillesum, E., *Une vie bouleversée* (I), Éd. du Seuil, 1985.
–, *Lettres de Westerbork* (II), Éd. du Seuil, 1988.
Himmler, H., *Discours secrets*, Gallimard, 1978.
Hoess, R., *Le Commandant d'Auschwitz parle*, Maspero, 1979.
Huston, N., Kinser, S., *A l'amour comme à la guerre*, Éd. du Seuil, 1984.
Jankélévitch, V., *L'Imprescriptible*, Éd. du Seuil, 1986.
Jaspers, K., *La Culpabilité allemande*, Éd. de Minuit, 1948.
Jong, L. de, « The Netherlands and Auschwitz », *Yad Vashem Studies*, VII.
Kahler, E., *The Tower and the Abyss*, Londres, Jonathan Cape, 1958.
Klemperer, V., *LTI*, Cologne, Röderberg, 1987.
Kogon, E., *L'État SS*, Éd. du Seuil, 1970.
–, Langbein, H., Rückerl, A., *Les Chambres à gaz, secret d'État*, Éd. du Seuil, 1987.
Kremer, J. P., « Diary », *in* Bezwinska, J., Czech, D., (éd.), *KL Auschwitz Seen by the SS*, New York, H. Fertig, 1984.
Kren, G. M., Rappoport, L., *The Holocaust and the Crisis of Human Behavior*, New York-Londres, Holmes & Meier, 1980.
Kurzman, D., *The Bravest Battle*, New York, Putnam's, 1976.
Laks, S., *Music of Another World*, Evanston, Northwestern UP, 1989.
–, Coudy, R., *Musiques d'un autre monde*, Mercure de France, 1948.
Langbein, H., *Hommes et femmes à Auschwitz*, Fayard, 1975.
Lanzmann, C., *Shoah*, Fayard, 1985.

Laqueur, W., *The Terrible Secret*, New York, Penguin, 1982.
Leitner, I., *Fragments of Isabella*, New York, Dell, 1978.
Lengyel, O., *Souvenirs de l'au-delà*, Éd. du Bateau ivre, 1946.
Levi, P., *La Trêve*, Grasset, 1966.
–, *La Clé à molette*, Julliard, 1980.
–, *Le Fabricant de miroirs*, Liana Levi, 1989.
–, *Les Naufragés et les Rescapés*, Gallimard, 1989.
–, *Le Système périodique*, Albin Michel, 1987.
–, *Lilith*, Liana Levi, 1987.
–, *Maintenant ou jamais*, Julliard, 1983.
–, *Moments of Reprieve*, New York, Penguin, 1987.
–, *Si c'est un homme*, Julliard, 1987.
Lifton, R. J., *Les Médecins nazis*, R. Laffont, 1989.
Lingens-Reiner, E., *Prisoners of Fear*, Londres, V. Gollancz, 1948.
Macdonald, D., « The Responsability of Peoples », *Politics*, 2, mars 1945.
Maier, C. S., *The Unmasterable Past : History, Holocaust and German National Identity*, Cambridge, Harvard UP, 1988.
Marrus, M., *The Holocaust in History*, New York, New American Library, 1987.
Martchenko, A., *Mon témoignage*, Éd. du Seuil, 1970.
Micheels, L. J., *Doctor 117 641*, New Haven-Londres, Yale UP, 1989.
Milgram, S., *Obedience to Authority*, New York, Harper & Row, 1974.
Milosz, C., *The Captive Mind*, New York, Vintage Books, 1981 (trad. française : *La Pensée captive*, Gallimard, 1980).
Mitscherlich, A., Mielke, F., *The Death Doctors*, Londres, Elek Books, 1962.
Müller, F., *Trois Ans dans une chambre à gaz d'Auschwitz*, Pygmalion, 1980.
Naumann, B., *Auschwitz*, New York, Frederick Praeger, 1966.
Orwell, G., *Essais choisis*, Gallimard, 1960.
Pawelczynska, A., *Values and Violence in Auschwitz*, Berkeley-Los Angeles-Londres, University of California Press, 1979.
Petrov, B., « Godina i dva meseca v ada », *Democracija*, 30, 23. 3. 1990, p. 3.
Ratouchinskaïa, I., *Grise est la couleur de l'espoir*, Plon, 1989.
Rauschning, H., *Hitler Speaks*, Londres, T. Butterworth, 1939.

Ringelblum, E., *Chronique du ghetto de Varsovie*, R. Laffont, 1978.
Roskies, D. G. (éd.), *The Literature of Destruction*, Philadelphie-New York-Jérusalem, The Jewish Publication Society, 1989.
Rousset, D., *L'Univers concentrationnaire*, Éd. de Minuit, 1965.
–, Bernard, T., Rosenthal, G., *Pour la vérité sur les camps concentrationnaires*, Ramsay, 1990.
Sartre, J.-P., *L'existentialisme est un humanisme*, Nagel, 1970.
Semprun, J., *Le Grand Voyage*, Gallimard, 1963.
Sereny, G., *Au fond des ténèbres*, Denoël, 1975.
Smith, B. F., *Reaching Judgment at Nuremberg*, New York, Basic Books, 1977.
Soljenitsyne, A., *L'Archipel du Goulag*, t. II, Éd. du Seuil, 1974.
Speer, A., *Au cœur du Troisième Reich*, Fayard, 1971 (trad. am. : *Inside the Third Reich*, New York, Collier Books, 1981).
Stajner, K., *Sept Mille Jours en Sibérie*, Gallimard, 1983.
Stein, A., *Quiet Heroes*, Toronto, Lester & Orfen Dennys, 1988.
Steiner, J.-F., *Varsovie 44*, Flammarion, 1975.
Suhl, Y. (éd.), *They Fought Back*, New York, Crown, 1967.
Tec, N., *When Light Pierced Darkness*, Oxford, Oxford UP, 1986.
Tillion, G., *Ravensbrück*, Éd. du Seuil, 1988 (3 éd. ; 1, 1946 ; 2e éd., 1972).
Trunk, I., *Jewish Responses to Nazi Persecution*, New York, Stein & Day, 1979.
Tushnet, L., *Les Comptables de la mort*, France-Empire, 1975.
Vidal-Naquet, P., *Les Asssassins de la mémoire*, La Découverte, 1987.
Vrba, R., *Je me suis évadé d'Auschwitz*, Ramsay, 1988.
Wiesel, E., *Nuit*, Éd. de Minuit, 1973.
Wiesenthal, S., *The Sunflower*, New York, Schocken Books, 1976.
Wieviorka, A., *Le Procès Eichmann*, Bruxelles, Complexe, 1989.
Wyman, D., *L'Abandon des juifs*, Flammarion, 1987.
Zawodny, J. K., *Nothing but Honour*, Londres, Macmillan, 1978.

II. Autres textes

Andersen, H. C., « La reine des neiges », *Contes*, Livre de poche, 1963.
Bowra, C. M., *Heroic Poetry*, New York, St. Martin's Press, 1966.
Brombert, V. (éd.), *The Hero in Literature*, New York, Fawcett, 1969.
Camus, A., *Le Mythe de Sisyphe*, Gallimard, 1948.
Goethe, J. W., *Faust*, Flammarion, 1984.
Hadas, M., Smith, M., *Heroes and Gods*, New York, Harper & Row, 1965.
Homère, *L'Iliade*, 4 vol., Les Belles Lettres, 1937-8.
Kant, E., *Doctrine de la vertu*, Vrin, 1985.
–, *Fondements de la métaphysique des mœurs*, in *Œuvres philosophiques*, t. II, Gallimard, 1985.
Marc Aurèle, *Pensées*, in *Les Stoïciens*, Gallimard, 1962.
Pascal, B., *Pensées*, Garnier, 1964.
Rousseau, J.-J., *Discours sur l'origine et les fondements de l'inégalité parmi les hommes*, in *Œuvres complètes*, t. III, Gallimard, 1964.
Virgile, *L'Énéide*, Garnier, 1965.
Voragine, J. de, *La Légende dorée*, Garnier-Flammarion, 1967.
Whitman, C., *Homer and the Heroic Tradition*, Cambridge, Harvard UP, 1958.

Index

Alberto, 40.
Allers, Dieter, 295.
Améry, Jean, 35, 38, 59, 66-68, 102, 117, 140, 150-151, 214, 216, 251, 268, 276-277-279, 294.
Andersen, Hans Christian, 58.
Anielewicz, Mordehaï, 23, 25, 28-31, 33, 245-246.
Antelme, Robert, 41, 81, 90, 96, 165.
Arendt, Hannah, 138-139, 167, 180, 195, 198, 253, 305.
Axionov, Vassily, 97.

Bach, Jean-Sébastien, 103, 106, 174.
Barbie, Klaus, 178.
Bartoszewski, Wladislaw, 292.
Bataille, Georges, 214.
Beauvoir, Simone de, 88.
Beckett, Samuel, 57.
Beethoven, Ludwig van, 114.
Béguin, Albert, 308.
Benn, Gottfried, 144.
Beria, Lavrenti Pavlovitch, 134.
Berkowitz, Sarah, 269.
Bettelheim, Bruno, 68, 75-77, 113-114, 132, 140, 150, 157, 167-168, 173, 244, 249-250, 269, 278, 304.
Blady Szwajger, Adina, 28.
Blanchot, Maurice, 124-125.
Boger, Wilhelm, 172.
Boehm, Arno, 175, 180.
Bomba, Abraham, 288.
Bor-Komorowski, Tadeusz, 14, 16, 18.
Boris, N., 102.
Borowski, Tadeusz, 37-40, 44, 69, 78, 105-106, 174-175, 230, 252, 257, 278.
Borwicz, Michal, 30, 115.
Bostramer, 108.
Bradbury, Ray, 100.
Bradfisch, Otto, 180.
Braun, Werner von, 109.
Brecht, Bertolt, 60.
Brinker, Hans, 54.
Broad, Pery, 174.
Bruegel, Pieter, 103.
Buber-Neumann, Margarete, 43, 65, 72, 80, 82-83, 87, 96, 102, 121, 150, 156, 168, 188, 193, 221, 308, 310.
Bulawko, Henry, 180.

Camon, Ferdinando, 307.
Camus, Albert, 60, 144, 163.

Cavani, Liliana, 167.
Ceaucescu, 314.
Chalamov, Varlam, 38, 41.
Chamberlain, Neville, 60.
Chaplin, Charlie, 57.
Chicha, 84.
Churchill, Winston, 60.
Ciechanowski, Jan M., 14-16.
Conan, Eric, 160, 290.
Conquest, Robert, 215.
Coudy, René, 39, 41, 103, 108, 166.
Czerniakow, Adam, 25, 28, 245.

Daladier, Édouard, 60.
Daniel, Youli, 84.
Dante Alighieri, 101, 106, 277.
David, 80.
Delbo, Charlotte, 63, 94, 100, 106, 282, 284.
Des Pres, Terrence, 43, 46.
Diamant, David, 64.
Doiret, Madeleine, 282.
Doenitz, Karl, 183.
Dostoïevski, Feodor, 100.
Duprat, François, 264.

Edelman, Marek, 22-32, 37, 105, 158, 234, 245, 292, 297.
Eichmann, Adolf, 108, 134, 145, 160, 167-168, 174, 183-184, 196, 198, 201, 203-208, 210, 218, 222, 253.
Eicke, Theodor, 137, 150, 196-198, 204.
Evguénia Feodorovna, 74.

Fanon, Frantz, 67.
Fénelon, Fania, 65, 76-77, 82, 86, 103, 108, 114, 132, 176-177, 181, 214, 252.
Frank, Anne, 250.
Frank, Hans, 147-148, 198.
Frank, Willi, 172.
Frankl, Viktor, 49, 68, 96, 99, 111, 114, 188, 251-252.
Freud, Sigmund, 213.
Fuchrer, Mira, 29.

Gajowniczek, Franciszek, 62.
Galilée, Galileo, 60.
Gaulle, Charles de, 60.
Gavras, Costa, 178.
Gawkowski, Henrik, 288.
Gepner, Abraham, 27.
Gilbert, G. M., 135, 147, 223, 225.
Glazar, Richard, 39, 94, 156, 267, 287, 291.
Goebbels, Josef, 133.
Goering, Hermann, 77, 223-225, 147-149.
Goethe, Johann Wolfgang von, 121.
Goliborska, Tosia, 26.
Gradowski, Zalmon, 69, 83, 104, 248.
Graf, Maria, 96.
Graff, 168.
Grey, J. Glenn, 92, 94, 175, 149.
Grossman, Vassili, 34, 121, 126-127, 134, 140, 142-143, 169, 172, 179, 217, 305.
Grot-Rowecki, Stefan, 18.
Guinzbourg, Evguénia, 38, 41, 48, 70, 79-81, 85, 87, 91-92, 97, 99-101, 103-104, 106, 121, 132, 154-155, 157-158,

188, 191, 198-199, 207, 235, 247, 267.

Hallie, Philip, 90, 124, 168, 257, 261.
Hanke, Karl, 146.
Heidegger, Martin, 124, 144, 182.
Heine, Heinrich, 56.
Heisenberg, Werner, 109.
Hempel, Ella, 65.
Herling, Gustaw, 45, 69-70, 74, 100, 102, 163, 311.
Heydrich, Reinhardt, 133, 184.
Hilberg, Raul, 140, 287.
Hillesum, Etty, 88, 103, 106, 110, 149, 166, 168, 232-243, 247-248, 255, 267, 280-281, 325.
Himmler, Heinrich, 77, 132-133, 190, 193-194, 201, 208, 222, 225-226.
Hirsch, Fredy, 243-245.
Hitler, Adolf, 29, 33, 60, 64, 90, 107, 109, 125, 133-134, 138, 145-148, 150, 162, 172, 182, 185, 188, 190, 195-196, 200, 204, 208-210, 216, 221-225, 227, 235, 237, 241, 248, 262, 268-269, 271, 308, 310-312.
Hobbes, Thomas, 38, 46, 169.
Hoess, Rudolf, 75-77, 117, 135, 137, 144, 175, 184-185, 190, 192, 194, 196, 198, 200-204, 207, 210, 218, 223-224, 295, 310.
Hölderlin, Friedrich, 102.
Homère, 54, 118-119.
Honnecker, 314.
Horace, 304.

Irena, 159.
Ivan le Terrible, 241.

Jankélévitch, Vladimir, 151.
Jaspers, Karl, 142, 149-150, 280.
Jean le Pikolo, 40, 101-102.
Jeanne d'Arc, 23.
Jesenska, Milena, 72, 82-83, 96, 99, 102-103, 111, 171, 322.
Jivkov, 314.
Jo, 81.
Jodl, Alfred, 147.
Jong, Louis de, 157.
Jünger, Karl, 144.
Juszek, 67.

Kacenelson, Icchak, 115.
Kafka, Franz, 72, 102.
Kahler, Erich, 109, 194.
Kaltenbrunner, Ernst, 147.
Kant, Emmanuel, 66, 113, 128, 190, 198.
Karl, 236.
Karski, Jan, 33, 287, 289.
Kastner, Rudolf, 115.
Kautsky, Benedikt, 132.
Kesten, Hermann, 144.
Ketlinskaïa, Vera, 222.
Kis, Danilo, 95.
Klaas, 233, 235.
Klein, Fritz, 200.
Klepfisz, Michal, 23, 32, 63.
Koenig, Hans, 168.
Kogon, Eugen, 193, 230.
Kolbe, Maxymilien, 62-63, 65, 93.
Korczak, Janusz, 27.

Kosciuszkowa, J., 78.
Kostylev, Mikhaïl, 100.
Krall, Hanna, 22, 24, 31-32, 37, 297.
Kramer, Josef, 108, 173, 175.
Kremer, Johann Paul, 171-172.
Kren, G., 186.
Krug, Else, 72.
Kurzman, Dan, 29, 33.

Laks, Simon, 39, 41, 103, 108, 166.
Langbein, Hermann, 71, 78-79, 132, 175, 180, 200, 218, 236, 266-267, 278, 281.
Lanzmann, Claude, 154, 156, 159, 193, 287-294, 296.
Laqueur, Walter, 159, 161.
Lederer, Vitezslav, 236.
Leitner, Isabella, 84.
Lengyel, Olga, 47, 70, 79, 96.
Lénine, Vladimir Ilitch, 137, 139, 190, 217.
Less, Avner, 184, 203.
Levi, Primo, 38, 40, 73-74, 77, 81, 90, 101-103, 106, 115, 133, 136, 150, 155, 157, 165-167, 169, 171, 215-216, 235, 254-255, 265-266, 269-270, 275-280, 283-286, 293, 295, 306-307.
Lifszyc, Pola, 26-28, 32, 35, 78-79, 98, 178, 245-246.
Lifton, Robert J., 176-177, 187, 194.
Lingens-Reiner, Ella, 41-42, 97, 120, 158, 266.
Lorenzo, 74-75, 81, 281.
Lubetkin, Cyvia, 115.
Luther, Martin, 181.

MacDonald, Dwight, 133.
Maier, Charles, 126.
Mandel, Maria, 108, 173, 176.
Marc Aurèle, 123, 232.
Marie, 86.
Martchenko, Anatoly, 39, 45, 47, 84-86.
Marx, Karl, 44, 181.
Massarek, Rudi, 62-63.
Mauriac, François, 144.
Mengele, Josef, 77, 108, 134, 172, 174.
Metzger, 262.
Micha, oncle, 248.
Micheels, Louis, 97, 103, 108, 156.
Mikolajczyk, Stanislaw, 16, 21.
Milgram, Stanley, 199.
Milosz, Czeslaw, 44, 163.
Miszka, 103.
Mitscherlich, Alexander, 145, 167.
Moché-le-Bedeau, 156.
Monter-Chrusciel, Antoni, 14, 18.
Montesquieu, Charles de, 305.
Morgenthau, Henry, 253.
Morozov, Pavlik, 196.
Mosche, 180.
Müller, Filip, 69-70, 83, 156, 248, 273, 287.
Müller, Dr L., 154, 285.
Munk, Alice, 245.

Neumeier, Hiasl, 71.
Nietzsche, Friedrich, 44, 308.

Oberhauser, Joseph, 296.
Ohlendorf, Otto, 180.

Okulicki, L., 14-15, 16, 18-20, 23, 28-30, 33, 119, 227.
Orwell, George, 75, 115.

Pascal, Blaise, 66, 92.
Pasternak, Boris, 100, 270.
Paulhan, Jean, 144.
Pawelczynska, Anna, 42, 94, 214.
Pelczynski, Tadeusz, 14-16, 18, 21, 23.
Pestek, Viktor, 235-236.
Pétain, Philippe, 90.
Petcherski, Sacha, 61-62, 80.
Petrov, Bojidar, 312.
Petrov, Vladimir, 215.
Pindare, 106.
Platon, 112.
Popieluszko, Jerzy, 11.
Porsche, Ferdinand, 76.
Pouchkine, Aleksandr, 100, 174.
Presserova, Maria, 96.
Puccini, Giacomo, 108.

Rajman, Marcel et Simon, 64.
Rappoport, L., 186.
Ratouchinskaïa, Irina, 48-49, 71, 75, 80, 85, 95, 132, 235.
Renan, Ernest, 56.
Ringelblum, Emmanuel, 24, 29-31-33, 245.
Rose, Alma, 76, 114, 175, 181.
Rosenberg, Alfred, 147-148.
Roskies, David, 69, 105, 248.
Rousseau, Jean-Jacques, 45, 109, 169, 179, 321-322, 325.
Rousset, David, 136, 162-163, 309, 312-314.
Rumkowski, Chaïm, 216.
Russell, Bertrand, 163.

Sakharov, Andreï, 80.
Salus, Grete, 281.
Sartre, Jean-Paul, 117-120, 163.
Schmitt, Carl,144.
Schumann, Robert, 108, 173-174.
Schwartzbart, Ignacy, 33.
Schwarzhuber, Johann, 172.
Semprun, Jorge, 47, 49, 199, 285.
Sereny, Gitta, 39, 63, 76, 94, 146, 151-153, 156, 177, 184, 192-193, 203, 266-267, 275, 287, 291, 294-299.
Seyss-Inquart, Artur, 135, 204.
Shakespeare, William, 112, 115.
Siedlicki, Joe, 266-267, 291.
Siniavski, Andreï, 84.
Smith, Bradley F., 253.
Socrate, 54-55.
Soljenitsyne, Aleksandr, 41, 48, 63, 74-75, 163, 166, 233, 306.
Sosnkowski, Kazimierz, 16, 25.
Speer, Albert, 76, 95, 106-107, 134, 145-146, 172, 183, 185, 188, 195-196, 201, 203, 207-211, 216, 221, 223-224, 285.
Staf, Leon, 103.
Stajner, Karlo, 95.
Staline, Iossif Vissarionovitch, 33, 64, 69-70, 125, 138, 145, 148, 163, 179, 185, 190, 199, 222, 224, 235, 269, 271, 308, 310, 312.
Stangl, Franz, 76, 107, 119, 144, 146, 151, 177-179, 184, 192-193, 203, 267, 294-298.

Stangl, Renate, 177-178, 267, 296.
Stangl, Theresa, 151-153, 267.
Stein, André, 113, 257-258, 264.
Steiner, Jean-François, 13-14, 18-20, 21, 23, 27.
Steinlauf, 73.
Suchomel, Franz, 287, 291, 294, 296.
Suhl, Youri, 29-30, 33, 71, 78, 82, 103, 249.
Szmajzner, Stanislaw, 267.

Tec, Nechama, 80, 159, 260.
Tennenbaum, Mme et Mlle, 26, 28.
Theresa, sœur, 56.
Thilo, 171.
Tillion, Germaine, 42-43, 80, 84, 94, 97, 105, 132, 136, 141, 162, 173, 217, 231, 235-236.
Tocqueville, Alexis de, 56.
Trocmé, André, 168, 261.
Trocmé, Magda, 257, 261.
Trunk, Isaïah, 78, 282.
Tushnet, Leonard, 25.

Vaillant-Couturier, Marie-Paule, 162.
Valéry, Paul, 124-125.
Vélikanova, Tatiana Mikhaïlovna, 81.
Vercors, 144.
Vidal-Naquet, Pierre, 270.
Vincent de Paul, saint, 56.
Virgile, 119.
Voragine, Jacques de, 55.
Vrba, Rudolf, 80, 84, 168, 246, 243-246, 252-253, 281, 285, 287.

Wagner, Richard, 174.
Walser, Martin, 278.
Walter, Anton, 81.
Weiss, Ena, 41.
Wiesel, Elie, 39, 97, 156.
Wiesenthal, Simon, 144, 265.
Wieviorka, Annette, 205, 207
Wilner, Arié, 30.
Wirths, Eduard, 176, 179
Wittenberg, Isaac, 42.
Wyman, David S., 162.

Zawodny, J. K., 14, 19, 21.
Zimmerman, 120.
Zimetbaum, Mala, 71, 81.

Table

Prologue

Voyage à Varsovie 11

Visites de dimanche, 11. – Varsovie en 1944, 13. – Le ghetto en 1943, 21. – Interrogations, 33.

Une place pour la morale ? 37

La guerre de tous contre tous, 37. – Doutes, 40. – Un même monde, 46.

Ni héros ni saints

Héroïsme et sainteté 53

Le modèle et ses transformations, 53. – En situation extrême, 61.

Dignité 66

Définition, 66. – L'exercice de la volonté, 69. – Le respect de soi, 73. – Ambiguïtés morales, 75.

Souci 78

Pratiques, 78. – Agents, 83. – Frontières, 89. – Effets, 94.

Activité de l'esprit 99

Expériences esthétiques et intellectuelles, 99. – Esprit et morale, 105. – Hiérarchie des vertus, 112. – Vertus quotidiennes et héroïques, 116. – Bien et bonté, 120.

Ni monstres ni bêtes

Des gens ordinaires 131

Explications du mal, 131. – Crimes totalitaires, 134. – Les agents du mal, 142. – Les témoins, 149. – Vices quotidiens, 165.

Fragmentation 171

Formes de discontinuité, 171. – Privé et public, 175. – Causes et effets, 181.

Dépersonnalisation 190

Déshumanisation des victimes, 190. – Soumission des gardiens, 197. – Portraits, 201.

Jouissance du pouvoir 212

Le pouvoir sur autrui, 212. – Vices et vertus quotidiens, 218. – Héroïsme totalitaire ?, 220.

Devant le mal

Non-violence et résignation 231

Imiter ou refuser, 231. – L'acceptation du monde, 236. – Politique ou morale, 243.

Les formes de combat 247

Accepter ou résister, 247. – La tentation de vengeance, 251. – La vertu des sauveteurs, 256.

Dire, juger, comprendre 265

Sagesse des survivants, 265. – En parler aujourd'hui, 268. – Primo Levi, 275. – Shoah, 287. – « Au fond des ténèbres », 294.

Épilogue

Le sens de l'extrême, 303. – Unité ou unicité, 308. – Notes sur la morale, 315. – Leçons du passé, 320.

Références 327

Index 335

Du même auteur

AUX MÊMES ÉDITIONS

Introduction à la littérature fantastique
1970, et « Points Essais », n° 73, 1976

Poétique de la prose
1971, et « Points Essais », n° 120, 1980

Dictionnaire encyclopédique des sciences du langage
(avec Oswald Ducrot)
1972

Qu'est-ce que le structuralisme ? Poétique
« Points Essais », n° 45, 1973

Théorie du symbole
1977, et « Points Essais », n° 176, 1985

Les Genres du discours
1978
repris sous le titre
La Notion de littérature et autres essais
« Points Essais », n° 188, 1987

Symbolisme et interprétation
1978

Mikhaïl Bakhtine, le principe dialogique
Suivi de
Écrits du Cercle de Bakhtine
1981

La Conquête de l'Amérique
1982, et « Points Essais », n° 226, 1991

Critique de la critique
1984

Nous et les autres
La réflexion française sur la diversité humaine
1989, et « Points Essais », n° 250, 1992

Une tragédie française
1994 et « Points Essais », n° 523, 2004

La Vie commune
Essai d'anthropologie générale
1995, et « Points Essais », n° 501, 2003

L'Homme dépaysé
1996

Devoirs et délices
Une vie de passeur
Entretiens avec Catherine Portevin
2002 et « Points Essais », n° 540, 2006

La Signature humaine
Essais 1983-2008
2009

L'Expérience totalitaire
La signature humaine 1
« Points Essais » n° 675, 2011

Vivre seuls ensemble
La signature humaine 2
« Points Essais », 2012

CHEZ D'AUTRES ÉDITEURS

Littérature et signification
Larousse, 1967

Grammaire du Décaméron
La Haye, Mouton, 1969

Frêle bonheur
Essai sur Rousseau
Hachette Littératures, 1985

Les Morales de l'histoire
Grasset, 1991
et Hachette, « Pluriel », n° 866, 1997

Éloge du quotidien
Essai sur la peinture hollandaise du XVIIe siècle
Adam Biro, 1993
et Seuil, « Points Essais », n° 349, 1997

Les Abus de la mémoire
Arléa, 1995
et « Arléa Poche », n° 44, 2004

Benjamin Constant
La passion démocratique
Hachette Littératures, 1997
et « Le Livre de poche », n° 4361, 2004

Le Jardin imparfait
La Pensée humaniste en France
Grasset, 1998
et « Le Livre de poche », n° 4297, 1999

Mémoire du mal, tentation du bien
Enquête sur le siècle
Robert Laffont, 2000
et « Le Livre de poche », n° 4321, 2002

Éloge de l'individu
Essai sur la peinture flamande de la Renaissance
Adam Biro, 2001
et Seuil, « Points Essais », n° 514, 2004

Montaigne ou la découverte de l'individu
La Renaissance du livre, 2001

Germaine Tillion, une ethnologue dans le siècle
(avec Christian Bromberger)
Arles, Actes Sud, 2002

Le Nouveau Désordre mondial
Réflexions d'un Européen
Robert Laffont, 2003
et « Le Livre de poche » n° 4380, 2005

La Naissance de l'individu dans l'art
(avec Bernard Foccroule et Robert Legros)
Grasset, 2005

La Littérature en péril
Flammarion, 2006

Les Aventuriers de l'absolu
Robert Laffont, 2006

L'Esprit des Lumières
Robert Laffont, 2006
et « Le Livre de poche », n° 4418, 2007

La Peur des barbares
Au-delà du choc des civilisations
Robert Laffont, 2008
LGF, « Biblio Essais », 2009

L'Art ou la Vie !
Le cas Rembrandt
Biro éditeur, 2008

Germaine Tillion, la pensée en action
Textuel, 2011

Goya à l'ombre des Lumières
Flammarion, 2011

DIRECTION D'OUVRAGES

Théorie de la littérature
Textes des formalistes russes
1966, et « Points Essais », n°457, 2001

L'enseignement de la littérature
(avec Serge Doubrovsky)
Plon, 1970

Au nom du peuple
Témoignages sur les camps communistes
La Tour d'Aigues, Éditions de l'Aube, 1992

Mélanges sur l'œuvre de Paul Bénichou
(avec Marc Fumaroli)
Gallimard, 1995

Guerre et paix sous l'occupation
(avec Annick Jacquet)
Arléa, 1996

La Fragilité du bien
Le sauvetage des juifs bulgares
Albin Michel, 1999

Vivre dans le feu de Marina Tsvetaeva
Robert Laffont, 2005

Le Siècle de Germaine Tillion
Seuil, 2007

La Conquête
Récits aztèques
(avec Georges Baudot)
Seuil, 2009

Fragments de vie
de Germaine Tillion
Seuil, 2009

Georges Jeanclos : œuvres et écrits
Biro & Cohen éditeurs, 2011

IMPRESSION : NORMANDIE ROTO IMPRESSION S.A.S. À LONRAI
DÉPÔT LÉGAL : OCTOBRE 1994 – N° 22222-3 (120426)
IMPRIMÉ EN FRANCE

Collection Points Essais

DERNIERS TITRES PARUS

300. Introduction à une science du langage
par Jean-Claude Milner
301. Les Juifs, la Mémoire et le Présent, *par Pierre Vidal-Naquet*
302. Les Assassins de la mémoire, *par Pierre Vidal-Naquet*
303. La Méthode
4. Les idées, *par Edgar Morin*
304. Pour lire Jacques Lacan, *par Philippe Julien*
305. Événements I
Psychopathologie du quotidien, *par Daniel Sibony*
306. Événements II
Psychopathologie du quotidien, *par Daniel Sibony*
307. Le Système totalitaire, *par Hannah Arendt*
308. La Sociologie des entreprises, *par Philippe Bernoux*
309. Vers une écologie de l'esprit 1
par Gregory Bateson
311. Histoire constitutionnelle de la France, *par Olivier Duhamel*
313. Que veut une femme ?, *par Serge André*
314. Histoire de la révolution russe
1. La révolution de Février, *par Léon Trotsky*
315. Histoire de la révolution russe
2. La révolution d'Octobre, *par Léon Trotsky*
317. Le Corps, *par Michel Bernard*
318. Introduction à l'étude de la parenté, *par Christian Ghasarian*
319. La Constitution (10e édition), *par Guy Carcassonne*
320. Introduction à la politique
par Dominique Chagnollaud
321. L'Invention de l'Europe, *par Emmanuel Todd*
322. La Naissance de l'histoire (tome 1), *par François Châtelet*
323. La Naissance de l'histoire (tome 2), *par François Châtelet*
324. L'Art de bâtir les villes, *par Camillo Sitte*
325. L'Invention de la réalité
sous la direction de Paul Watzlawick

326. Le Pacte autobiographique, *par Philippe Lejeune*
327. L'Imprescriptible, *par Vladimir Jankélévitch*
328. Libertés et Droits fondamentaux
sous la direction de Mireille Delmas-Marty et Claude Lucas de Leyssac
329. Penser au Moyen Âge, *par Alain de Libera*
330. Soi-même comme un autre, *par Paul Ricœur*
331. Raisons pratiques, *par Pierre Bourdieu*
332. L'Écriture poétique chinoise, *par François Cheng*
333. Machiavel et la Fragilité du politique
par Paul Valadier
334. Code de déontologie médicale, *par Louis René*
335. Lumière, Commencement, Liberté
par Robert Misrahi
336. Les Miettes philosophiques, *par Søren Kierkegaard*
337. Des yeux pour entendre, *par Oliver Sacks*
338. De la liberté du chrétien *et* Préfaces à la Bible
par Martin Luther (bilingue)
340. Les Deux États, *par Bertrand Badie*
341. Le Pouvoir et la Règle, *par Erhard Friedberg*
342. Introduction élémentaire au droit, *par Jean-Pierre Hue*
343. La Démocratie politique
Science politique t. 1, *par Philippe Braud*
344. Penser l'État
Science politique t. 2, *par Philippe Braud*
345. Le Destin des immigrés, *par Emmanuel Todd*
346. La Psychologie sociale, *par Gustave-Nicolas Fischer*
347. La Métaphore vive, *par Paul Ricœur*
348. Les Trois Monothéismes, *par Daniel Sibony*
349. Éloge du quotidien. Essai sur la peinture hollandaise du XVIIIe siècle, *par Tzvetan Todorov*
350. Le Temps du désir. Essai sur le corps et la parole
par Denis Vasse
351. La Recherche de la langue parfaite dans la culture européenne
par Umberto Eco
352. Esquisses pyrrhoniennes, *par Pierre Pellegrin*
353. De l'ontologie, *par Jeremy Bentham*
354. Théorie de la justice, *par John Rawls*
355. De la naissance des dieux à la naissance du Christ
par Eugen Drewermann
356. L'Impérialisme, *par Hannah Arendt*
357. Entre-Deux, *par Daniel Sibony*
358. Paul Ricœur, *par Olivier Mongin*
359. La Nouvelle Question sociale, *par Pierre Rosanvallon*
360. Sur l'antisémitisme, *par Hannah Arendt*
361. La Crise de l'intelligence, *par Michel Crozier*
362. L'Urbanisme face aux villes anciennes
par Gustavo Giovannoni

363. Le Pardon, *collectif dirigé par Olivier Abel*
364. La Tolérance, *collectif dirigé par Claude Sahel*
365. Introduction à la sociologie politique
par Jean Baudouin
366. Séminaire, livre I : les écrits techniques de Freud
par Jacques Lacan
367. Identité et Différence, *par John Locke*
368. Sur la nature ou sur l'étant, la langue de l'être ?
par Parménide
369. Les Carrefours du labyrinthe I, *par Cornelius Castoriadis*
370. Les Règles de l'art, *par Pierre Bourdieu*
371. La Pragmatique aujourd'hui,
une nouvelle science de la communication
par Anne Reboul et Jacques Moeschler
372. La Poétique de Dostoïevski, *par Mikhaïl Bakhtine*
373. L'Amérique latine, *par Alain Rouquié*
374. La Fidélité, *collectif dirigé par Cécile Wajsbrot*
375. Le Courage, *collectif dirigé par Pierre Michel Klein*
376. Le Nouvel Age des inégalités
par Jean-Paul Fitoussi et Pierre Rosanvallon
377. Du texte à l'action, essais d'herméneutique II
par Paul Ricœur
378. Madame du Deffand et son monde
par Benedetta Craveri
379. Rompre les charmes, *par Serge Leclaire*
380. Éthique, *par Spinoza*
381. Introduction à une politique de l'homme
par Edgar Morin
382. Lectures 1. Autour du politique
par Paul Ricœur
383. L'Institution imaginaire de la société
par Cornelius Castoriadis
384. Essai d'autocritique et autres préfaces, *par Nietzsche*
385. Le Capitalisme utopique, *par Pierre Rosanvallon*
386. Mimologiques, *par Gérard Genette*
387. La Jouissance de l'hystérique, *par Lucien Israël*
388. L'Histoire d'Homère à Augustin
préfaces et textes d'historiens antiques
réunis et commentés par François Hartog
389. Études sur le romantisme, *par Jean-Pierre Richard*
390. Le Respect, *collectif dirigé par Catherine Audard*
391. La Justice, *collectif dirigé par William Baranès*
et Marie-Anne Frison Roche
392. L'Ombilic et la Voix, *par Denis Vasse*
393. La Théorie comme fiction, *par Maud Mannoni*
394. Don Quichotte ou le roman d'un Juif masqué
par Ruth Reichelberg
395. Le Grain de la voix, *par Roland Barthes*

396. Critique et Vérité, *par Roland Barthes*
397. Nouveau Dictionnaire encyclopédique des sciences du langage *par Oswald Ducrot et Jean-Marie Schaeffer*
398. Encore, *par Jacques Lacan*
399. Domaines de l'homme Les Carrefours du labyrinthe II *par Cornelius Castoriadis*
400. La Force d'attraction, *par J.-B. Pontalis*
401. Lectures 2, *par Paul Ricœur*
403. Histoire de la philosophie au XXe siècle *par Christian Delacampagne*
405. Esquisse d'une théorie de la pratique *par Pierre Bourdieu*
406. Le siècle des moralistes, *par Bérengère Parmentier*
407. Littérature et Engagement, de Pascal à Sartre *par Benoît Denis*
408. Marx, une critique de la philosophie, *par Isabelle Garo*
409. Amour et Désespoir, *par Michel Terestchenko*
410. Les Pratiques de gestion des ressources humaines *par François Pichault et Jean Mizet*
411. Précis de sémiotique générale, *par Jean-Marie Klinkenberg*
413. Refaire la Renaissance, *par Emmanuel Mounier*
415. Droit humanitaire, *par Mario Bettati*
416. La Violence et la Paix, *par Pierre Hassner*
417. Descartes, *par John Cottingham*
418. Kant, *par Ralph Walker*
419. Marx, *par Terry Eagleton*
420. Socrate, *par Anthony Gottlieb*
423. Les Cheveux du baron de Münchhausen *par Paul Watzlawick*
424. Husserl et l'Énigme du monde, *par Emmanuel Housset*
425. Sur le caractère national des langues *par Wilhelm von Humboldt*
426. La Cour pénale internationale, *par William Bourdon*
427. Justice et Démocratie, *par John Rawls*
428. Perversions, *par Daniel Sibony*
429. La Passion d'être un autre, *par Pierre Legendre*
430. Entre mythe et politique, *par Jean-Pierre Vernant*
432. Heidegger. Introduction à une lecture, *par Christian Dubois*
433. Essai de poétique médiévale, *par Paul Zumthor*
434. Les Romanciers du réel, *par Jacques Dubois*
435. Locke, *par Michael Ayers*
436. Voltaire, *par John Gray*
437. Wittgenstein, *par P.M.S. Hacker*
438. Hegel, *par Raymond Plant*
439. Hume, *par Anthony Quinton*
440. Spinoza, *par Roger Scruton*

441. Le Monde morcelé
Les Carrefours du labyrinthe III
par Cornelius Castoriadis
442. Le Totalitarisme, *par Enzo Traverso*
443. Le Séminaire Livre II, *par Jacques Lacan*
444. Le Racisme, une haine identitaire, *par Daniel Sibony*
445. Qu'est-ce que la politique ?, *par Hannah Arendt*
447. Foi et Savoir, *par Jacques Derrida*
448. Anthropologie de la communication, *par Yves Winkin*
449. Questions de littérature générale
par Emmanuel Fraisse et Bernard Mouralis
450. Les Théories du pacte social, *par Jean Terrel*
451. Machiavel, *par Quentin Skinner*
452. Si tu m'aimes, ne m'aime pas, *par Mony Elkaïm*
453. C'est pour cela qu'on aime les libellules
par Marc-Alain Ouaknin
454. Le Démon de la théorie, *par Antoine Compagnon*
455. L'Économie contre la société
par Bernard Perret, Guy Roustang
456. Entretiens de Francis Ponge avec Philippe Sollers
par Philippe Sollers - Francis Ponge
457. Théorie de la littérature, *par Tzvetan Todorov*
458. Gens de la Tamise, *par Christine Jordis*
459. Essais sur le politique, *par Claude Lefort*
460. Événements III, *par Daniel Sibony*
461. Langage et Pouvoir symbolique, *par Pierre Bourdieu*
462. Le Théâtre romantique, *par Florence Naugrette*
463. Introduction à l'anthropologie structurale
par Robert Deliège
464. L'Intermédiaire, *par Philippe Sollers*
465. L'Espace vide, *par Peter Brook*
466. Étude sur Descartes, *par Jean-Marie Beyssade*
467. Poétique de l'ironie, *par Pierre Schoentjes*
468. Histoire et Vérité, *par Paul Ricœur*
469. La Charte des droits fondamentaux de l'Union européenne
Introduite et commentée par Guy Braibant
470. La Métaphore baroque, d'Aristote à Tesauro
par Yves Hersant
471. Kant, *par Ralph Walker*
472. Sade mon prochain, *par Pierre Klossowski*
473. Seuils, *par Gérard Genette*
474. Freud, *par Octave Mannoni*
475. Système sceptique et autres systèmes, *par David Hume*
476. L'Existence du mal, *par Alain Cugno*
477. Le Bal des célibataires, *par Pierre Bourdieu*
478. L'Héritage refusé, *par Patrick Champagne*
479. L'Enfant porté, *par Aldo Naouri*
480. L'Ange et le Cachalot, *par Simon Leys*

481. L'Aventure des manuscrits de la mer Morte
par Hershel Shanks (dir.)
482. Cultures et Mondialisation
par Philippe d'Iribarne (dir.)
483. La Domination masculine, *par Pierre Bourdieu*
484. Les Catégories, *par Aristote*
485. Pierre Bourdieu et la théorie du monde social, *par Louis Pinto*
486. Poésie et Renaissance, *par François Rigolot*
487. L'Existence de Dieu, *par Emanuela Scribano*
488. Histoire de la pensée chinoise, *par Anne Cheng*
489. Contre les professeurs, *par Sextus Empiricus*
490. La Construction sociale du corps, *par Christine Detrez*
491. Aristote, le philosophe et les savoirs
par Michel Crubellier et Pierre Pellegrin
492. Écrits sur le théâtre, *par Roland Barthes*
493. La Propension des choses, *par François Jullien*
494. La Mémoire, l'Histoire, l'Oubli, *par Paul Ricœur*
495. Un anthropologue sur Mars, *par Oliver Sacks*
496. Avec Shakespeare, *par Daniel Sibony*
497. Pouvoirs politiques en France, *par Olivier Duhamel*
498. Les Purifications, *par Empédocle*
499. Panorama des thérapies familiales
collectif sous la direction de Mony Elkaïm
500. Juger, *par Hannah Arendt*
501. La Vie commune, *par Tzvetan Todorov*
502. La Peur du vide, *par Olivier Mongin*
503. La Mobilisation infinie, *par Peter Sloterdijk*
504. La Faiblesse de croire, *par Michel de Certeau*
505. Le Rêve, la Transe et la Folie, *par Roger Bastide*
506. Penser la Bible, *par Paul Ricoeur et André LaCocque*
507. Méditations pascaliennes, *par Pierre Bourdieu*
508. La Méthode
5. L'humanité de l'humanité, *par Edgar Morin*
509. Élégie érotique romaine, *par Paul Veyne*
510. Sur l'interaction, *par Paul Watzlawick*
511. Fiction et Diction, *par Gérard Genette*
512. La Fabrique de la langue, *par Lise Gauvin*
513. Il était une fois l'ethnographie, *par Germaine Tillion*
514. Éloge de l'individu, *par Tzvetan Todorov*
515. Violences politiques, *par Philippe Braud*
516. Le Culte du néant, *par Roger-Pol Droit*
517. Pour un catastrophisme éclairé, *par Jean-Pierre Dupuy*
518. Pour entrer dans le XXIe siècle, *par Edgar Morin*
519. Points de suspension, *par Peter Brook*
520. Les Écrivains voyageurs au XXe siècle, *par Gérard Cogez*
521. L'Islam mondialisé, *par Olivier Roy*
522. La Mort opportune, *par Jacques Pohier*
523. Une tragédie française, *par Tzvetan Todorov*

524. La Part du père, *par Geneviève Delaisi de Parseval*
525. L'Ennemi américain, *par Philippe Roger*
526. Les Pousse-au-jouir du Maréchal Pétain *par Gérard Miller*
527. L'Oubli de l'Inde, *par Roger-Pol Droit*
528. La Maladie de l'islam, *par Abdelwahab Meddeb*
529. Le Nu impossible, *par François Jullien*
530. Schumann. La Tombée du jour, *par Michel Schneider*
531. Le Corps et sa danse, *par Daniel Sibony*
532. Mange ta soupe et… tais-toi !, *par Michel Ghazal*
533. Jésus après Jésus, *par Gérard Mordillat et Jérôme Prieur*
534. Introduction à la pensée complexe, *par Edgar Morin*
535. Peter Brook. Vers un théâtre premier, *par Georges Banu*
536. L'Empire des signes, *par Roland Barthes*
537. L'Étranger ou L'Union dans la différence *par Michel de Certeau*
538. L'Idéologie et l'Utopie, *par Paul Ricœur*
539. En guise de contribution à la grammaire et à l'étymologie du mot « être », *par Martin Heidegger*
540. Devoirs et Délices, *par Tzvetan Todorov*
541. Lectures 3, *par Paul Ricœur*
542. La Damnation d'Edgar P. Jacobs *par Benoît Mouchart et François Rivière*
543. Nom de Dieu, *par Daniel Sibony*
544. Les Poètes de la modernité *par Jean-Pierre Bertrand et Pascal Durand*
545. Souffle-Esprit, *par François Cheng*
546. La Terreur et l'Empire, *par Pierre Hassner*
547. Amours plurielles, *par Ruedi Imbach et Inigo Atucha*
548. Fous comme des sages *par Roger-Pol Droit et Jean-Philippe de Tonnac*
549. Souffrance en France, *par Christophe Dejours*
550. Petit Traité des grandes vertus, *par André Comte-Sponville*
551. Du mal/Du négatif, *par François Jullien*
552. La Force de conviction, *par Jean-Claude Guillebaud*
553. La Pensée de Karl Marx, *par Jean-Yves Calvez*
554. Géopolitique d'Israël, *par Frédérique Encel, François Thual*
555. La Méthode 6. Éthique, *par Edgar Morin*
556. Hypnose mode d'emploi, *par Gérard Miller*
557. L'Humanité perdue, *par Alain Finkielkraut*
558. Une saison chez Lacan, *par Pierre Rey*
559. Les Seigneurs du crime, *par Jean Ziegler*
560. Les Nouveaux Maîtres du monde, *par Jean Ziegler*
561. L'Univers, les Dieux, les Hommes, *par Jean-Pierre Vernant*
562. Métaphysique des sexes, *par Sylviane Agacinski*
563. L'Utérus artificiel, *par Henri Atlan*
564. Un enfant chez le psychanalyste, *par Patrick Avrane*

565. La Montée de l'insignifiance, Les Carrefours du labyrinthe IV *par Cornelius Castoriadis*
566. L'Atlantide, *par Pierre Vidal-Naquet*
567. Une vie en plus, *par Joël de Rosnay, Jean-Louis Servan-Schreiber, François de Closets, Dominique Simonnet*
568. Le Goût de l'avenir, *par Jean-Claude Guillebaud*
569. La Misère du monde, *par Pierre Bourdieu*
570. Éthique à l'usage de mon fils, *par Fernando Savater*
571. Lorsque l'enfant paraît t. 1, *par Françoise Dolto*
572. Lorsque l'enfant paraît t. 2, *par Françoise Dolto*
573. Lorsque l'enfant paraît t. 3, *par Françoise Dolto*
574. Le Pays de la littérature, *par Pierre Lepape*
575. Nous ne sommes pas seuls au monde, *par Tobie Nathan*
576. Ricœur, *textes choisis et présentés par Michael Fœssel et Fabien Lamouche*
577. Cantatrix Sopranica L. et autres écrits scientifiques *par Georges Perec*
578. Philosopher à Bagdad au xe siècle, *par Al-Fārābī*
579. Mémoires. 1. La brisure et l'attente (1930-1955) *par Pierre Vidal-Naquet*
580. Mémoires. 2. Le trouble et la lumière (1955-1998) *par Pierre Vidal-Naquet*
581. Discours du récit, *par Gérard Genette*
582. Le Peuple « psy », *par Daniel Sibony*
583. Ricœur 1, *par L'Herne*
584. Ricœur 2, *par L'Herne*
585. La Condition urbaine, *par Olivier Mongin*
586. Le Savoir-déporté, *par Anne-Lise Stern*
587. Quand les parents se séparent, *par Françoise Dolto*
588. La Tyrannie du plaisir, *par Jean-Claude Guillebaud*
589. La Refondation du monde, *par Jean-Claude Guillebaud*
590. La Bible, *textes choisis et présentés par Philippe Sellier*
591. Quand la ville se défait, *par Jacques Donzelot*
592. La Dissociété, *par Jacques Généreux*
593. Philosophie du jugement politique, *par Vincent Descombes*
594. Vers une écologie de l'esprit 2, *par Gregory Bateson*
595. L'Anti-livre noir de la psychanalyse *par Jacques-Alain Miller*
596. Chemins de sable, *par Chantal Thomas*
597. Anciens, Modernes, Sauvages, *par François Hartog*
598. La Contre-Démocratie, *par Pierre Rosanvallon*
599. Stupidity, *par Avital Ronell*
600. Fait et à faire, Les Carrefours du labyrinthe V *par Cornelius Castoriadis*
601. Au dos de nos images, *par Luc Dardenne*
602. Une place pour le père, *par Aldo Naouri*
603. Pour une naissance sans violence, *par Frédérick Leboyer*

604. L'Adieu au siècle, *par Michel del Castillo*
605. La Nouvelle Question scolaire, *par Éric Maurin*
606. L'Étrangeté française, *par Philippe d'Iribarne*
607. La République mondiale des lettres, *par Pascale Casanova*
608. Le Rose et le Noir, *par Frédéric Martel*
609. Amour et justice, *par Paul Ricœur*
610. Jésus contre Jésus, *par Gérard Mordillat et Jérôme Prieur*
611. Comment les riches détruisent la planète
par Hervé Kempf
612. Pascal, *textes choisis et présentés par Philippe Sellier*
613. Le Christ philosophe, *par Frédéric Lenoir*
614. Penser sa vie, *par Fernando Savater*
615. Politique des sexes, *par Sylviane Agacinski*
616. La Naissance d'une famille, *par T. Berry Brazelton*
617. Aborder la linguistique, *par Dominique Maingueneau*
618. Les Termes clés de l'analyse du discours
par Dominique Maingueneau
619. La grande image n'a pas de forme, *par François Jullien*
620. « Race » sans histoire, *par Maurice Olender*
621. Figures du pensable, Les Carrefours du labyrinthe VI
par Cornelius Castoriadis
622. Philosophie de la volonté 1, *par Paul Ricœur*
623. Philosophie de la volonté 2, *par Paul Ricœur*
624. La Gourmandise, *par Patrick Avrane*
625. Comment je suis redevenu chrétien
par Jean-Claude Guillebaud
626. Homo juridicus, *par Alain Supiot*
627. Comparer l'incomparable, *par Marcel Detienne*
629. Totem et Tabou, *par Sigmund Freud*
630. Malaise dans la civilisation, *par Sigmund Freud*
631. Roland Barthes, *par Roland Barthes*
632. Mes démons, *par Edgar Morin*
633. Réussir sa mort, *par Fabrice Hadjadj*
634. Sociologie du changement
par Philippe Bernoux
635. Mon père. Inventaire, *par Jean-Claude Grumberg*
636. Le Traité du sablier, *par Ernst Jüng*
637. Contre la barbarie, *par Klaus Mann*
638. Kant, *textes choisis et présentés*
par Michaël Fœssel et Fabien Lamouche
639. Spinoza, *textes choisis et présentés*
par Frédéric Manzini
640. Le Détour et l'Accès, *par François Jullien*
641. La Légitimité démocratique, *par Pierre Rosanvallon*
642. Tibet, *par Frédéric Lenoir*
643. Terre-Patrie, *par Edgar Morin*
644. Contre-prêches, *par Abdelwahab Meddeb*
645. L'Éros et la Loi, *par Stéphane Mosès*

646. Le Commencement d'un monde
par Jean-Claude Guillebaud
647. Les Stratégies absurdes, *par Maya Beauvallet*
648. Jésus sans Jésus, *par Gérard Mordillat et Jérôme Prieur*
649. Barthes, *textes choisis et présentés par Claude Coste*
650. Une société à la dérive, *par Cornelius Castoriadis*
651. Philosophes dans la tourmente
par Élisabeth Roudinesco
652. Où est passé l'avenir ?, *par Marc Augé*
653. L'Autre Société, *par Jacques Généreux*
654. Petit Traité d'histoire des religions, *par Frédéric Lenoir*
655. La Profondeur des sexes, *par Fabrice Hadjadj*
656. Les Sources de la honte, *par Vincent de Gaulejac*
657. L'Avenir d'une illusion, *par Sigmund Freud,*
658. Un souvenir d'enfance de Léonard de Vinci
par Sigmund Freud
659. Comprendre la géopolitique, *par Frédéric Encel*
660. Philosophie arabe
textes choisis et présentés par Pauline Koetschet
661. Nouvelles Mythologies, *sous la direction de Jérôme Garcin*
662. L'Écran global, *par Gilles Lipovetsky et Jean Serroy*
663. De l'universel, *par François Jullien*
664. L'Âme insurgée, *par Armel Guerne*
665. La Raison dans l'histoire, *par Friedrich Hegel*
666. Hegel, *textes choisis et présentés par Olivier Tinland*
667. La Grande Conversion numérique
par Milad Doueihi
668. La Grande Régression, *par Jacques Généreux*
669. Faut-il pendre les architectes ?, *par Philippe Trétiack*
670. Pour sauver la planète, sortez du capitalisme
par Hervé Kempf
671. Mon chemin, *par Edgar Morin*
672. Bardadrac, *par Gérard Genette*
673. Sur le rêve, *par Sigmund Freud*
674. Claude Lévi-Strauss et l'anthropologie structurale
par Marcel Hénaff
675. L'Expérience totalitaire. La signature humaine 1
par Tzvetan Todorov
676. Manuel de survie des dîners en ville
par Sven Ortoli et Michel Eltchaninoff
677. Casanova, l'homme qui aimait vraiment les femmes
par Lydia Flem
678. Journal de deuil, *par Roland Barthes*
679. La Sainte Ignorance, *par Olivier Roy*
680. Alexandre Jollien, La Construction de soi
par Alexandre Jollien